आदिवासी स्वर–4

सामाजिक-आर्थिक जीवन

आदिवासी स्वर–4

सामाजिक-आर्थिक जीवन

सम्पादक

कुमार चौहान

श्रीमती रेनू चौहान

वाणी प्रकाशन

वाणी प्रकाशन

4695, 21-ए, दरियागंज, नयी दिल्ली 110 002

शाखा

अशोक राजपथ, पटना 800 004

फ़ोन : +91 11 23273167 फ़ैक्स : +91 11 23275710

www.vaniprakashan.in

vaniprakashan@gmail.com

sales@vaniprakashan.in

Aadivasi Swar-4

SAMAJIK-ARTHIK JEEVAN

edited by Kumar Chauhan, Smt. Renu Chauhan

ISBN : 978-93-5229-707-8

Social Science

संस्करण 2005

आवृत्ति 2017

मूल्य : ₹695

रजौरिया प्रिंटर्स, दिल्ली-110 093 में मुद्रित

वाणी प्रकाशन का लोगो मक़बूल फ़िदा हुसेन की कूची से

प्रकाशकीय वक्तव्य

'सामाजिक-आर्थिक जीवन' खंड में विभिन्न आदिवासी समुदायों के सामाजिक-आर्थिक जीवन तथा उनके विकास से संबंधित विभिन्न समस्याओं पर अधिकारी लेखकों के लेख व कहा जाये पड़ताल इस खंड में है।

कुछ आदिवासी समुदायों के निरंतर संघर्षों के फलस्वरूप निर्मित अपने अलग झारखंड राज्य में भी आदिवासी शोषित और पीड़ित हैं। वर्तमान राजनीति के दोगलेपन का शिकार ये आदिवासी हुए हैं। अन्यत्र भी कमोबेश यही स्थितियाँ हैं। जल-जंगल-जमीन को लेकर उनका संघर्ष अब भी जारी है। अपनी अस्मिता की तलाश की जद्दोजहद में आज समूचे देश की आदिवासी जातियों-जनजातियों के साथ बुद्धिजीवी-विचारक-शोधकर्त्ता सभी जुड़ रहे हैं। नए अध्ययन और शोध पटल पर आ रहे हैं। इन कतिपय शोध-रिपोर्टों और अध्ययनों को भी इस खंड में शामिल किया गया है।

हालाँकि अभी भी देश के विभिन्न हिस्सों में बसने-घूमने वाले आदिवासी समुदायों में अपने अस्तित्व की रक्षा के संघर्ष का माद्दा है; इसमें जब-तब कोई उबाल आता है, तो कभी यह 'कोमा' की गहराइयों में चला जाता है। बावजूद इसके, जो उनके अवचेतन में है—उनका क्या करिए!—इस गहरी नींद का फायदा हमारी वर्तमान राजनीति, हमारा पूरा तंत्र (System) उठा रहा है। व्यवस्था भोग रही है उनकी उपलब्धियों को, और वे अभिशप्त हैं, व्यवस्था की विकृतियों, असफलताओं और प्रपंचों को झेलने के लिए।

यह पुस्तक माला सदियों से जल-जंगल-जमीन और अपनी स्वतंत्र अस्मिता की तलाश में संघर्षरत विभिन्न आदिवासी समुदायों की गाथा प्रस्तुत करने का प्रयास है। संयोग से यह पुस्तक माला ऐसे समय में प्रकाशित हो रही है, जब एक महत्त्वपूर्ण आदिवासी जनजाति संतालों के संघर्ष का एक यादगार प्रस्थान-बिंदु 'हूल' या 'संताल विद्रोह' की 150वीं वर्षगाँठ मनाई जा रही है।

निस्संदेह, विभिन्न आदिवासी समुदायों की वर्तमान स्थिति के लिए शोषकों द्वारा विनिर्मित

धूसर अतीत और जारी वर्तमान जिम्मेवार है, पर भविष्य सुनहरा हो, इसके लिए आदिवासियों के साथ हम सबको मिलकर राजनीतिक, सांस्कृतिक, सामाजिक, आर्थिक आदि कई मोर्चों पर लड़ाई लड़नी होगी, अपना दाय देना होगा। सुदूर अतीत में विभिन्न आदिवासी समुदायों के जीवट और संघर्षों की सार्थकता को जहाँ पीछे मुड़कर याद करना ही चाहिए, वहीं निकट भविष्य में उनकी सफलता और चरम को आँकने का प्रयास भी होना चाहिए। इस महत् कार्य में खुद आदिवासी समुदायों की सक्रिय भूमिका निर्णायक सिद्ध होगी।

'हूल' या 'संताल विद्रोह' के संदर्भ में देश के विभिन्न हिस्सों में फैली आदिवासी जातियों-जनजातियों के इतिहास और वर्तमान की पड़ताल और भविष्य की संभावनाओं की तलाश की जानी चाहिए।

सूची

झारखंड की संस्कृति और अर्थव्यवस्था

□ *जेवियर डायस*

संस्कृति सिर्फ लोगों द्वारा गढ़ी नहीं जाती और न ही यह अपने आप किसी शून्य से विकसित होती है। समय विशेष की राजनीति और अर्थतंत्र के साथ लोगों के सम्मिलन से इसका विकास होता है। जब लोगों के द्वारा बिना किसी आलोचनात्मक रुख के किसी राजनीतिक अर्थव्यवस्था को स्वीकार कर लिया जाता है तब एक विशेष प्रकार की संस्कृति का विकास होता है। अगर राजनीतिक व्यवस्था चरित्र में प्रतिरोधी होगी, जिसे हम जनता की संस्कृति के रूप में चिन्हित कर सकते हैं। इस अर्थ में संस्कृति स्थिर या जड़ नहीं है बल्कि गतिशील है। सुषुप्त नहीं, जाग्रत है।

झारखंड का सांस्कृतिक परिदृश्य

झारखंड की अर्थव्यवस्था को औपनिवेशिक अर्थव्यवस्था की श्रेणी में रखा जाता है और अगर यह सही है तो हम समझ सकते हैं कि इस राजनीतिक अर्थव्यवस्था ने झारखंड में किस तरह की संस्कृति को विकसित किया होगा। यह भी साफ है कि झारखंड में रहने वाले सभी लोगों को इस राजनीति और अर्थतंत्र से होने वाला लाभ अथवा नुकसान एक समान नहीं रहा है। झारखंड की मौजूदा राजनीति एवं अर्थव्यवस्था से प्रभावित और लाभान्वित होने वालों को हम सामान्यतया दो समूहों में बाँट सकते हैं–

एक वे जिन्हें झारखंड की औपनिवेशिक अर्थव्यवस्था व राजनीति से लाभ हुआ है।

दूसरे वे जो इसके शिकार बने हैं। इसलिए यह स्वाभाविक ही है कि इन दोनों की प्राथमिकताएँ भिन्न होंगी और इनका विकास भी भिन्न रूप से हुआ होगा।

जो लोग इस व्यवस्था से लाभान्वित हुए हैं उनके लिए इसका व्यावहारिक अर्थ है, जीने की सुरक्षा, रोजगार, स्वास्थ्य सुविधाएँ और शिक्षा के बेहतर अवसर, पर व्यवस्था के शिकार हुए लोगों के लिए इसका अर्थ है हानि, बेदखली, लूट, जान-माल का जोखिम और उस पारंपरिक अर्थव्यवस्था का तहस-नहस हो जाना जो कि उनकी विद्यमान संस्कृति की नींव थी।

औपनिवेशिक अर्थव्यवस्था की प्रकृति

अर्थव्यवस्था की स्थापित शास्त्रीय परिभाषा में इसे उस अर्थव्यवस्था में 'पूँजी का प्रवेश' कहते हैं जो पूँजी आधारित अर्थव्यवस्था नहीं है। झारखंड के संदर्भ में व्यावहारिक रूप से पूँजी का प्रवेश उतना अधिक नहीं हुआ जितना कि यहाँ की वस्तुओं का दोहन कर उसे दूसरी जगहों पर ले जाया गया और उसे पूँजी में परिवर्तित किया गया। इस तरह यह पूँजी का प्रवेश या आयात नहीं था। पूँजी की जगह तकनीक, रेलवे, बिजली आदि औजारों का जरूर आयात हुआ क्योंकि इनके बगैर अबाध दोहन और निर्यात संभव नहीं था। इस तरह उपनिवेशवाद ने झारखंड में पूँजीवादी अर्थव्यवस्था को स्थापित करने अथवा इसका लाभ पहुँचाने की जगह लूट-खसोट तथा परित्याग की ही नीति अपनाई।

अंतर्राष्ट्रीय परिदृश्य

क्षेत्र विशेष की लूट और फिर उसका परित्याग, यह सिर्फ झारखंड में ही नहीं हुआ बल्कि दुनिया के उन हिस्सों में भी हुआ जहाँ प्राकृतिक संसाधनों जैसे जंगल, खनिज आदि प्रचुर मात्रा में थे। एक क्षेत्र को लूटकर उस लूट से दूसरे क्षेत्र का विकास करना यही इस पूँजीवादी अर्थव्यवस्था का चरित्र है और ऐसा सिर्फ अविकसित देशों में ही नहीं बल्कि आस्ट्रेलिया, कनाडा या फिर अमेरिका जैसे विकसित राष्ट्रों के खनिज क्षेत्रों में भी हुआ, अगर हम विश्व के मानचित्र पर उन क्षेत्रों को चिन्हित करें जहाँ खनन कार्य हो रहा है तो हमें यह जानकर आश्चर्य होगा कि इनमें से अधिकांश क्षेत्र देशज या आदिवासी जनता की मातृभूमि है। निश्चित तौर पर यह महज संयोग नहीं है कि लूट के ये सारे क्षेत्र आदिवासी वाले हैं। यकीनन इनके राजनीतिक कारण हैं पर यह हमारे आज के संवाद से बाहर का विषय है, लेकिन यह एक निहायत ही जरूरी सवाल है जिससे टकराए बिना हम इसे नहीं समझ सकते।

इसलिए सवाल उठता है कि अगर झारखंड की राजनीतिक अर्थव्यवस्था की प्रकृति लूटखसोट की थी तो इस व्यवस्था से किस तरह की संस्कृति का विकास हुआ। दूसरी महत्त्वपूर्ण बात यह है कि अगर दोहन पर आधारित अर्थव्यवस्था ने यहाँ किसी तरह के उत्पाद को सृजित नहीं किया है तो फिर आगे इसका क्या प्रभाव पड़ने वाला है।

खनन व लकड़ी उद्योग, दोनों ही स्पष्टतः विनाशकारी उद्योग हैं। धरती के उन हिस्सों में जहाँ कि ये उद्योग स्थापित हैं, वहाँ का जीवन पूर्णतः समाप्त हो जाता है। साथ ही ये उद्योग अपने पीछे हजारों टन कूड़ा-कचरा और बड़ी मात्रा में जहरीले रासायनिक पदार्थ छोड़ जाते हैं जो सदियों तक जीवन के लिए खतरा बने रहते हैं। जिन क्षेत्रों में उत्खनन व दोहन हो रहा है, अनुभव बताते हैं कि उन इलाकों में पूँजीवादी उत्पादन अथवा निर्माण की पूरी प्रक्रिया नहीं चलाई जाती बल्कि इसके एक ही हिस्से को संचालित किया जाता है। यह आधी-अधूरी प्रक्रिया जो कि मूलतः विध्वंसकारी है इस तथ्य को समझाने के लिए काफी है कि लूट क्षेत्रों में कभी भी पूर्ण उत्पादन अथवा निर्माण के रचनात्मक हिस्से पर विचार नहीं हुआ।

एक बहुत ही सरल उदाहरण से इसे समझा जा सकता है। अगर एक कुम्हार केवल मिट्टी को अन्य जगह ले जाकर उससे बर्तन बनाने का काम करता है। तब मिट्टी निकालने वाले को क्या कहेंगे? कुम्हार या मजदूर? और तब उस समुदाय की संस्कृति क्या होगी? झारखंड की इस औपनिवेशिक अर्थव्यवस्था में इससे लाभ पाने वालों की संस्कृति का स्वभाव कैसा होगा? इस समाज का सौंदर्यबोध, नैतिकता और प्रकृति किस तरह की होगी?

भूमंडलीकरण के बाद

पूँजीवाद या पूँजीपति शब्द झारखंड में आम शब्द है। शहरी क्षेत्र ही नहीं बल्कि

दूरदराज के गाँव-देहातों में भी लोग इसकी परिभाषा को अच्छी तरह से समझते हैं। दलाल, बिचौलिया, शोषक, खनन उद्योगपति के साथ-साथ झारखंड में पूँजीपति शब्द का अर्थ राज्य सत्ता, सरकार और नौकरशाही का भी पर्याय बन चुका है।

लेकिन पूँजीपति या पूँजीवाद की यह आम समझदारी अब नाकाफी है क्योंकि आज के पूँजीवाद का चरित्र बदल गया है। तेजी से बदलती हुई इसकी प्रकृति से हम हर रोज टकरा रहे हैं। प्रत्यक्षतः अनुभव भी कर रहे हैं, लेकिन हम इसका सटीक विलेषण नहीं कर पा रहे हैं। यह आलेख शायद इस विश्लेषण में आपकी मदद करेगा, ऐसी मुझे उम्मीद है और जैसा कि मैं पहले ही कह चुका हूँ कि अगर यह प्रक्रिया स्वर्गिक आनंद देने वाली प्रक्रिया है तो अब इसके दिन लद चुके हैं और आने वाले दिनों में इसके सद्‌भावनापूर्ण बने रहने की कोई गुंजाइश नहीं है।

आज हमें यह समझना बहुत जरूरी है कि पिछले 150 वर्षों के दौरान पूँजीवाद का चरित्र कभी भी एक समान नहीं रहा है। सत्तर के दशक के अंत तक स्वास्थ्य, शिक्षा आदि नागरिक सुविधाओं के कारण इसका चरित्र जरूर कुछ-कुछ कल्याणकारी था। हालाँकि तब भी पूँजीवाद के इस कल्याणकारी चरित्र का लाभ पश्चिमी देशों में ही हमें ज्यादा दिखाई देता है। फिर भी इसका कुछ फायदा तीसरी दुनिया के देशों को भी मिला है। यह कल्याणकारी पूँजी ही थी, जिसने लंबे समय तक आम जनता से इसके असली चरित्र को छुपाए रखने में मदद की। उन्हीं दिनों गुलामी, जहालत, भयंकर गरीबी और अमानुषिक अत्याचार से जूझ रहे अधिकांश लोगों के मन में तब कहीं न कहीं यह बात घर करने लगी थी कि बहुत जल्दी पूँजीवाद उनके देश को भी अमेरिका और जापान जैसा समृद्ध बना देगा। पूँजीवाद बदल चुका है और यह इतनी तेजी से विकसित हो रहा है कि इसके रूप के तर्क खुलकर सामने आ चुके हैं क्योंकि अब इसका चरित्र कल्याणकारी नहीं रहा है।

राज्य सत्ता बनी संरक्षक

पूँजीवाद का पुराना रूप बहुत साधारण था। एक पूँजीपति वस्तुओं का उत्पादन करता और उसे

बेचकर मुनाफा कमाता था। इस मुनाफे से वह फिर से उत्पादन करता और अधिक से अधिक पूँजी इकट्ठा कर धीरे-धीरे अमीर आदमी बन जाता था। इस प्रक्रिया में उसे राज्य सत्ता से सुरक्षा व संरक्षण की आवश्यकता थी। सुरक्षा, दूसरे देशों के प्रतियोगियों से और अपने उन श्रमिकों से जो कि अत्यंत साधारण लोग थे और उसके आस-पास होते थे। राज्य सत्ता और राष्ट्रों ने आगे आकर उन्हें यह सुरक्षा-संरक्षण प्रदान की। राज्य सत्ता का यह संरक्षण बहुत ही महत्त्वपूर्ण था और जिसके लिए सेना तथा पुलिस की सुदृढ़ व्यवस्था कायम की गई। इस व्यवस्था को बनाए रखने के लिए समूची जनता को मनोवैज्ञानिक रूप से राष्ट्रीय सुरक्षा की घुट्टी पिलाई गई। नतीजतन राष्ट्रीयता लोगों का दूसरा धर्म बन गया।

इस प्रक्रिया की सबसे खास बात यह है कि अब इनके लिए राज्य सत्ता अथवा राष्ट्र की जरूरत पहले जैसा नहीं रही। दूसरे शब्दों में अब इन्हें राष्ट्र अथवा राज्य के सुरक्षा-संरक्षण की जरूरत नहीं रह गई। सरकार का काम केवल उनकी जरूरतों पर मुहर लगाना भर था ताकि उनके क्रियाकलापों को लोकतांत्रिक आवरण से ढका जा सके। यही वजह है कि 1980 के दशक के बाद हम देखते हैं कि ज्यों-ज्यों बहुराष्ट्रीय कंपनियों का उदय होता गया, राष्ट्र-राज्य की शक्तियों का पतन होता गया। इस दौर में विश्व राजनीति में हुई कुछ खास घटनाओं ने भी इस प्रक्रिया को गति दी। 1972 में दुनिया के तेल निर्यातक देशों ने ओपेक संगठन बनाकर तेल की कीमतों में भारी बढ़ोतरी लादी जिससे तेल कंपनियों को भारी मुनाफा हुआ। ये तेल कंपनियाँ बड़ी बहुराष्ट्रीय कंपनियों में गिनी जाती हैं। इसका असर यह हुआ कि दुनिया भर में बहुत भारी मात्रा में पूँजी का प्रवाह हुआ। इसके बाद अमेरिकी अर्थव्यवस्था को स्वर्ण मानक से मुक्त कर दिया गया, जिससे पूँजी संचय में और इजाफा हुआ। पूँजी की इस भारी मात्रा को अब पूँजी नहीं 'वित्त' कहा जाता है। आजकल इस शब्द को कहीं भी आमतौर पर सुना जा सकता है।

वित्त उद्योग

इस पूँजी को किसी सही जगह पर निवेश करने की जरूरत थी। लिहाजा इसे 'स्टॉक एवं शेयर' में सुरक्षित तरीके से निवेश कर दिया गया। इस पूँजी से लाभ पाने के लिए यह जरूरी था कि ज्यादा से ज्यादा उद्योगों में यह निवेश होता तो उद्योग को और अधिक वस्तुओं का उत्पादन करना पड़ता ताकि लोग उसे खरीद सकें। लेकिन लोगों के क्रय की एक सीमा होती है। अतः उपभोक्ता वस्तुओं के उत्पादन की यह अर्थव्यवस्था उतनी तेजी से विकसित नहीं होती जितना कि निगम चाह रहे हैं।

इसलिए यह आवश्यक हो गया कि ऐसी वस्तुओं का उत्पादन किया जाए जिसकी खरीद और उपभोग तेजी से हो। इस दृष्टि से हथियार सर्वोत्तम उत्पादन है क्योंकि इसका मूल्य अधिक होता है और यह बहुत कम समय में इस्तेमाल होना भी शुरू हो गया। अफ्रीका में चल रहे छोटे-छोटे दर्जनों युद्ध तथा अफगानिस्तान व इराक के बड़े युद्ध इसके सबसे ज्वलंत उदाहरण हैं।

जनता के नियंत्रण से बाहर

पूँजी की यह मात्रा अब इतनी विशाल हो गई है कि लाभ कमाने के लिए अब किसी उपभोक्ता वस्तु के निर्माण उद्योग की जरूरत नहीं है। यह पूँजी आज स्वयं एक 'वित्त उद्योग' बन चुकी है और बढ़ती ही चली जा रही है। इसे हर दिन ज्यादा से ज्यादा खून चाहिए। इसे समझना शायद आसान नहीं हो। इसके लिए विश्व अर्थव्यवस्था का गहरा अध्ययन और विश्लेषण की जरूरत है। पर फिर भी जो चीजें समझना आवश्यक है, वे हैं–

1. कि यह पूँजीवाद वह नहीं है जिसकी बातें हम एक दशक पहले किया करते थे।
2. कि वर्तमान पूँजीवाद जिसे वैश्वीकरण कहा जा रहा है, का समाज के कल्याण से कोई सरोकार नहीं है।

3. कि यह विशालकाय और नियंत्रण से बाहर है। ठीक उसी प्रकार जैसे कि एक 10 हजार टन का बेकाबू डंपर ट्रक हिमालय की चोटी से अनियंत्रित चला आ रहा हो।

4. कि इस 10 हजार टन के डंपर का नियंत्रण किसी मनुष्य के हाथ में नहीं है और यह स्वयं अपना रास्ता बनाता और सब कुछ रौंदता हुआ आगे चला आ रहा है।

5. कि इसका विकास ऐसे हुआ है कि मौजूदा लोकतांत्रिक संस्थाएँ जैसे—सरकार, संयुक्त राष्ट्र या फिर किसी और के पास इसे नियंत्रित करने की कोई शक्ति नहीं है।

6. कि इस बेकाबू ट्रक को अपने स्वयं रास्ते पर चलने के लिए कम मजदूरी में ज्यादा लोगों के श्रम की आवश्यकता है, अतः हमें और अधिक बेरोजगारी मिलनी है तथा श्रमिकों की मजदूरी कम से कमतर होती जानी है।

लाभ के लिए हिंसा

इस स्थिति के लिए उसे लोगों में विभाजन, सामाजिक तनाव, युद्ध, आतंक और हिंसा की आवश्यकता है। तभी राज्य सत्ता और राष्ट्र ज्यादा खर्च अपनी सुरक्षा पर करेंगे। इसके लिए ये निगमें उन्हें आतंकवाद से लड़ने के लिए बेहतर साजो सामान और व्यवस्था से लैस करेंगे। इसीलिए यह जरूरी है कि लोग एक-दूसरे की हत्या करें। उन्हें रक्तपात और हिंसा की जरूरत है जिससे कि वे अधिक से अधिक मुनाफा कमा सकें। अतः अब हिंसा ही साध्य भी है और साधन भी। हिंसा सबसे बड़ा उद्योग है क्योंकि यही आज के नवपूँजीवाद को ज्यादा से ज्यादा मुनाफा दे सकती है। इस नवपूँजीवाद को हिंसा की जरूरत ठीक वैसे ही है जैसे हमें और आपको ऑक्सीजन की। अतः इस उपनिवेशी अर्थव्यवस्था से जिन लोगों की संस्कृति विकसित हुई है उनके स्वर्गिक आनंद के दिन बीत चुके हैं। सवाल है आगे क्या? या अगला कौन?

हूलगुलान : पुनरावलोकन और प्रासंगिकता

□ *रामदयाल मुंडा*

संताल हूल (1856) और इस तरह के जन आंदोलन (मुंडा, कोल, भूमिज, और चेरो आंदोलन) हमें इतिहास दृष्टि पर पुनर्विचार के लिए प्रेरित करते हैं। एक आदर्श रूप में इतिहासकार को तटस्थ/वस्तुपरक होना चाहिए। किंतु ऐसा सामान्यतया हो नहीं पाता। अधिकांशतः इतिहासकार तत्कालीन राजसत्ता के पूर्वाग्रही के रूप में दिखाई देते हैं। किंतु, जैसे-जैसे समय बीतता है, इस दृष्टिकोण में परिवर्तन आता है और वही ऐतिहासिक तथ्य एक आलोक में व्याख्यायित होते हैं।

इतिहास दृष्टि को प्रभावित/इंगित करने वाले पूर्वाग्रह हैं : साम्राज्यवादी/पूँजीवादी प्रवृत्ति, समाजवादी/साम्यवादी प्रवृत्ति, राष्ट्रवादी/बहुसंख्यवादी प्रवृत्ति और स्थानीय स्वायत्ततावादी प्रवृत्ति। साम्राज्यवादी/पूँजीवादी आग्रह है कि आम जनता एक न्यायपालक प्रजा की तरह सत्ता की आज्ञा का पालन करती रहे। समाजवादी/साम्यवादी आग्रह है कि साम्राज्यवादी/पूँजीवादी सत्ता को उखाड़ फेंकने के लिए आंदोलनरत हों। राष्ट्रवादी आग्रह है कि बहुसंख्यक आबादी के हित में जनता एकजुट हो और साम्राज्यवादी/पूँजीवादी सत्ता के विरुद्ध असहयोग करे। स्थानीय स्वायत्ततावादी आग्रह है कि विदेशी/बाह्य आक्रमण पूरी तरह अनैतिक और अप्रासंगिक हैं, इसलिए प्रतिकार्य हैं।

साम्राज्यवादी दृष्टिकोण से इन आंदोलनों को विद्रोह इसलिए कहा गया क्योंकि इन आंदोलनों के पहले का अनुभव यथार्थ था कि उस समय का मैदानी क्षेत्र एक के बाद दूसरा बड़ी आसानी से ब्रिटिश अधीनता को स्वीकारता गया था। किंतु, पहाड़ी/पठारी इलाकों में वह बात नहीं थी। वहाँ का आदमी उतना आज्ञाकारी नहीं था, इसलिए उसे बिगड़ैल घोषित किया गया।

समाजवादी/साम्यवादी दृष्टिकोण किसी आंदोलन के पीछे वर्ग-संघर्ष देखना चाहता है, इसलिए पूँजीवाद के वाहक सेठ साहूकार-महाजनों के विपरीत जमींदारों की गुलामी करते किसानों को खड़ा करता है। इस दृष्टि में आदिवासी उसका पूरा यजमान नहीं बन पाता क्योंकि वह 'जन्मजात' साम्यवादी के भी अलावा और कुछ होता है, जिसे यह दृष्टि नहीं पकड़ पाती।

भारतीय राष्ट्रीय बहुसंख्यक समाज की दृष्टि में आदिवासी दिखाई ही नहीं देता

क्योंकि बहुसंख्यक समाज का इस समाज से सीधा कोई लेना-देना नहीं है। वह एक दूरस्थ समाज है। इसलिए इस दृष्टि से कोल आंदोलन और संताल विद्रोह कुछ भी राष्ट्रीय नहीं है। इसीलिए उसका राष्ट्रीय आंदोलन 1857 के सिपाही विद्रोह, जिसमें देश का हिंदू-मुस्लिम बहुसंख्य प्रभावित दिखाई देते हैं, से आरंभ होता है।

वस्तुतः आदिवासी इतिहास दृष्टि में कोल आंदोलन, संताल आंदोलन और इस तरह के अन्य जन आंदोलन मुक्ति आंदोलन ही हैं। इन आंदोलनों को राष्ट्रीय नहीं मानना इन समुदायों के प्रति ही अपमान ही कहा जाएगा। इन समुदायों के लिए जो खुद को भारत का प्रथम नागरिक मानता है। इससे अधिक अपमान की क्या बात हो सकती है कि बाह्य आक्रमण के विरुद्ध इसके प्रतिकार को कोई गिने ही नहीं, उल्टे उसे देशद्रोही और विकास विरोधी करार दिया जाए।

ऐसे आंदोलनों के पुनरावलोकन से जो नई बातें निकलती हैं, उनमें से कुछ हैं

- इन्हें आदिवासी जनआंदोलन कहना अधिक उपयुक्त होगा। कोल-संताल-चेरो इत्यादि आदिवासी नाम देना इनकी सार्वभौमिकता को अनदेखा किया जाना है।
- इन आंदोलनों को विद्रोह करार कर सत्ता द्वारा दबा दिए जाने का संबंधित सत्तापक्ष को विजयी होने का प्रमादपूर्ण एहसास भले ही लगे, परंतु तथ्य यह है कि अंतर्निहित कारणों के रहते हुए हूल या उलगुलान का अंत नहीं होता।
- ऐसे आंदोलन नैतिक मूल्यों पर आधारित हैं इसलिए अल्पकालीन दृष्टि में हारकर भी अंत में विजय इन्हीं की होनी है। आदिवासी मौखिक इतिहास में जब तिलक माँझी या बिरसा मुंडा सजा सुनाने वाले न्यायाधीशों को कहता है कि मत समझो कि मुझे मार दिया तो तुमने लड़ाई जीत ली, मेरे मरने के बाद मेरी हड्डी तुमसे लड़ेगी। इसके पीछे इसी अंतिम विजय का दृढ़ संकल्प छिपा होता है।
- एक सम्मानजनक सामुदायिक जीवन जोकि जमीन, जल, जंगल और विल्किसन रूल, संताल आंदोलन की परिणति के रूप में संताल परगना काश्तकारी अधिनियम और बिरसा आंदोलन की परिणति के रूप में छोटानागपुर काश्तकारी

अधिनियम आदिवासी विजय गाथा के प्रामाणिक दस्तावेज हैं। सत्ता और आंदोलनकारियों के हस्ताक्षर न रहने पर भी ये दस्तावेज संविधान की तरह मान्य हैं।

○ इन्हीं का राष्ट्रव्यापी विकसित रूप है आदिवासी क्षेत्रों का पूर्ण परिगणित और आंशिक परिगणित क्षेत्र के रूप में निहित होना जोकि स्वतंत्रता के बाद पाँचवीं और छठी अनुसूचित क्षेत्र के रूप में संविधान में मान लिए गए हैं।

○ वर्तमान भूमंडलीकरण के संदर्भ में ऐसे संधिपत्रों को अंतर्राष्ट्रीय स्तर पर फिर से व्याख्यायित किया जा रहा है और जहाँ भी इनका उल्लंघन हुआ प्रमाणित हो रहा है, जिम्मेवार पक्ष को दंडनीय माना जा रहा है। ऐसी ही पुनर्व्याख्या का परिणाम है कि ऑस्ट्रेलिया सरकार को लाखों वर्गमील जमीन वहाँ के आदिवासियों को वापस करनी पड़ रही है। न्यूजीलैंड, कनाडा और अमेरिका को भी ऐसा ही करना पड़ रहा है और उन देशों को वहाँ के आदिवासी विकास कार्यों में सकारात्मक तरीके से लगना पड़ रहा है।

○ हमारे देश के आदिवासी क्षेत्रों को जो विकास के नाम पर विनष्ट किया जा रहा है तथा अवांछित और त्याज्य आबादी का डंपिंग ग्राउंड एवं आपराधिक तत्त्वों का चरागाह बनाया जा रहा है हमारा विश्वास है आदिवासियों के संदर्भ में संघोषणा हुई है, उसका घोर उल्लंघन माना जाएगा। हम आशा करें कि इन विसंगतियों के समंजन की दिशा में सत्तापक्ष और आदिवासी-शुभचिंतकों के बीच नई समझ की शीघ्र ही शुरुआत होगी।

केनाराम बेचाराम का बोलबाला है झारखंड में

□ *वासवी*

केनाराम और बेचाराम इन दो साहूकारों का जिक्र करना एक सौ पचास वर्ष बाद भी प्रासंगिक और समसामयिक है। खासकर तब, जब संताल हूल के 150 वर्ष पूरे हो रहे हैं और झारखंड गठन के पाँच वर्ष भी। इन पाँच सालों में झारखंड के चारों कोने में केनाराम और बेचाराम का ही बोलबाला है। सिद्धो-कान्हू, चाँद, भैरव, फूलों-झानो ने इन्हीं केनाराम और बेचाराम के खिलाफ तीर-तलवार उठाया और खूनी जंग लड़ी। झारखंड में चाहे सामाजिक कार्यकर्त्ता हो या प्रखर बुद्धिजीवी या पत्रकार-लेखक—सभी कहीं-न-कहीं केनाराम और बेचाराम बन गए हैं। यही कारण है कि झारखंड के नवनिर्माण और सृजन संघर्ष में भारी कोताही बरती जा रही है। ध्यान रहे कि संताल हूल की बुनियाद में जो कारण थे, उनमें प्रथम तो महाजनों और सूदखोरों के शोषण व जुल्म के खिलाफ भयानक आक्रोश का होना था।

महाजन कर्ज वसूली के लिए घोड़े-हाथी पर आते, तो वे गरीब मेहनती संताली कर्जदारों से खाना भी खाते, हाथी-घोड़े का दाना भी लेते और सूद सहित कर्ज वसूली के लिए आने की बात कह जाते थे। यह कहना अतिशयोक्ति नहीं होगी कि झारखंड की राजग सरकार और उनके अनेक नुमाइंदे अब इसी महाजन की भूमिका में आ गए हैं। झारखंडियों और आदिवासियों के पारंपरिक जंगल-जमीन के अधिकार पर कुठाराघात करने का कोई अवसर सरकार गँवाना नहीं चाहती। आदिवासियों और झारखंडियों के खून से सींचे इस राज्य में उन महाजनों की पैठ अत्यंत गहरी हो चली है, जो छोटानागपुर काश्तकारी अधिनियम और संताल परगना काश्तकारी अधिनियम में संशोधन कर इसे लचकदार बनाने की वकालत कर रहे हैं।

कुछ बड़े पूँजीपति, जो पूर्व में यहाँ आदिवासी इलाके में पहले से खनन कार्य कर बॉक्साइट ले जाया करते थे, अब संताल परगना में उद्योग लगाने के लिए संताल परगना काश्तकारी अधिनियम 1855 में संशोधन कर उसे (उद्योगपतियों) बाहरी लोगों को देने के लिए अभियान चला रहे हैं। चूँकि उक्त पूँजीपति का यहाँ छपाईखाना है तो अभियान चलाने में कठिनाई नहीं है। यहीं केनाराम बेचाराम की मंशा दिखाई पड़ती है। यानी कि अकूत संपत्ति, भूमि, सस्ता श्रम और बिना प्रतिस्पर्धा के वातावरण का

भरपूर लाभ लेना चाहते हैं। बदले में क्या मिलेगा? इस पर तो बेचाराम से भी गई-बीती बात लगती है। पाँचवीं अनुसूची का इलाका और आदिवासियों की जमीन पर आदिवासियों की मालिकी भी मंजूर नहीं। चित भी उसकी पट भी उसकी। भारत, भारत का संविधान भी पूँजीपतियों की मुट्ठी में। बेचाराम जैसा भी हृदय नहीं। बेचाराम और छोटा बाउ तो कम-से-कम छोटा मापक तो रखता था जिसकी समाई मानक माप से कम होती थी और उसका इस्तेमाल वे संतालों को कोई चीज उधार देने के समय करते थे। केनाराम या बड़ा बाउ उस साहूकार का नाम था जिसकी समाई साधारण माप से जरा अधिक होती थी और उसका इस्तेमाल वे अपने कर्जदारों से फसल लेते समय करते थे। केनाराम और बेचाराम असाधारण रूप से ऊँची दरों पर ब्याज लगाते थे।

झारखंड बनने के बाद सरकार और पूँजीपतियों के मानक भी हिसाब से छोटे-बड़े दिख रहे हैं। आदिवासियों की धरती में विद्रोहों के बाद बने भूमि कानूनों की कोई कीमत नहीं रह गई। सबसे भयंकर और गंभीरतम बात तो यह है कि पाँचवीं अनुसूची के प्रावधानों की अनदेखी और उसका घोर उल्लंघन किया जाना है। ऐसा कर सारे संसाधनों पर हकमारी की जा रही है। राज्य में गरीबी और भ्रष्टाचार एक साथ बढ़ रहे हैं। आदिवासियों व झारखंडियों को देने के लिए छोटे मापक भी नहीं दिखाई दे रहे हैं। वहीं नई संपदा और प्राकृतिक संसाधनों से परिपूर्ण धरती और इसके मूलवासियों से लेने के लिए केनाराम से भी बड़ा मापक लिए कंपनियाँ खड़ी हैं।

शासन-प्रशासन का मामला हो, राजनीतिक संस्कृति की बात हो, विधान सभा में मसले उठाने का सवाल हो। नीति-निर्माण और नीति-योजना व कार्यक्रम बनाने की बात हो अगर किसी एक बात की अवहेलना की जा रही है, तो वह है आदिवासियों-मूलवासियों के अधिकार की आदिवासियों और दलितों के हकों की। पाँचवीं अनुसूची के आलोक में प्रतिवर्ष प्रशासनिक रिपोर्ट केंद्र सरकार को भेजा जाना सवैधानिक प्रक्रिया का हिस्सा है। परंतु पाँच सालों में मात्र एक ही प्रशासनिक रिपोर्ट केंद्र सरकार को भेजी गई है। पाँच सालों में मात्र तीन बार आदिवासी परामर्शदातृ समिति की बैठक आहूत की गई है।

पाँचवीं अनुसूची के आलोक में आदिवासी क्षेत्रों के लिए नीति व कानून बनाने की प्रक्रिया आदिवासी परामर्शदातृ समिति के परामर्श के बिना नहीं की जा सकती है। परंतु केनाराम संस्कृति की वाहक सरकार को इन बातों की परवाह ही नहीं है।

संवैधानिक मर्यादा और प्रक्रिया की बात की जाए तो पूरे झारखंड में संवैधानिक संकट दिखाई पड़ता है। पाँच सालों में जितने नीति नियम बने, एक भी आदिवासी परामर्शदातृ समिति से विमर्श कर नहीं किए गए। अलबत्ता पाँचवीं अनुसूची से संशोधन और आदिवासी और दलितों के विधानसभा और संसदीय चुनाव क्षेत्रों की सीटों को घटाने की कवायद राजनीतिक हलकों में की जा रही है। यह सब दुर्भाग्यपूर्ण है।

संताल परगना हूल की 150वीं वर्षगाँठ के मौके पर इन मसलों पर विचार-विमर्श

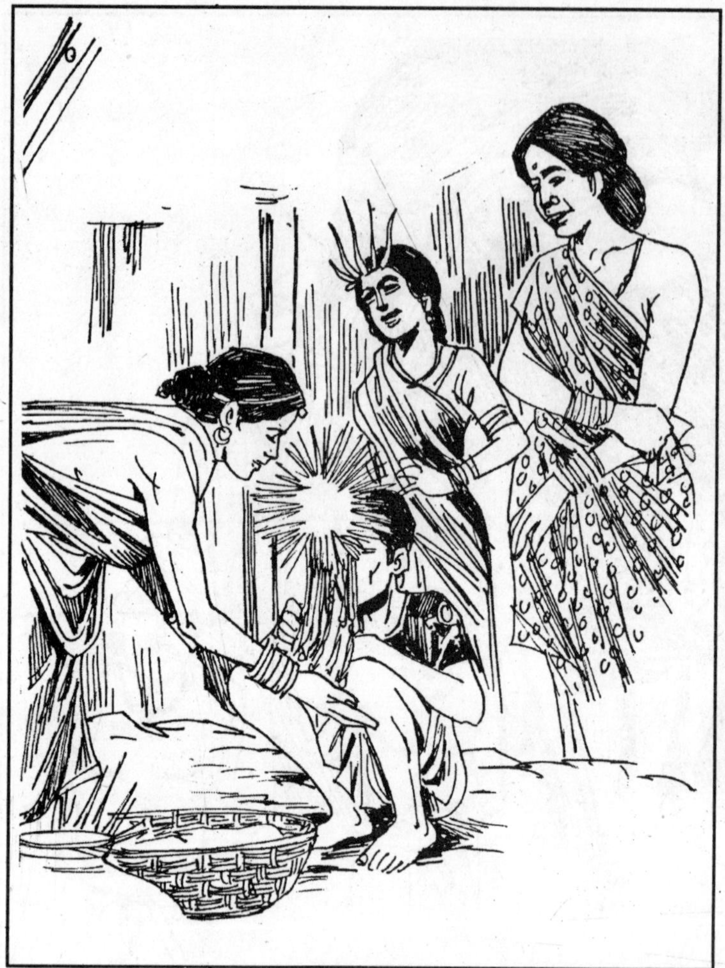

किया जाना चाहिए। संताल हूल एक सांस्कृतिक प्रतिरोध था जिसमें बाहरी शासकों व शासन व्यवस्था के खिलाफ अपनी स्वायत्त-शासन व्यवस्था के लिए अकुलाहट थी। अंग्रेज, जमींदार, महाजन, सूदखोर जब गाँव में घुसते तो मुर्गियाँ, बकरी, औरतें उठा लेते थे। इस लूट संस्कृति के खिलाफ अपने गाँवों में अपने राज के लिए संतालों ने विद्रोह का बिगुल फूँका। प्रतिरोध की इस संस्कृति से ही आदिवासी मूलवासी झारखंड में जंगल-जमीन की रक्षा कर पाने में सफल रहे हैं। पारंपरिक सांस्कृतिक विरासत को बचाने और जीवन के मूल्य बोध से रचा-बसा आदिवासियों के जीवन की अहमियत राज्य बनने के बाद नहीं रह गई है। नतीजा यह है कि अविश्वास का वातावरण चारों तरफ है। विकास का सवाल तो दूर जीवन की बुनियादी सुविधा व जरूरत पीने के पानी की राशि सरेंडर की जा रही है और सरप्लस बजट भी बना कर सरकार ने संदेश दे दिया कि उन्हें जनता की आम जरूरत से भी लेना-देना नहीं है।

झारखंड का संघर्ष सांस्कृतिक अस्मिता का संघर्ष है। इसकी राजनीतिक अभिव्यक्ति दिखाई नहीं पड़ती। यही त्रासदी झारखंड के लिए खतरनाक साबित हो रही है। झारखंड के गाँवों से मेमने उठाने और स्त्रियों के साथ बलात्कार अब भी जारी है। बाहरी लोगों का दबदबा गाँव में इतना बढ़ा है कि आदिवासी अल्पसंख्यक मिटने के कगार पर हैं। कई गाँवों में आदिवासी घट गए या शून्य हो गए हैं। स्त्रियों का मसला तो एकदम से दरकिनार कर दिया गया है। यह बात बहुत कम लोग जानते हैं कि संताल हूल की बुनियाद में सूदखोरों की ऊँची दर पर सूद वसूलना ही नहीं बलिक संताल औरतों को जबरन भगाना और बलात्कार कर उनकी हत्या करना भी था।

सिद्धो-कान्हू, फूलों-झानो ने स्त्रियों के सम्मान के लिए तलवार उठायी। उनकी मर्यादा और अस्तित्व के लिए भी संघर्ष किया। रेलवे लाइन बिछाने के दरम्यान दो संताल औरतों को जबरन उठा ले जाने और बलात्कार के बाद हत्या किए जाने की घटना ने सुलगते विद्रोह की आग में घी का काम किया। सिद्धो-कान्हू, चाँद-भैरव के साथ फूलो-झानो ने हथियार उठाया और अंगरेजों से मुकाबला किया। लोकगीतों में फूलो-झानो की बहादुरी की चर्चा है। इन दो बहनों ने अंगरेज शिविरों में जाकर 21 सिपाहियों की हत्या की थी। परंतु इतिहास के पन्नों में इनका नाम इस रूप में दर्ज नहीं किया जा सका। ऐसा अमूमन तमाम आदिवासी विद्रोहों में स्त्रियों की भूमिका को लेकर किया गया। स्त्रियों की पहचान इस कारण अलग राज्य बनने के बाद भी हाशिए पर रही। फूलों-झानो की प्रतिमा-तस्वीरें लगनी तो दूर राज्य में महिला आयोग का गठन भी अब तक नहीं किया गया।

सरकारी आंकड़े बताते हैं कि राज्य में दलित और आदिवासी स्त्रियों के साथ बलात्कार की घटनाएँ सवाधिक हैं, स्त्रियों के लिए कोई महिला नीति भी बनाने की दिशा में सरकार ने कदम नहीं उठाया है। झारखंड के साथ बने अन्य दो राज्यों, उत्तराखंड और छत्तीसगढ़ में महिला आयोग का गठन भी किया गया और गहिला नीति की भी घोषणा की गई।

लेकिन रक्तरंजित इतिहास के परिप्रेक्ष्य में झारखंड में वर्तमान नहीं गढ़ा जा सका है। स्त्रियाँ उपेक्षित हैं। खासकर आदिवासी औरतों की पीड़ा का तो बखान कर पाना भी मुश्किल है। संताल हूल के मौके संताल परगना की स्त्रियों की पीड़ा पर नब्ज रखें, तो पलायन, घरेलू हिंसा और डायन उत्पीड़न हत्या के साथ शिक्षा और रोजी रोजगार का सवाल गंभीरतम रूपों में है। कोई भी सरकारी एजेंसी इन सवालों को लेकर गंभीर नहीं है। खेतों को पानी नहीं। लड़कियों को

शिक्षा नहीं और जंगल की अंधाधुंध कटाई ने पूरे सामाजिक-आर्थिक और सांस्कृतिक परिदृश्य को नष्ट कर दिया है। समाधान की एक ही राह सरकार सुझाती है औद्योगिकीकरण, पूँजी निवेश और इसके लिए एसपी एक्ट को शिथिल करने की बात।

आदिवासी अस्मिता का प्रश्न और स्त्रियों के सवाल इसलिए गंभीर हुए हैं। जमीन से इस समुदाय का आध्यात्मिक, सांस्कृतिक, आर्थिक और सामाजिक रिश्ता है। एसपीटी एक्ट में संशोधन से सामाजिक-आर्थिक ताना-बाना तो प्रभावित होगा ही, समाज की जड़ें हिल जाएँगी। बड़े पैमाने पर बेदखली होगी और सांस्कृतिक विघटन में तेजी आएगी। हूल दिवस मनाते हुए हमें एसपी एक्ट और सीएनटी एक्ट की समीक्षा करनी चाहिए और इन कड़े भूमि रक्षा कानूनों के बाद भी आदिवासियों को भूमि से बेदखल किए जाने के मामलों की जाँच की जानी चाहिए। भूमि वापसी के ठोस अभियान और भूमि संबंधी मामलों के लिए छठी अनुसूची की तर्ज पर भूमि वापसी न्यायाधिकरण की स्थापना और टास्क फोर्स को यह काम सौंपे जाने के बिना यह सब बेमानी होगा।

आदिवासी जीवन दर्शन देने की संस्कृति पर टिका है। नदियाँ, जंगल, पहाड़, झरने मानव को देते हैं, पानी, हवा, भोजन और जीवन के लिए वातावरण। बदले में मानव उनको देता क्या है? दोहन ही करता है। आदिवासी तो इन्हीं जंगलों, पहाड़ों, झरनों व नदियों की पूजा करता है। हूल के एक सौ पचास सालों में आदिवासी समाज ने खोया सब कुछ है, लेकिन पाया कुछ भी नहीं है। झारखंड बना है, तो आदिवासियों को, स्त्रियों को, मूलवासियों को उनका देय (सामाजिक-आर्थिक, सांस्कृतिक, राजनीतिक हिस्सा) देना होगा। हूल की गरिमा इसी से बचेगी। केनाराम बेचाराम के लिए झारखंड में कोई जगह नहीं रहेगी।

हूल की लौ बुझाई नहीं जा सकेगी

□ *संजय बसु मल्लिक*

56 के संताल विद्रोह का, ईस्ट इंडिया कंपनी द्वारा संताल एवं अन्य समुदायों को दामिन-ए-कोह में लगान मुक्त जमीन बनाकर बसने के आश्वासन से मुकरने के प्रतिक्रियास्वरूप सूत्रपात हुआ। इस प्रतिरोध को संतालों ने 'हूल' कहा। उपनिवेशवादी पहले आक्रमण से जमीन से बेदखल हुए लोग आस-पास के जिलों से दामिन-ए-कोह में आकर गाँव बसाए थे। उन्होंने दामिन के बीहड़ जंगलों, पठारी टीलों को काटकर सालों के अथक परिश्रम से अपने लिए कृषि योग्य जमीन बनाई थी।

अंग्रेजों ने दामिन-ए-कोह को 1793 के स्थायी बंदोबस्त में शामिल कर लिया। कुख्यात पुलिस, जमींदार एवं सूदखोरों की भीड़ में दामिन को अपने कब्जे में कर अभूतपूर्व शोषण अत्याचार किया। इससे पीड़ित संताल न्याय के लिए प्रतिरोध में खड़ा हुआ।

अभूतपूर्व तबाही से त्रस्त संताल न्याय के लिए प्रतिरोध में उठ खड़े हुए। उन्होंने एक सामूहिक स्वप्न देखा, माराङबुरु, परमेश्वर उन्हें ऐसा ताकतवर बनाएँगे कि वे उपनिवेशवादी ताकतों को परास्त करने में सफल होंगे। यह एक सहस्राब्दी का सपना था। (मिलेनियम ड्रीम)।

हूल की आत्मा जो राजनीतिक स्वशासन एवं सांस्कृतिक पहचान की जनता की सामूहिक आकांक्षाओं में बसी हुई थी वह आने वाले जन संघर्षों में समाहित होती गई, सहस्राब्दी का सपना हूल से उलगुलान और उसके बाद परिवर्तित होकर अलग प्रांत के मार्ग में समाहित हो गया।

पुनरुत्थान की विचारधारा की जगह पुनर्गठन के विचार ने ले लिया। फिर भी आत्मनिर्णय के अधिकार के लिए 100 सालों की उपनिवेशवादी संघर्ष को आजादी के बाद और 50 साल इंतजार करना पड़ा। एक अलग राज्य पाने के लिए दुर्भाग्य से भारत राष्ट्र ने 2000 ई. में अपने अट्ठाईसवें प्रांत को एक विकलांग बच्चे के जैसा जन्म दिया। नई सहस्राब्दी के सपने का मखौल उड़ाया। इतिहास ने अपने को दोहराया। हूल के त्वरित असर से प्रशासकीय शासन व्यवस्था की सहूलियत के मद्देनजर संताल परगना जिला बना दिया गया। ठीक उसी तरह अलग राज्य के संघर्ष के असर से नए झारखंड राज्य की स्थापना हुई। उपनिवेशवाद ने जिस तरह संतालों की माँग को ठुकराया ठीक वैसे ही आंतरिक उपनिवेशवादी ताकतों ने झारखंडियों की आकांक्षाओं

पर तुषारापात किया। झारखंड सांस्कृतिक क्षेत्रों को राजनीतिक पहचान प्रदान करने की माँग के खिलाफ प्रशासनिक सहूलियत के लिए छोटे राज्य के सिद्धांत के तहत झारखंड राज्य का गठन हुआ। इससे दो लक्ष्यों की पूर्त्ति होती है। यह वृहत् झारखंड (26 जिला) के सांस्कृतिक प्रक्षेप के आदिवासियों का विभाजन करता है। और दूसरा एक ही वृहत् सांस्कृतिक प्रक्षेत्र को बाँटकर दो राज्य गठित करने (झारखंड-छत्तीसगढ़) से कहीं भी एक राष्ट्रीयता को बहुमत हासिल नहीं है। ऐसा इसलिए किया गया ताकि दोनों राज्यों से संसाधनों की लूट में संगठित प्रतिरोध का सामना न करना पड़े। यह एक कपटपूर्ण रवैया है, एक षड्यंत्र है, यह फूट डालो और राज करो की उपनिवेशवादी कूटनीति का उत्तर-उपनिवेशवादी प्रयोग है। लेकिन यह उस नीति का मात्र प्रतिदाय नहीं है।

यह वस्तुतः उससे एक कदम आगे है। इस नीति को आंतरिक उपनिवेशवाद द्वारा लागू किया गया, इसे फूट डालो एवं ध्वस्त करो की नीति कहा जा सकता है। भारतीय अमीर वर्ग अंग्रेजों के लिए माने जाते थे। आजादी के बाद भारतीय अमीर वर्गों ने गरीब एवं दुर्बल जन समूहों को अन्य लोग बना दिया है। आदिवासी, दलित, कमजोर वर्ग एवं महिलाएँ इन उत्तर-उपनिवेशवादी भारत में अन्य लोग बन गए। राजनीतिशास्त्र के विद्वानों ने अवलोकन किया है कि उत्तर-औपनिवेशिक-भारतीय राष्ट्र उपनिवेशवादी अंग्रेजों की मानसिकता को पूरी तरह अपना लिया है। इसके फलस्वरूप भारतीय राष्ट्र तथा आदिवासी व अन्य कमजोर वर्गों के बीच एक नई जंग छिड़ गई है। इस जंग का चरित्र उपनिवेशवादी एवं उत्तर-उपनिवेशवादी भारतीय वन नीति के अध्ययन से कुछ हद तक समझ में आता है।

झारखंड में उपनिवेशवादी वन नीति

झारखंड सही अर्थ में जंगल का देश था। मुख्यतः लोग झूम की खेती करते थे। लेकिन इन दोनों ही परिस्थिति में जमीन या जमीन की उपज का मालिक गाँव-समाज हुआ करता था, जंगल यहाँ की अर्थनीति का एक महत्त्वपूर्ण अंग था। जंगल में मानव एवं पशु एक साथ विचरण करते थे। यह एक ऐसी सभ्यता थी जो मैदानी सभ्यता से अत्यंत भिन्न थी। 19वीं सदी की शुरुआत में अंग्रेजों ने इस वन प्रदेश में प्रवेश किया;

दो उद्देश्यों को लेकर; एक, जमीन से लगान दूसरा, जंगल से लकड़ी। अतः ब्रिटिश नीति के तीन हिस्से थे, जन विरोध का दमन, झूमियाँ समुदाय को हल की खेती करने के लिए बाध्य करना एवं जंगल का तथाकथित संरक्षण।

हूल के तुरंत बाद 1856 में एक सरकारी आदेश के द्वारा औपनिवेशिक सरकार ने झारखंडी जनता को जंगल से अलग-थलग कर दिया। सरकारी वन अधिनियम मई महीने की पहली तारीख से लागू हुआ और कानूनन सारे सम्मिलित प्राकृतिक संसाधनों को सरकार की संपत्ति में बदल डाला और उसकी देख-रेख का जिम्मा भी सरकार के हाथ में दे दिया। 1878 के भारतीय वन अधिनियम ने इसी प्रक्रिया को आगे बढ़ाया और संसाधनों के पारंपरिक व्यवहार नें बुनियादी बदलाव आया। अब लकड़ी एक बेचने-खरीदने वाली वस्तु हो गई। जो वन पारिस्थितिकी में आमूलचूल परिवर्तन लाया। प्राकृतिक जंग अब बगीचा में बदलने लगा। वैसे पेड़ लगाए जाने लगे, जिनका व्यावसायिक मूल्य है।

19वीं सदी के अंत तक झारखंड में अंग्रेजों ने दो महत्त्वपूर्ण उपलब्धियाँ हासिल कीं। पहली, झारखंडियों के विरोध का दमन और दूसरी, उन्हें बलपूर्वक हल चलाने वाला खेतिहर बनाना। इसी के साथ-साथ उन्होंने आदिवासियों के लिए एक पैतृकतावादी और उन्हें अलग-थलग रखने की नीति को अपनाया। उनकी दृष्टि से आदिवासी महान असभ्य (नोबेल सेवेज) थे। इसलिए पिता जैसी उनकी देखभाल करने का जिम्मा उन्होंने खुद उठा लिया, फलस्वरूप विद्रोही आदिवासियों के साथ समझौता हुआ और छोटानागपुर काश्तकारी अधिनियम 1908 और संताल परगना काश्तकारी अधिनियम 1912 बनाए गए। आदिवासी बहुल जिलों को आंशिक रूप से वर्जित क्षेत्रों का दर्जा दिया गया जिसमें एक सरल और सीधी प्रशासनिक व्यवस्था दी गई। ऐसा करना दो कारणों से जरूरी था। पहला, इन क्षेत्रों में जो लोहा व कोयला के अपार भंडार का पता चला उसका अनायास दोहन संभव हो और दूसरा इन क्षेत्रों में रहनेवाले आदिवासियों को देशव्यापी उपनिवेशवादी विरोधी आंदोलनों से दूर रखा जाए।

लेकिन उपरोक्त उपनिवेशवादी नीतियों में एक अंतर्विरोध निहित था। जो अंग्रेज शासन का दमनात्मक पक्ष और आदिवासियों के हित की रक्षा करने के वायदा के बीच दिखाई पड़ता है। जमींदारों को आदिवासियों के लिए बनाई गई पितृसत्तात्मक नीति कभी रास नहीं आई। राष्ट्रवादियों ने इस नीति को सीधे-सादे आदिवासियों को ईसाई बनाने की साजिश बताया। उन्होंने इन्हें अलग-थलग

रखने के बजाय भारतीय समाज के मूल स्रोत में समाहित करने का पक्ष लिया। इसी तरह अंग्रेजों की वन नीति और आदिवासी एवं वन नीति के बीच विरोधाभास स्पष्ट दिखाई पड़ता है। अंग्रेजों ने इस लक्ष्य को पूरा करने का प्रयास किया जो असंभव था, उन्होंने आदिवासियों को जंगल से बेदखल करके जंगल के संरक्षण की बात की और जंगल को आदिवासियों से अलग करके आदिवासी अस्मिता को बचाना चाहा।

उत्तर-औपनिवेशिक काल का प्राच्यवाद

आजादी के बाद के भारत की शक्ति संरचना में अंग्रेजों के प्राच्यवाद का बने रहना ध्यान योग्य विषय है। अंग्रेजों के शिकंजे से पूर्ण रूपेण मुक्त होने के बजाय ब्रिटिश सोच एवं शासन पद्धति उत्तर-उपनिवेशवादी सरकार में बहाल रखी। खासकर जैसे-जैसे भारत पाश्चात्य व्यावसायिक एवं उपभोक्तावादी व्यवस्था में फँसता गया। सामाजिक एवं पर्यावरण परिप्रेक्ष्य में एक संवेदनशील वन प्रबंधन नीति द्वारा अंगरेजों की आधुनिकीकरण की नीति की जगह स्थापित करने के बदले उत्तर-उपनिवेशवादी जंगल विभाग के वस्तुतः अंगरेजों की ही नीति को न केवल अपनाए रखा, बल्कि उसे और विस्तारित किया। (सारा जेविट, 2004)।

आजादी के बाद भारत के शासक वर्ग जिनको माधव गाडगिल ने सर्व भूख कहा अपनी राजनीतिक शक्ति की क्षुधा को मिटाने के बाद धन-दौलत की तृष्णा को मिटाने में लग गए। अर्द्ध सामंतवादी भारतीय समाज ने (भूमि सुधार 1956) और गाँव स्तर पर पंचायती राज व्यवस्था 1957 के जरिए क्षमता का विकेंद्रीकरण करने से इंकार कर दिया। कंप्यूटर की भाषा में बोला जा सकता है। राष्ट्रहित 'लॉग इन' नेम बन गया और 'विकास' बन गए। 'पासवर्ड' ताकि बहुत सीधे सरल तरीके से बटन पर एक क्लिक के जरिये देश के प्राकृतिक संसाधनों को 'एक्सेस' किया जाए और उसका मानवीय शोषण और आपराधिक दोहन किया जाए। नौकरशाह, पुलिस और राजनेता इस काम में गठजोड़ बना लिए। रजनी कोठारी (1988) ने कहा था कि जहाँ उपनिवेशवाद समाप्त हुआ वहीं विकास का प्रारंभ हुआ या उपनिवेशवाद ने विकास की जगह ले ली।

मानवनिर्मित सामग्री ने प्राकृतिक दुनिया को ध्वस्त कर दिया। एक तरफ डैम और खानों ने हजारों की संख्या में किसान और आदिवासियों को विस्थापित

किया दूसरी ओर वनों के विध्वंस ने भूख और गरीबी को बढ़ावा दिया। माधव गाडगिल (2000) ने कहा कि एक तिहाई भारतवासी परिस्थिति के शरणार्थी बन गए। सुखी संपन्न किसान एवं आदिवासी बन गए। विकास की गरज। झारखंड में बंदूक की नोक पर विकसित हुआ। सुजान डिमौएले (1992) ने मंतव्य दिया कि विकास के साथ-साथ जो दमन चक्र चला वह इस अवधारणा पर आधारित था कि जमीन, कच्चा माल एवं प्राकृतिक संसाधनों पर संपूर्ण पहुँच के पथ पर आदिवासी व किसान ही सबसे बड़े बाधक तत्त्व हैं।

झारखंड पारिस्थितिकी शरणार्थियों का बहुत बड़ा स्रोत बना। तीन लाख से अधिक आदमी विकास की बलि चढ़ गए। इसमें 90 प्रतिशत आदिवासी थे। पारिस्थितिकी के विध्वंस ने खाद्य सुरक्षा की कड़ी को संपूर्ण रूप से तोड़ दिया। सरकारी आँकड़ों के अनुसार झारखंड के दस प्रतिशत व्यक्ति प्रायः ही भूख से पीड़ित होते हैं और दो प्रतिशत लगातार भूख से पीड़ित रहते हैं। लेकिन आम रूप से विकास की परियोजना को जिम्मेवार ठहराया जाता है। इस दौड़ में मानव और प्रकृति के दोहन में वन विभाग की भूमिका का अध्ययन या रहस्योद्घाटन हुआ, जब मध्य भारत में राज्यों और हिमालय की तलहटी में रहनेवाले वनवासियों एवं वन विभाग के बीच टकराव को दमित नहीं किया जा सका। चिपको आंदोलन, झारखंड आंदोलन एवं नर्मदा बचाओ आंदोलनों ने न केवल वन विभागों की ज्यादतियों और उनमें व्याप्त भ्रष्टाचार का पर्दाफाश किया बल्कि सरकार की वन संबंधी नीतियों को भी खुलकर चुनौती दी। इसके बावजूद वन आज भी राज्य सरकार की सबसे बड़ी जागीर है और वन अधिकारी उसके निरंकुश जागीरदार।

झारखंड में 'पारिस्थितिकी के खिलाफ अपराध' को तीन चरणों में अध्यन किया जा सकता है। प्रथम चरण की शुरुआत तब होती है जब ब्रिटिश शासन ने वनों को प्रमुख क्षेत्र मानते हुए न केवल उनका अधिग्रहण किया बल्कि वहाँ स्थित पेड़-पौधों और जीवों का सफाया कर उसका कृषि उत्पादन के लिए दोहन करना प्रारंभ कर दिया। दूसरा चरण वह था जब द्वितीय विश्वयुद्ध के दौरान जमींदारों ने एवं स्वतंत्रता उपरांत वन विभागों ने ब्रिटिश वन संरक्षण नीति का तब तक प्रतिवाद जारी रखा जब तक 1980 के अधिनियम के तहत केंद्रीय सरकार ने वन संरक्षण की नीति की घोषणा न कर दी। तृतीय चरण

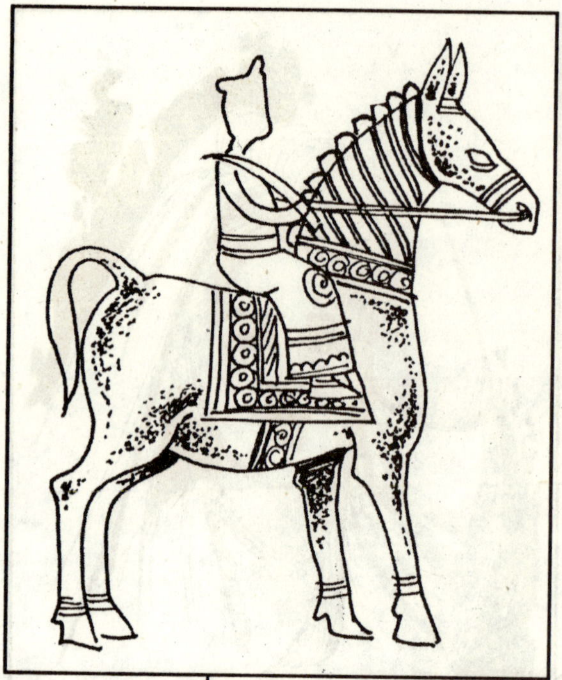

में आज कानूनों की एक श्रृंखला, संकल्पों और भिन्न दिशा-निर्देशों द्वारा उपनिवेश मालिकों के अधूरे कार्यों को वनों और वनवासियों विशेषकर 'आदिवासियों' या स्थानीय लोगों के बीच के संबंधों को कानूनी रूप से तार-तार करने का खेल खेला जा रहा है।

जमींदारों और वन अधिकारियों ने भारत छोड़ो आंदोलन और द्वितीय विश्वयुद्ध से उत्पन्न स्वतंत्रता पूर्व की राजनीतिक अस्थिरता और स्वतंत्रता पश्चात लगभग आधी सदी तक जारी, जो 30 के दशक के प्रारंभ से लेकर 80 के दशक के प्रारंभ तक चली, ढुलमुल जनजाति एवं वन नीति ढाँचे के तहत प्राकृतिक लकड़ियों का दोहन धनोपार्जन के लिए खुल कर किया। बाद में ब्रिटिश सरकार ने अपने शासन के अंतिम दिनों में ग्रामीणों के उपयोग के लिए बने संरक्षित वनों को जमींदारों के नियंत्रण से मुक्त बिहार निजी वन अधिनियम 1946 (1946 का 3) के मातहत कर देने का निर्णय लिया। स्वतंत्रता प्राप्ति के उपरांत इसमें कुछ संशोधन कर इसे बिहार निजी वन अधिनियम 1947 (1948 का नौवाँ अधिनियम) के रूप में पुनर्निमित किया गया। फिर भी, यह वन अधिकारियों के लिए वरदान ही साबित हुआ। उन्होंने जमींदारों द्वारा छोड़े गए लाभों को स्वतंत्रता उपहार एवं ब्रिटिश राज के प्रति अपनी वफादारी के पुरस्कार के रूप में ग्रहण किया। जब जमींदारी को समाप्त कर भूमि सुधार अधिनियम (बिहार अधिनियम 1980 का 20) को लागू करने की पहल शुरू हुई, तब इन सभी वनों को सरकार को सुपुर्द करते हुए उन्हें भारतीय वन अधिनियम 1927 के तहत संरक्षित वन घोषित कर दिया गया।

वे वन जो मंडारी खुँटकट्टीदारों (छोटानागपुर काश्तकारी अधिनियम 1908 के अंतर्गत विशेष स्थान रखने वाले मुंडा समुदाय के अंदर शामिल आदिवासी) के हिस्से में आते थे, उन्हें निजी संरक्षित वन करार देते हुए उनका प्रबंधन भी अधिकारियों द्वारा ले लिया गया। सन् 1948 में राय बर्मन आयोग ने जब इन ग्रामीणों से मुलाकात की तो वे वन विभाग द्वारा वनों के मीलों दूर तक उजाड़ने की उनकी निर्दयतापूर्ण कार्रवाई को देख अचंभित हो गए।

सन् 1970 के दशक के इसी दौर में झारखंड में आदिवासियों और वन विभाग के बीच भयंकर संघर्ष देखा गया। अरिपरामपील ने इस संघर्ष के तीन कारण चिह्नित

किये हैं। वे कारण थे—वन विभाग द्वारा आदिवासी गाँवों एवं जंगलों पर उनके पारंपरिक अधिकारों का अतिक्रमण, वनों का व्यवसायीकरण और उससे उत्पन्न आदिवासियों की निर्धनता एवं ठेकेदारों द्वारा वन अधिकारियों के साथ साँठ-गाँठ कर वनों को लूटने एवं नष्ट करने का प्रयास। भारत के दूसरे आदिवासी क्षेत्रों में भी इस तरह के संघर्ष की लंबी कड़ी देखी जा सकती है।

व्यावसायिक वानिकी के विरुद्ध स्थानीय विरोध का इतिहास राज्य द्वारा हस्तक्षेप के प्रारंभिक दिनों से ही देखने को मिला है। (गाडगिल एवं गुहा, 2000, पेज 85) विद्वानों ने इन आंदोलनों के राजनीतिक विस्तार को चिह्नित किया है। बाद में झारखंड में यह झारखंड अलग राज्य के लिए अतिवादी आंदोलनों के रूप में मुखर हुआ (सेनगुप्ता, 1982, डिवॉले, 1992, कोरब्रिज 2004), जबकि मध्य जनजातीय क्षेत्र में क्रांतिकारी माओवादी समूहों ने (गाडगिल एवं गुहा 2000 पेज 85) इस मुद्दे को सक्रिय नेतृत्व दिया। सच तो यह है कि झारखंड में जमीन और जंगल के लिए आदिवासियों द्वारा चलाया जाने वाला आंदोलन हमेशा से स्वायत्तता और पहचान के उनके आंदोलन का अभिन्न अंग रहा है। उन्होंने सरकार की जनविरोधी नीतियों की आलोचना करने के साथ-साथ संकट के समाधान के साधन के रूप में स्वायत्तता की अपनी माँग को प्रस्तुत भी किया है।

फिर भी, सरकार ने इस स्थिति के प्रतिवाद स्वरूप और कठोर कानून बना कर वन भूमि पर वन विभाग के पूर्ण नियंत्रण को रेखांकित करने की ही कोशिश की है। वर्ल्ड बैंक द्वारा किया गया अनुमान में यह प्रतिशत मात्रा 04 ही रह गया है। वन विधेयक 1980 के प्रारूप के परिणामस्वरूप न केवल राष्ट्रव्यापी विरोध हुआ बल्कि राज्य को मजबूर होकर अपनी रणनीति बदलनी पड़ी। प्राच्याद एक नए रूप में उभरकर सामने आया जिसे 'संयुक्त वन प्रबंधन' कहा गया। हमारे अध्ययन का तीसरा चरण इसी औपनिवेशिक विरोधाभास के सक्रियकरण का उद्‌घाटन है। जिस प्रकार जनजातीय पितृवाद एवं वन संरक्षणवाद की ब्रिटिश औपनिवेशक नीति अव्यक्त स्वार्थहित से अभिप्रेरित थी, संयुक्त वन प्रबंधन भी कुछ उन्हीं स्वार्थों से प्रेरित रहा है। सन् 1988 के वन संरक्षण अधिनियम

को 1980 के अधिनियम से अलग एक क्रांतिकारी कदम के रूप में देखा जाता है। वास्तव में यह 1980 के अधिनियम का पूरक है। लोगों को इस्तेमाल करने की रणनीति है जिनमें दूसरा कानून उन्हें जंगल पर अधिकार से वंचित करता है।

वन-प्रबंधन में नव-प्राच्यवाद

एक महत्त्वपूर्ण नीतिगत बदलाव के तहत 1988 की भारतीय राष्ट्रीय वन नीति में वनों के प्रबंधन में स्थानीय समुदायों की भागीदारी की आवश्यकता को रेखांकित किया गया, जिसका अपेक्षित परिणाम वनों का पुनर्जीवन एवं ग्रामीण निर्धनता में कमी का होना है (संजय कुमार, 2004)। वनवासियों की भागीदारी को सुनिश्चित करने के उद्देश्य से वनों से होनेवाले कुल लाभ के 33 फीसदी हिस्से को उनके बीच बाँट देने का आश्वासन दिया गया। इस कार्यक्रम की प्रशंसा यह कह कर की गई कि यह एक नई क्रांतिकारी योजना है। (जेविट, 2004)।

बिहार सरकार द्वारा संयुक्त वन-प्रबंधन की नीति विगत नवंबर 1990 में तब अपनाई गई जब वन भूमि का बड़ा हिस्सा पहले ही अवनत हो चुका था और वन विभाग लोगों से पूरी तरह अलग-थलग पड़ चुका था। (गत् 1970 के दशक में ही बिहार सरकार ने स्वीकारा था कि घोषित 29,232 वर्ग किमी वन क्षेत्र में 10,000 वर्ग किमी अवनत क्षेत्र है) (एक प्रारूप परिप्रेक्ष्य योजना, बिहार 1978-79)। वर्तमान में झारखंड सरकार यह स्वीकार करती है कि वन विभाग के उस दावे (27% वन क्षेत्र) के विपरीत कुल राज्य भूमि का केवल 18 से 19 फीसदी क्षेत्र में ही वन सिमट कर रह गया है (विजन 2000, झारखंड सरकार) इस प्रकार, इसमें अंशमात्र आश्चर्य नहीं था कि कार्यक्रम की प्रगति हास्यास्पद रूप से प्रति वर्ष औसत 17 जेएफएम सामुदायिक संगठनों के गठन तक सिमट कर रह गई थी।

झारखंड राज्य गठन के बाद राज्य की नई सरकार ने 21 सितंबर, 2001 को नए वन-प्रबंधन संकल्प के तहत इस योजना के पुनः पहल की घोषणा की। इस झारखंड संकल्प के प्रारंभ में ही वनों में निवास करने वालों को ही वनों का भक्षक करार कर दिया गया है। इसके अंतर्गत उन्हें यह प्रलोभन दिया गया है कि वे यदि वनों की सुरक्षा और पुनर्जीवन की जिम्मेवारी उठाते हैं, तो इसके एवज में उन्हें लकड़ी एवं दूसरे वनोपज की बिक्री से प्राप्त शुद्ध लाभ का 90 प्रतिशत दिया जाएगा। उनके गाँवों में सुरक्षा समितियों का गठन किया

जाएगा जबकि सचिव एवं कोषाध्यक्ष का प्रभार वन विभाग के अधिकारियों के पास होगा। समिति के सदस्यों को पुलिस की शक्ति तथा छोटे अपराधों के एवज में जुर्माना उगाही का भी अधिकार दिया जाएगा। हाल ही में यूएनडीपी ने इस संकल्प का मूल्यांकन किया है। उसने स्पष्ट किया है कि जेएफएम का एकमात्र उद्देश्य वनों में केंद्रीकृत शक्ति की पुनर्स्थापना करना है। मुनाफे में 90 फीसदी हिस्सेदारी धोखा है क्योंकि यह तो वन विभाग का शुद्ध लाभ है। जो वन विभाग के भी खर्चों के बाद बचा हुआ आदिवासियों का धन होगा, जिस वन विभाग में पूरे झारखंड में आईएएस हैं उससे डेढ़ गुना आईएफएस होते हैं। वहाँ शुद्ध लाभ के रूप में कितना बचेगा, यह सहज ही अंदाजा लगाया जा सकता है। इसके अतिरिक्त लोग इस स्थिति में नहीं होंगे कि वे वन उत्पादों का मूल्य निर्धारण कर सकें, न ही वित्त प्रबंधन में उनकी भागीदारी होगी। इस प्रकार यह छोटानागपुर काश्तकारी अधिनियम 1908 एवं संताल परगना काश्तकारी अधिनियम, 1912 का उल्लंघन करता है। सबसे खतरनाक पहलू है कि यह वनों तक लोगों की पहुँच को सीमित करने के मुद्दे पर ग्राम समुदाय के अंदर और पड़ोसी गाँवों के बीच खाई का निर्माण करता है। सहभागी वन प्रबंधन की आड़ में जेएफएम के विचार को चतुराई से समर्थन देने की विश्व बैंक की कोशिश नव-प्राच्यवाद के एक नए आयाम को ही दर्शाता है।

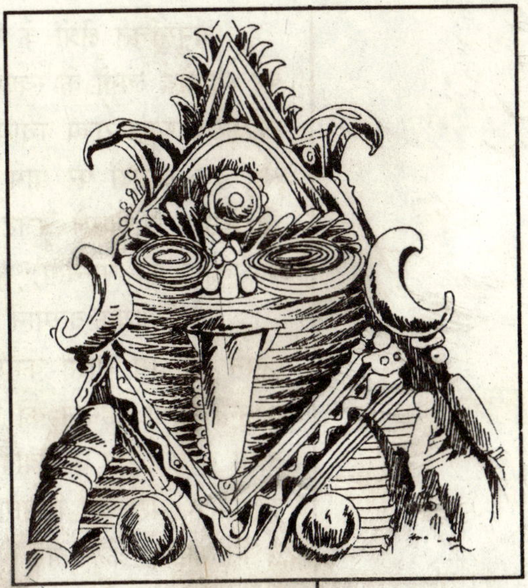

वन अधिकारों का विधायन

पूरे औपनिवेशिक एवं उत्तर-औपनिवेशिक काल में स्वायत्तता और पहचान के लिए आदिवासियों के संघर्ष का मुद्दा हमेशा ही उनकी संस्कृति और प्रकृति की अखंडता को राज्य की मान्यता दिलाना रहा है। जैसा कि जंगल को उनके अस्तित्व से पृथक कर नहीं देखा जा सकता है। उसी तरह जनजाति नीति और वन नीति को असामंजस्यपूर्ण आधार पर नहीं रखा जा सकता है। वनों को उनके अस्तित्व से पृथक कर नहीं देखा जा सकता। वर्तमान वन नीति और जनजातियों के लिए निर्मित प्रारूप [illegible] नीति भी अपवाद नहीं है। प्रथम नीति जहाँ एक ओर रूढ़िवादी है और वनों से स्थानीय लोगों के विस्थापन एवं अलगाव को प्रोत्साहित करती है तो दूसरी नीति तो जंगल पर लोगों के स्वामित्व के अधिकार की बात का उल्लेख मात्र भी नहीं करती।

अनुसूचित क्षेत्रों के लिए निर्मित पंचायती राज विस्तार अधिनियम 1996 जंगल पर स्थानीय लोगों के स्वामित्व के अधिकर को ही नकारता है। इससे एक कदम आगे बढ़कर झारखंड राज्य पंचायती राज अधिनियम 2001 के तो केंद्रीय अधिनियम ने संचित लघु वन उत्पादों पर ग्राम सभा के अधिकारों को भी समाप्त कर दिया है। हाल में ही संसद के पिछले बजट सत्र ने प्रस्तुत अनुसूचित जनजाति एवं वनवासियों (वन अधिकारों को मान्यता) संबंधी अंतर्विरोधों का खुलासा कर दिया है।

यह विधेयक वर्तमान यूपीए सरकार के उस आश्वासन की परिणति है जिसमें उन्होंने अपने न्यूनतम साझा कार्यक्रम में घोषित वनवासियों के भूमि संबंधी अधिकारों को कानूनी जामा पहनाने की बात की थी, जहाँ वाम मोर्चा समर्थित प्रधानमंत्री के नेतृत्व वाला सरकार का उदारवादी धड़ा वनवासियों की इस पुरानी समस्या को दूर करने का इच्छुक है, वहीं वन विभाग द्वारा समर्थित सरकारी रूढ़िवादी गुट वनवासियों को वनों से निष्कासित करने पर ही आमादा है। हालाँकि सरकार स्वीकारती है कि जंगलों में पीढ़ियों से रह रहे अनुसूचित जनजातीय लोगों को जंगलों पर उनका अधिकार उपेक्षित ही रहा है और उनके साथ ऐतिहासिक रूप से अन्याय ही होता रहा है (जनजातीय मामलों से संबंधित भारत सरकार का मंत्रालय), जबकि वन्य जीवन प्रेमियों और वन अधिकारियों के एक प्रभावी वर्ग का यह मानना है कि यदि ये अधिकार वनवासियों, विशेषकर आदिवासियों, को दे दिए गए तो वे न केवल वन्यप्राणी को नष्ट कर देंगे बल्कि देखते-देखते वन का 16 फीसदी हिस्सा उजाड़ हो जाएगा। एक समझौता सूत्र के तहत प्रस्तावित विधेयक से अनुसूचित जनजातियों को छोड़ बाकी वनवासियों को ही बाहर कर उन्हें ऐतिहासिक अन्याय का प्रतिवाद करने हेतु अकेला छोड़ दिया गया है। अब तक अनुसूचित जनजातियों का भविष्य भी अधर में ही दिखता है क्योंकि सरकार पर इस बजट सत्र में इस विधेयक को अधिनियम का रूप देने से रोकने का दबाव डाला जा रहा है।

भूमंडलीकरण के अंतर्गत नव-उदारवाद ने प्राच्यवाद विचारधारा के रूप में एक नया मित्र पा लिया है। फिर भी संघर्ष जारी है। वन अधिकारों को समर्पित आंदोलनों ने सामान्य रूप से पूरे भारत में और विशेषकर झारखंड में इस मुद्दे को राष्ट्रव्यापी मुद्दा बनाने में सफलता पाई है। समय आ गया है कि वन विभाग को जो औपनिवेशिक विरासत का सबसे आज्ञाकारी वाहक रहा है, जनतंत्र और सामाजिक न्याय के वर्तमान दौर में अपने दृष्टिकोण पर पुनर्विचार करना होगा। जहाँ तक वानिकी क्षेत्र को नव-उदारवाद से मिलने वाले खतरे का प्रश्न है, इसका समाधान वनवासियों के वनों पर अधिकार स्वामित्व और प्रबंधन दोनों को मान्यता देकर ही किया जा सकता है। तब तक संघर्ष जारी रहेगा, हूल की लौ बुझाई न जा सकेगी।

संताल शिक्षा संस्कृति, भाषा और लिपि

□ *प्रो. पीटर एंडरसन*

ऐसा प्रतीत होता है कि वर्ष 1852 में संतालों के बीच पहला स्कूल ईसाई मिशनरियों द्वारा शुरू किया गया था, परंतु 1855 के हूल दमन के तुरंत बाद सरकार और कई ईसाई मिशनरी संस्थाओं द्वारा स्कूल खोलने के लिए स्थायी प्रयासों की शुरुआत हुई। इन प्रयासों के बावजूद यह तथ्य है कि अन्य आदिवासियों की भाँति संताल सामान्य शिक्षा के मामले में अनुसूचित जाति के लोगों से भी पीछे हैं, जिस तरह सामान्य जाति के लोगों की तुलना में अनुसूचित जाति के सदस्य हैं।

तुलना के लिए यह गौर किया जा सकता है कि वर्ष 1991 में पश्चिम बंगाल की अनुसूचित जनजातियों में साक्षरता दर 34.3 फीसदी थी, जबकि संतालों में साक्षरता दर 6.7 फीसदी थी। सामान्य विकास का दूसरा संकेतक पुरुषों-स्त्रियों की तुलनात्मक साक्षरता दर है। गैर अजा/अजजा आबादी में दोनों के बीच का फासला कम होता जा रहा है। वर्ष 1981 में पुरुष साक्षरता दर 50.67 और स्त्री साक्षरता दर 30.25 थी। ठीक यही स्थिति अनुसूचित जनजाति (1981 : पुरुष—21.16, स्त्री—5.01) और संतालों की नहीं थी।

तालिका 1 साक्षरता

राज्य	साक्षरता दर	पुरुष	महिला
		1991	
बिहार	20.8	32.4	8.9
पश्चिम बंगाल	27.6	40.8	14.0
ओड़िसा	24.5	37.6	10.8
त्रिपुरा	24.3	35.0	11.3

(भारतीय जनगणना 1991 के अनुसार संताल आबादी में संताल साक्षरता दर)

संतालों के पिछड़ेपन के पीछे कई कारण हैं, प्रमुख कारण शुरुआत से ही प्राथमिक विद्यालयों में स्कूल छोड़ने वाले बच्चों की संख्या (स्कूल ड्रॉपआउट) में इजाफा होते जाना है और शिक्षा व्यवस्था में गिरावट है। और यद्यपि मैं इस परिपत्र में तर्क रखूँगा कि यह संताल छात्रों के प्रदर्शन में काफी सुधार करेगा, यदि आमजन के बीच निर्देश के माध्यम

संताली भाषा में शुरू किया जाए। यह नहीं भूलना चाहिए कि ड्रॉपआउट के लिए अन्य सामाजिक-सांस्कृतिक कारण भी जवाबदेह हैं। भूमिहीन मजदूरों के लिए अपने बच्चों को स्कूल भेजना बहुत ही मुश्किल है। और पलायित मजदूरों की स्थिति और भी दयनीय है। सांस्कृतिक समूहों के बीच विशिष्ट प्रतियोगिता मौजूद है और उच्चवर्गीय छात्रों द्वारा भाँति-भाँति प्रकार की धमकाने-परेशान करने की स्थितियाँ भी पाई जाती हैं।

निर्देश-माध्यम के रूप में संताली भाषा को रखने की कानूनी पृष्ठभूमि स्पष्ट है, भारतीय संविधान का अनुच्छेद 350 अ कहता है कि, "राज्य के अंतर्गत भाषायी अल्पसंख्यक समूह के बच्चों को प्राथमिक शिक्षा मातृभाषा में उपलब्ध कराने के लिए प्रत्येक स्थानीय प्रशासन और प्रत्येक राज्य को पर्याप्त कोशिश करनी होगी।" संविधान (92वाँ संशोधन) अधिनियम 2003 (7 जनवरी, 2004) द्वारा संविधान की आठवीं अनुसूची में संताली भाषा को शामिल किया जाना भी इसमें शामिल है। हालाँकि मौजूदा तर्क की शुरुआत 19वीं सदी में होती है।

स्कूल छोड़ने के भाषामूलक कारण

संताल शिक्षा के प्रारंभिक दौर में निर्देश का माध्यम उनकी अपनी भाषा नहीं थी, बल्कि बहुसंख्यकों की अन्य भाषाओं में से एक थी, अमूमन हिंदी या बांग्ला। पब्लिक इंस्ट्रक्शन इन बंगाल की रिपोर्ट शुरू से ही जोर देती है कि यह गलत रणनीति थी और निर्देशों को उनकी मातृभाषा के माध्यम से दिया जाना था। इस समस्या पर सिलसिलेवार रूप से सबसे पहले मिशनरियों ने हल्ला बोला। वर्ष 1884 के बाद से सरकारी स्कूलों में ऐसी विशेष व्यवस्था की गई कि स्कूली शिक्षा के प्रारंभिक वर्षों में संताली छात्रों को संताली शिक्षक ही संताली भाषा में पढ़ाएँ। सभी समकालीन रिपोर्ट इस व्यवस्था को सफल दर्शाते हैं। आजादी के बाद बिहार (अब बिहार और झारखंड सरकार), ओड़िसा और पश्चिम बंगाल ने इस व्यवस्था को छोड़ दिया।

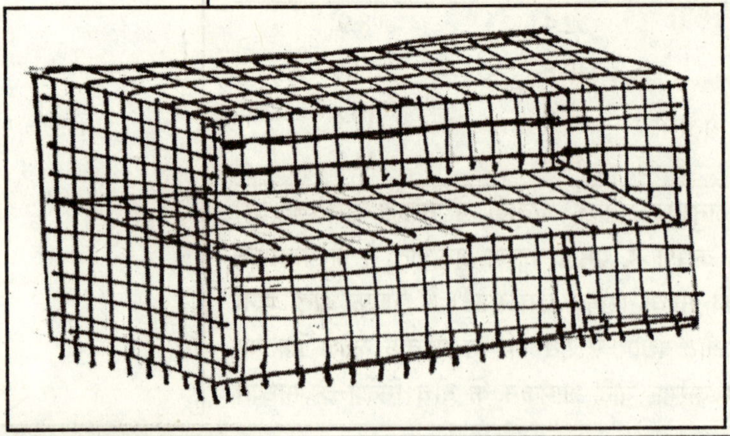

इस कदम के चाहे जो भी वजह रहे हों, वर्ष 1956-57 में पश्चिम बंगाल सरकार के अंतर्गत जनजातीय भाषा कमिटी निर्मित हुई, जिसने जनजातीय भाषाओं के लिए उनकी मातृभाषा में ही निर्देश देने की अनुशंसा की। संतालों के लिए यह निर्दिष्ट किया गया कि स्कूल में पहले दो वर्षों के दौरान एक निश्चित संख्या में संताल छात्रों के

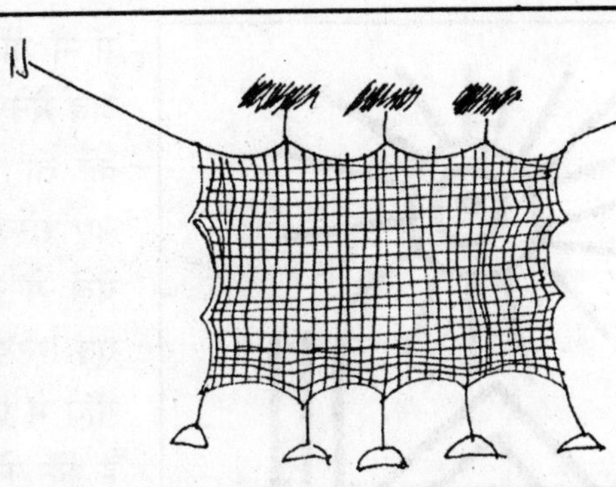

लिए निर्देश माध्यम के रूप में संताली को शुरू किया जा सकता है। उन्हें उनकी मातृभाषा में पढ़ाया जा सकता है। इसके बाद ही उनके लिए निर्देश का माध्यम बांग्ला हो सकती है। इस रिपोर्ट ने बांग्ला लिपि में संताली मुद्रण के लिए एक संभाव्य रास्ता बनाया। यद्यपि यह रिपोर्ट लगभग आधी सदी पहले लिखी गई थी, आज के संतालों को दो भाषाओं की अच्छी जानकारी है। अनुशंसाएँ आज भी तर्कसंगत हैं। 1980 के दशक से आज तक शोध के लिए पश्चिम बंगाल भ्रमण के दौरान मैं लगातार उन शिक्षकों और मानव विज्ञानियों से मिला, जिन्होंने कहा था कि संतालियों को स्कूल में भाषामूलक समस्याओं का सामना करना पड़ता है। मैंने एक गैर सरकारी प्राथमिक विद्यालय का दौरा भी किया, जिसे सिर्फ इन्हीं रास्तों पर चलने से संताल विद्यार्थियों को शिक्षण व्यवस्था से जोड़ने में भारी सफलता मिली थी। इस फैसले की एक समस्या अभी भी ऐसी ही है, यानी यह कि संताली भाषा के लिए किस लिपि का उपयोग किया जाए। वर्तमान स्थिति में संताली अपनी भाषा कम से कम पाँच लिपियों—बांग्ला, नागरी, ओड़िया, रोमन और ओलचिकी—में पढ़ते और लिखते हैं। वर्ष 1924-25 के दौरान दिवंगत गुरु रघुनाथ मुर्मू ने ओलचिकी लिपि विकसित की थी। इनमें से कोई भी या सभी लिपियाँ स्कूल में निर्देश के माध्यम के रूप में चलाई जा सकती हैं। आगे के अध्ययन-कार्य में इन निर्देशों को छात्रों की ओर अधिक गति से पहुँचानो चाहिए। यह विचार करना ज्यादा महत्त्वपूर्ण है कि किस हद तक यह सफल हो सकता है। इसलिए मैं यह विचार करूँगा कि उन लिपियों में से किसी ने उन संतालों के बीच, जो पढ़ते-लिखते हैं, व्यापक स्तर पर किसी तरह की पाठकीयता पैदा की है।

छपे हुए साहित्य की प्रसार संख्या

आज संताली साहित्य की स्थिति अच्छी हुई है। कविता, उपन्यास से लेकर पत्रकारिता और कृषि निर्देशों तक के प्रकाशन संताली भाषा में सामने आ रहे हैं, 1992 में एक इंटरव्यू में मुझे बताया गया कि ऑल इंडिया संताल ऑथर्स यूनियन में लगभग 400 सदस्य हैं। इसके अतिरिक्त संताल बुद्धिजीवियों और लेखकों के कई अन्य संगठन भी हैं, जैसे कोलकाता की संताल अकादमी।

एक मानवविज्ञानी नजरिए से सिर्फ यही दिलचस्प नहीं है कि इस भाषा में छपे हुए साहित्य हैं, बल्कि यह अपने हर पाठक तक पहुँचते भी हैं। 1986 के पतझड़

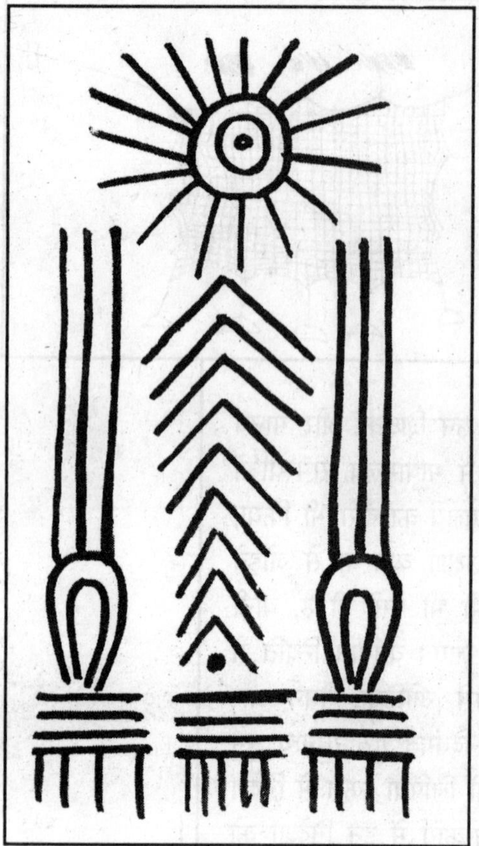

में मैं पश्चिम बंगाल के एक गाँव में कुछ महीने ठहरा था। जब मैंने 1950 के दशक में प्रकाशित कुछ पुस्तकों की तलाश की तो उनमें से कई किताबें कई घरों में मिलीं। हालाँकि नए संस्करण में वह पुस्तक खरीदी जानी थी, जिसे एक बड़े मेले में कलकत्ता स्थित कल्चरल एंड लिटररी सोसाइटी ने एक स्टैंड में लगाया था। हाल में ही मैंने अनुभव किया कि गाँव में एक-दो पत्रिकाओं के ग्राहक हैं और ऐसा प्रतीत होता है कि किशोर-वय के बच्चे भी इन्हें रुचि लेकर पढ़ते हैं। यद्यपि रिमिल जैसी पत्रिकाओं के कुछ विषय ज्यादा बड़े बच्चों के लिए उपयुक्त लगते हैं।

जहाँ तक लिपियों के विवाद की बात है, इसमें महत्त्वपूर्ण यह है कि क्या कोई लिपि तमाम पाठकों को समझ में आती है, और यहीं संतालों में भारी मतभेद है। 1986 में मैं झारखंड के दुमका जिले में घूमा था और तभी मुझे लगा कि ईसाइयों में रोमन लिपि ज्यादा लोकप्रिय है। पश्चिम बंगाल के उत्तरी हिस्से में रह रहे संतालों ने भी मुझे बताया कि वे अपनी भाषा उनकी लिपि में भी पढ़ लेते हैं।

1967 से आदिवासी सोशियो-एजुकेशनल एंड कल्चरल एसोसियेशन (एएसइसीए) ओलचिकी लिपि का प्रचार-प्रसार करते रहे हैं। ओलचिकी लिपि के प्रचार-प्रसार के लिए एएसइसीए द्वारा किए गए महत्त्वपूर्ण काम करने के बावजूद पिछले 15 वर्षों से पश्चिम बंगाल में ओलचिकी लिपि जानने वाले शिक्षकों का अभाव था। झारखंड और ओड़िसा के संक्षिप्त दौरे से जितना मैं जान सका, वह यह कि इस लिपि ने यहाँ व्यापक स्तर पर पाठक नहीं बनाए हैं। इससे यह पता चलता है कि ओलचिकी लिपि में व्यापक स्तर पर लोगों को साक्षर नहीं किया गया है। इसकी जाँच के लिए आपको, संताल किस तरह पढ़ते-लिखते हैं, यह पता करना होगा।

पश्चिम बंगाल के उन इलाकों में, जहाँ के निजी अनुभव मेरे पास हैं, ऐसा प्रतीत होता है कि जितना संताली साहित्य प्रकाशित हुआ है, उनकी लिपि बांग्ला है। ये वो संताली साहित्य है, जो एएसइसीए के संग्रह में नहीं है। जो संताल एक-दूसरे को चिट्ठियाँ लिख रहे हैं, वे बांग्ला लिपि का उपयोग कर रहे हैं। यह लिपि उनके लिए पूरी तरह से कारगर है। मुझे उन लोगों की पहचान करने में बड़ी मुश्किल हुई, जो इसे पढ़ते हैं। गाँव के वयस्क, जो बांग्ला लिपि से वाकिफ हैं, उन्होंने अपनी सांस्कृतिक

अस्मिता के लिए ओलचिकी लिपि सीखने में कोई रुचि नहीं दिखाई। मेरी जानकारी में संताली भाषा में जितना काम बांग्ला लिपि में हुआ है, उतना ओलचिकी लिपि में नहीं हुआ। यही बात झारखंड और उड़ीसा के देवनागरी और ओड़िया पर भी लागू होती है। जब स्कूली शिक्षा की बात आती है, तो संतालों को उन्हीं समस्याओं का सामना करना पड़ता है, जो किसी भी पहली पीढ़ी के उन सीखने वाले को होता है, जिन्हें घर से होमवर्क के रूप में मदद नहीं मिलती है। निर्देश के माध्यम से रूप में बांग्ला लिपि होने की वजह से जो ड्रॉपआउट की समस्या पैदा हुई है, उसकी भरपाई ओलचिकी करेगी। लेकिन कुछ समस्याओं का समाधान व्यापक सामाजिक आधार वाली किसी लिपि में लिखे गए संताली माध्यम में निर्देशों को अमल में ला कर किया जा सकता है। बंगाल के दक्षिणी और पश्चिमी हिस्सों में बांग्ला लिपि का जनाधार है, अन्य लिपियों वाले राज्यों में भी।

उपसंहार और अनुशंसाएँ

यह यकीन करने के लिए काफी है कि संताल विद्यार्थियों के स्कूल छोड़ने की एक प्रमुख वजह यह है कि पश्चिम बंगाल में निर्देश माध्यम का बांग्ला होना। जनजातीय भाषा कमिटी की अनुशंसाओं के कार्यान्वयन के जरिए यह स्थिति बदली जा सकती है, जहाँ संताली आबादी ज्यादा है, उन इलाके के स्कूलों में पहले दो वर्षों तक निर्देशों का माध्यम मातृभाषा हो। बाद में धीरे-धीरे, तीसरी कक्षा से बांग्ला भाषा में निर्देश दिए जा सकते हैं। इस तर्ज पर बिहार, झारखंड और ओड़िसा के लिए शिक्षा की रणनीति अपनाई गई है। जहाँ तक लिपि का मामला है, वही लिपि बताई जानी चाहिए जो उसके घर में अमल में है। यदि इन्हें दूसरी लिपि बताई जाती है तो यह साक्षर परिवारों के बच्चों को भी पहली पीढ़ी के सीखने वालों जैसा बना देगा। मेरी राय में बांग्ला ही एकमात्र लिपि है जो पश्चिम बंगाल के वयस्क संतालों के बीच व्यापक स्तर पर उपयोग में है। ये पश्चिम बंगाल के उत्तरी और पश्चिमी हिस्से हैं। हालाँकि मैंने यह भी सुना है कि पश्चिम बंगाल के अन्य हिस्सों में संतालों के बीच रोमन लिपि भी उसी तरह लोकप्रिय है, मगर उन इलाकों का मुझे अनुभव नहीं है, इसलिए मेरा सुझाव यह है कि जो लिपि वयस्क संतालों के बीच ज्यादा प्रचलित हो, उसी की अनुशंसा की जाए। फिलहाल ओलचिकी को स्कूली शिक्षा के माध्यम के लिए अनुशंसित न किया जाए क्योंकि किसी भी राज्य की बहुसंख्यक संताल आबादी के बीच ओलचिकी में व्यापक स्तर पर वयस्कों को शिक्षित नहीं किया गया है।

झारखंड की यादें व इतिहास की पुनर्व्याख्या

□ *डॉ. डेनियल जे राइक्रॉफ्ट*

इन शब्दों को गौर से सुनें। ये शब्द रूपचंद मुर्मू के हैं। ये उस मुर्मू परिवार के सदस्य हैं, जिन्होंने संताल हूल की अगुआई की थी। संताल हूल यानी 1855-56 का प्रख्यात क्रांतिकारी आंदोलन। सिद्धो और कान्हू सचमुच बहादुर योद्धा थे। उन्होंने पुलिस और औपनिवेशिक सत्ता के खिलाफ अपनी जनता के लिए जंग लड़ी थी। अंगरेज उनकी ताकत से डरते थे। उन्होंने सिद्धो और कान्हू को किसी भी तरह से गिरफ्तार करने की योजना बनाई। उन्होंने पंचकटिया में सिद्धो को फाँसी पर लटका दिया और कान्हू भी मारे गए।

पुलिस अफसरों में से एक ने सिद्धो और कान्हू की चिता की राख उठाई और अपने टेबल पर रखी फिर अपनी पिस्तौल से उस राख पर गोली चला दी। उस राख से लहू की धारा बह निकली, उन्होंने पाया कि सिद्धो और कान्हू मरे नहीं थे, वे देवता बन गए थे। हम लोग भी इस पर यकीन करते हैं। हम उनकी छठी पीढ़ी में हैं। हम लोग चाहते हैं कि झारखंड की जमीनों पर आदिवासियों का अधिकार हो। इसे खरीदने-बेचने के लिए उपलब्ध नहीं होना चाहिए। अब न कोई हम पर राज करे और न ही हम पर जुल्म करे...जय हिंद। जय सिद्धो-कान्हू।

इंडियन कनफेडिरेशन ऑफ इंडिजीनस एंड ट्राइबल पीपल्स (आइसीआइटीपी, नई दिल्ली) के सदस्यों के साथ बातचीत के फिल्मांकन के दौरान 20 अगस्त, 2004 को रूपचंद ने यह दास्तान सुनाई थी। यह सारी बातचीत झारखंड राज्य के संताल परगना में बरहेट के पास भोगनाडीह स्थित शहीद क्रांतिकारी नेता सिद्धो मर्मू और कान्हू मुर्मू के पुश्तैनी घर के आँगन में हुई। यह दास्तान हमें बताती है कि कैसे सिद्धो और कान्हू झारखंड के आदिवासियों के दिलो-दिमाग पर छाए रहे। तब के योद्धा आज अमर हो गए हैं। देवत्व प्राप्त कर उन्होंने समय की सरहद को ध्वस्त कर दिया और इतिहास व पीढ़ियों के विज्ञान (जीनोलॉजी) दोनों के विरुद्ध पीढ़ियों के बीच नए रास्ते खोले हैं।

रूपचंद इन नेताओं की विरासत को झारखंडी राजनीति के परिप्रेक्ष्य में रखते हैं, जैसे जमीन पर अधिकार, आदिवासी के रूप में सिद्धो-कान्हू की प्राथमिक पहचान का रहस्योद्घाटन, एक आधुनिक और राजनीतिक शब्द, जो किसी आदिकालीन या जातीय (एथनिक) आयाम और सबाल्टर्न एकजुटता पर और ध्यान देने की जरूरत है, जो सिद्धो

और कान्हू ने 150 वर्ष पहले बनाई थी (देखें गुहा, 1983)। रूपचंद का बयान पढ़ने के लिए, देखने के लिए और अवाम को सुनने के लिए हमें बाध्य करता है, जो हूल की 150वीं सालगिरह पर आदिवासियों की आधुनिक पहचान और हूल के इतिहास दोनों की पुनर्व्याख्या के बारे में पुनर्चिंतन करने के लिए रोजाना के इतिहासकार बन गए हैं। उनका संदेश साफ है। हूल के दौरान हुई उपनिवेश विरोधी एकजुटता का राष्ट्रीय महत्त्व है और सिद्धो-कान्हू की उपस्थिति में भारत के नागरिक के रूप में आदिवासी एकजुट हो सकते हैं। सरकारी आतंकवाद, संप्रदायवाद और जमीन से बेदखली जैसे भारत में नवसाम्राज्यवाद के रूपों के विरुद्ध आदिवासी सिद्धो-कान्हू के नेतृत्व में संघर्ष जारी रख सकते हैं।

हूल, राजनीतिक वर्तमान और भूतकाल की आदिवासी पुनर्व्याख्या के बीच जटिल अंतस्संबंधों की ओर ध्यान खींचने के लिए मैं रूपचंद के साक्षात्कार से सशक्त उद्धरण देकर शुरू करता हूँ। आदिवासी और गैरआदिवासी समुदायों के लिए प्रासंगिक हूल की 150वीं सालगिरह को एक जन-कार्यक्रम के रूप में मनाते हुए हम लोग स्मृति के विमर्श में लगे हैं। यह विमर्श की एक सामूहिक पद्धति है, जिसमें जटिल आंकड़ों, स्थानों और घटनाओं का विशिष्ट विश्लेषण आदि शामिल है (देखें : ऐशप्लांट एट एल, 2000)। स्मृति के अंतर्निहित राजनीतिक आयाम की जागरूकता हमें यह इजाजत देती है कि हम 150वीं सालगिरह को प्रश्नवाचक नजरिए से देखें : क्या हूल, इसका दमन और इसकी विरासत एकमात्र स्मृति आधारित घटना में समेटी जा सकती है? क्या स्मरण की सार्वजनिक पद्धति हूल से संबंधित कुछ महत्त्वपूर्ण निजी पहलुओं पर चुप्पी गैरआदिवासी व्याख्या लोक-विमर्श में किस प्रकार प्रचारित हो सकती है, जो लगातार सबाल्टर्न अनुभवों का किनारा करती है? ये सारे सवाल संपूर्ण विश्लेषण की माँग करते हैं, जो इस आलेख की परिधि के बाहर है। इसीलिए मैं उन मुद्दों पर चर्चा करूँगा, जो सबके लिए आवश्यक हैं।

एक सांस्कृतिक इतिहासकार के रूप में मेरी रुचि इसमें है कि हूल और इसके दमन की पुनर्व्याख्या के इतने अर्थ किस प्रकार सामने आएँ। कई लोगों ने व्यक्तिगत

रूप से और कई समूहों ने इसकी व्याख्या की है : औपनिवेशिक प्रतिविद्रोह (जैसा इलस्ट्रेटेड लंडन न्यूज में 1856 में छपा) के महानगरीय विवरणों से बीसवीं सदी के शुरुआती दिनों के क्रांतिकारी बंगाली इतिहासों और उपन्यासों (जैसे, गौरीहर मित्रा पर बीरभूमेर इतिहास, 1986 और ताराशंकर बंद्योपाध्याय का अरण्यन्ही, 1966 में पुनःप्रकाशित) तक, विद्रोहियों और उनके दुश्मनों की निजी पीड़ादायी स्मृतियों से। यादों के सार्वजनिक दिवस तक, औपनिवेशिक दस्तावेजों में वर्णित प्रतिरोध के संताली गीतों से आज के झारखंड में आदिवासी नेतृत्व की छवियों तक। 30 जून को संताल हूल की 150वीं सालगिरह की स्मृति में हम लोग हूल महा (क्रांति का दिन) के महत्त्व को पुनः अंकित कर रहे हैं।

वर्ष 1856 में इसी दिन भोगनाडीह गाँव और इसके आस-पास 10,000 लोग एकत्रित हुए, जहाँ सिद्धो मुर्मू और उसके भाइयों ने सूदखोरों, पुलिस, जमींदारों और रेलवे-इंजीनियरों के जुल्म के खिलाफ संघर्ष के लिए खेतिहर मजदूरों को संगठित किया। इन शोषकों को ब्रिटिश ईस्ट इंडिया कंपनी की राजनीतिक और आर्थिक व्यवस्था का सहयोग हासिल था। इस दिन को याद करने के जरिए, भोगनाडीह गाँव की यात्रा के जरिए, यह देखने के जरिए कि समकालीन झारखंड के राजनीतिक परिदृश्य में सिद्धो-कान्हू किस तरह आज भी मौजूद हैं, याद करने की विभिन्न प्रक्रियाओं के द्वारा हम यादों की उस संस्कृति का हिस्सा बन जाते हैं। यह प्रक्रिया ज्ञानोत्पादन की पद्धतियों के साथ-साथ खास नेताओं, स्थानों और लमहों को शक्ति प्रदान करती है, जैसे—संवाद, अभिलेखागार और तसवीरें। संचार के रूपों के रूप में स्मरण की यह पद्धति एक साझा अर्थ बनाती है और विभिन्न सांस्कृतिक प्रतिमानों को स्थायी बनाने के वैकल्पिक रूपों से प्रतियोग्य बनने के लिए समर्थ बनाती है।

हूल के मामले में, सत्ता, स्थान और काल के मुद्दे को समेटते हुए मेमोरी वर्क के मानकीय पहलू का तिहरा आकलन किया जा सकता है। सत्ता की शब्दावली में सिद्धो और कान्हू को क्रांति के अभिकर्ता के रूप में विशिष्ट रूप में दर्शाया गया है। अपने भाइयों, परिवारों, अनुयायियों, पुरखों और वंशजों से बहुत आगे निकल कर सिद्धो और कान्हू ने हाल के वर्षों में झारखंडी दुनिया में एक स्पष्ट और व्यापक उपस्थिति

दर्ज कराई है। स्थानीय शब्दावली में भोगनाडीह गाँव राजनीतिक विद्रोह का प्रमुख स्थल समझा जाता है। इस जगह पर एक प्लेटफॉर्म और एक स्मृति-पत्थर स्थित है। जहाँ लोग आंदोलन की शुरुआत के लिए इकट्ठा होते हैं। पंचकटिया और पाकुड़ में भी ऐसे स्मारक मौजूद हैं। इसके बावजूद भोगनाडीह का महत्त्व प्रमुख है। चूँकि सिद्धो और कान्हू गाँव के माँझी थे और उन्हें हूल शुरू करने की दैवी शक्ति मिली हुई थी, उनका घर धीरे-धीरे एक धर्म निरपेक्ष तीर्थ स्थल के रूप में विकसित होता जा रहा था। राजनीतिक रूपांतरण का क्षण महत्त्वपूर्ण क्षण समझा जाता है, राज ने साम्राज्यवादी शासन को उखाड़ फेंका था। हालाँकि प्रतिविद्रोह के अन्य वाकये भी इतिहास में हैं, जैसे 7 जुलाई, 1855—जब विद्रोहियों ने महेशलाल दारोगा को मार डाला था। इसके बावजूद आदिवासियों के लिए 30 जून सर्वाधिक महत्त्व वाला है। यद्यपि चुनू मुर्मू (सिद्धो और कान्हू के पिता) के वंशज अपने पुरखों का जन्मदिन 11 अप्रैल को मनाते हैं। 30 जून को हूल दिवस के रूप में याद किया जाता है।

1960 के दशक के बाद से आदिवासी कार्यकर्ताओं ने हूल के इतिहास का उद्धार करना शुरू किया था। हूल दिवस का आयोजन झारखंड के समकालीन आदिवासी सांस्कृतिक पद्धति के महत्त्वपूर्ण घटक के रूप में सामने आया है। यह स्थिति उन इलाकों की भी है, हूल के दमन के नतीजे के रूप में जहाँ (जैसे उत्तर-पूर्व भारत, पश्चिम बंगाल और बंगलादेश संताल पलायन किए) संताल परगना के आदिवासी ग्रामीण और सारे भारत के आदिवासी संगठन सांस्कृतिक कार्यक्रमों, खेल प्रतियोगिताओं और अन्य त्यौहारों का आयोजन कर हूल दिवस का प्रयोग अपने विगत की पुनर्व्याख्या के लिए करते हैं और प्रतिभागियों व संरक्षकों के बीच एक नई एकजुटता का निर्माण करते हैं। उदाहरण के लिए, संताल परगना क्षेत्र में झारखंड मुक्ति मोर्चा के नेताओं ने 1990 के दशक में सिद्धो-कान्हू की नई प्रतिमा का अनावरण किया था।

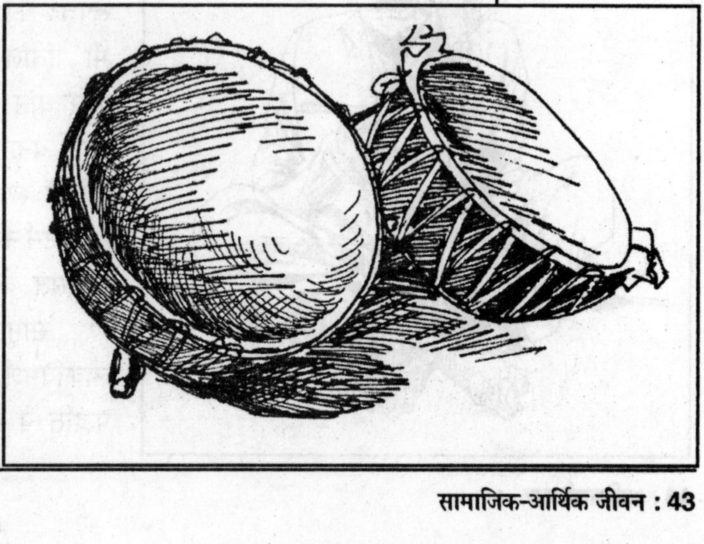

वापस रूपचंद के विवरण पर लौटें, समकालीन झारखंड में हूल का आदिवासी अस्मिता के साथ जुड़ाव काफी स्पष्ट प्रतीत होता है, परंतु मैं यह कहूँगा कि हमें सोचना चाहिए कि ठीक किस तरह यह जुड़ाव हुआ है, विशेषतः औपनिवेशिक जुल्म और राष्ट्रीय मौन के रूप में। किस प्रकार उनके पुरखे गिरफ्तार हुए और उनकी हत्या कर दी गई, इन यादों

को समेट कर रूपचंद हमारा ध्यान औपनिवेशिक प्रतिविद्रोह की ओर ले जाते हैं। भागलपुर हिल रेंजर्स, बंगाल नेटिव इन्फैंट्री और यूरोप के पूँजीपति और उपनिवेशवादियों ने मिलकर 1856 के उत्तरार्द्ध में आंदोलन का दमन कर दिया और गवर्नर यूल के दमन ने संताल परगना में एक नए प्रशासन का गठन किया। प्रशासन में शासन की संताल पद्धति के प्रति ज्यादा सहानुभूतिपूर्ण रुख रखने का प्रयास किया। जनजातीय पारंपरिक कानून के संस्थानीकरण के कारण बहुत सारे संताल सिद्धो-कान्हू की खतम होती विरासत को पहचान सके। यद्यपि औपनिवेशिक काल की ही भाँति आज भी झारखंड में बहुधा संताल परगना अधिनियम की अवहेलना होती है। हूल के पूर्व औपनिवेशिक अफसर संताल नेताओं (सिद्धो और कान्हू) का लगातार शोषण किया करते थे, जबकि आज भारतीय जनता पार्टी के श्रेष्ठजनों (एलीट) के द्वारा आदिवासी पहचानं का विरूपण किया गया। बिना उनकी सामाजिक या भौगोलिक स्थिति का ख्याल किए उन्होंने आदिवासियों के लिए वनवासी शब्द गढ़ दिया (देखें राइक्रॉफ्ट, 2000)।

जैसा कि हम लोग रूपचंद से सुन चुके हैं और औपनिवेशिक अभिलेख भी हैं यही जानकारी देते हैं। सिद्धो-कान्हू और उनके हजारों स्वतंत्रता संग्रामी भाइयों के कारनामों से औपनिवेशिक शासन को झटका लगा था। सार्वजनिक रूप से उनकी हत्या करने के बाद भी उन्हें संतोष नहीं होने से उपनिवेशवादी पुलिस ने गोपनीय रूप से पुनः उनकी हत्या कर दी। मृत्युपरांत हत्याओं के रूपचंद के उल्लेख में सामूहिक स्मृति की एक जटिल प्रतिध्वनि है। मृत्यु के बाद भी सिद्धो-कान्हू की राजनीतिक शक्ति के दमन का प्रयास उपनिवेशवादियों के व्यवहार को दर्शाता है कि नेताओं और पीड़ितों के घरेलू विवाद के महत्त्वपूर्ण स्थल हो सकते हैं। मैं विस्तार से इन मुद्दों को बाद में उठाऊँगा। रूपचंद का विवरण संभवतः ज्यादा महत्त्वपूर्ण है, यह भी संताल हूल की मूल भावना के समुत्थान के पुनरुत्थान और अमरता के सबाल्टर्न विमर्श के लिए जगह बनाता है। इन मृत्युपरांत मौतों और खूंरेजी के बारे में रूपचंद की स्मृतियाँ उत्तर-औपनिवेशिक और सबाल्टर्न नजरिए से हूल की राजनीतिक और सांस्कृतिक विरासत के विश्लेषण की सूचना दे सकती हैं।

सामूहिक स्मृति के क्षेत्र से सामूहिक चेतना के लोकविमर्श में जाने के लिए सक्षम बनाने वाली इस पद्धति ने इतिहासकारों में रुचि पैदा की है। क्योंकि

वे अक्सर सत्ता के तनावों की ओर इंगित करते हैं (ग्रेशप्लांट, एट, एल, 2000)। सरकारी अभिलेखागारों या प्रभावी मीडिया चैनलों के क्षेत्रों से बाहर सेक्शनल ऑथॉरिटी प्रतिरोध के विमर्श का नियंत्रण कर सकती है और इसके पास नीचे से संगठित करने और ऊपर से विनियोजित करने की क्षमता है। यदि हमें रूपचंद की कही गई बातों को सबाल्टर्न रूप में समझना है, तो हमें उन स्थितियों पर नजर डालनी चाहिए, जो आदिवासी अस्मिता और हूल स्मृति जैसी अवधारणा के लोक विमर्श में अधिकार हासिल करने की इजाजत दें। इससे 150वीं सालगिरह के मौके को महत्त्व मिलेगा।

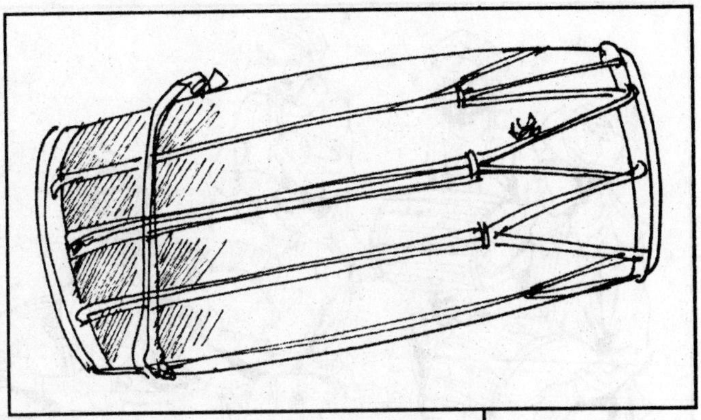

रूपचंद के भाषण के जरिए हूल की ज्ञान मीमांसा का वर्णन संभव है। यह वर्णनात्मक रूप में भूत और वर्तमान की सीमाओं को ध्वस्त करता है। यह किसी भी इतिहास लेखन के किसी भी प्रभावी रूप को जगह नहीं दे सकता है। वैसे तो इस भाषण को मध्यस्थता की जरूरत है, तभी इसकी राजनीतिक शक्ति संताली बोलने वाले समुदायों के अंदर पहचानी जा सकती है। अनुवाद की भी जरूरत है। ताकि संवाद उत्पन्न करने वाले इंटरफेस-सबाल्टर्न और सार्वजनिक जगत के बीच-से प्रतिध्वनि और अर्थ लिए जा सकते हैं।

मैंने अपनी पुस्तक रिप्रेजेंटिंग रिवेलियन : विजुअल एस्पेक्ट्स ऑफ काउंटर-इनसर्जेंसी इन कोलोनियल इंडिया (नई दिल्ली : ऑक्सफोर्ड यूनिवर्सिटी प्रेस, 2002, प्रकाशित) में बताया है कि सार्वजनिक जगत-विक्टोरियन ब्रिटेन में खासकर प्रतिष्ठित प्रेस—एक महत्त्वपूर्ण क्षेत्र बन गया है, जिसमें सबाल्टर्न पहचान के साथ छेड़छाड़ की गई। यह विचार किया गया कि संताल शक्ति आधुनिकता के लिहाज से अप्रासंगिक थी। 1930 के दशक से, खासकर आजादी के समय से सार्वजनिक विमर्श में आदिवासी स्वर ज्यादा प्रमुख हो गए हैं। क्षेत्रीयता के झारखंडी प्रदर्शन दक्षिणपंथी और उदारवादी राष्ट्रीय एजेंडा दोनों ही के द्वारा सहयोजित कर लिए गए हैं। आदिवासी चेतना आंदोलन ने संयुक्त राष्ट्र द्वारा प्रोत्साहित नए अंतर्राष्ट्रीय इंडिजीनस नेटवर्क से सहयोग लेने की कोशिश की है।

इस नए अंतर्राष्ट्रीय परिप्रेक्ष्य में मीडिया विमर्श का नया दौर सामने आया है, जिसके पास विगत की कई आदिवासी व्याख्याएँ हैं, जिनसे उन्हें सचेत रहना है। हूल के समय से ही इन व्याख्याओं को कानूनी और संवैधानिक फ्रेमवर्क में जगह मिली

है। ये व्याख्याएँ वर्तमान में सिद्धो-कान्हू की प्रगतिशील दृष्टि सामने लाती हैं और स्मृति, सामूहिक पहचान और स्मृतियों को अंतर्व्याप्ति के लिए सक्षम बनाती हैं।

भाँति-भाँति के आदिवासी और आदिवासी समर्थक समूहों के साथ-साथ सरकारी और गैरसरकारी संगठनों ने उस परिप्रेक्ष्य में हूल के विरासत की पुनर्व्याख्या की है। सिद्धो-कान्हू मुर्मू और भारतीय स्वाधीनता संग्राम में उनकी भूमिका की स्मृति में डाक टिकट जारी करने के लिए सिद्धो मुर्मू फाउंडेशन के विचार पर केंद्र सरकार के जवाब से प्रेरित होकर संताल हूल की 150वीं सालगिरह एंड ट्राइबल पीपल्स ने एक अंतर्राष्ट्रीय फोरम की स्थापना की। फोरम आदिवासी संगठनों के बीच संचार के नए चैनलों और एकजुटता की स्थापना और आदिवासी इतिहासों को मेनस्ट्रीम मीडिया के जरिए जागरूकता के स्तर में वृद्धि करने में लगा है।

हूल की 150वीं सालगिरह में व्यापक रुचि को देखते हुए आइसीआइटीपी नेडीवीडी फॉरमैट में हूल पर एक वृत्तचित्र का निर्माण किया है, जिसे व्यापक स्तर पर वितरित किया जा सकता है। इस फिल्म में आइसीआइटीपी ने हूल की व्याख्या की है, जो आदिवासी (संताली) दर्शकों में प्रतिध्वनित होगी। फिल्म में प्रदर्शित किया गया है, उदाहरणतः रूपचंद दुर्दशा के साथ जोड़ा गया है। यह कुछ तनावों की पड़ताल भी करता है, तो सबाल्टर्न और एलीट के बीच, मौखिकता व शाब्दिकता के बीच और स्मृति व इतिहास के महासचिव व सिद्धो मुर्मू फाउंडेशन के संस्थापक सदस्य डॉ. डी माँडी और मेरा (रिसर्च फेलो, यूनिवर्सिटी ऑफ ससेक्स, यूके) संयुक्त अभिक्रम है।

फिल्म का नाम हूल सेंगेल : द स्पिरिट ऑफ द संताल रिवोल्यूशन (2005, निर्देशक : डीजे राइक्रॉफ्ट और जेआर टुडू)। इसमें यह दर्शाया गया है कि संताल परगना में लोग किस तरह हूल को याद करते हैं और किस तरह देखते हैं। जैसा रूपचंद की दास्तान में है वैसा ही आंदोलन के वंशजों की स्मृतियों में है, ऐसा ही फिल्म में बतलाने की कोशिश की गई है। इस फिल्म में सत्ता, दिक् व काल जैसे कई विचार हैं, जो हूल की स्मृति में हैं। फिल्म उत्तर-औपनिवेशिक भारत में हूल से संबंधित असंगत क्षेत्र के खुलेपन की चमक को लक्षित करती है और संताल क्रांति की आत्मा को अंतर्दृष्टि

मुहय्या कराती है। ताकि 150वीं सालगिरह व्यापक स्तर पर दर्शकों के लिए अर्थवान बन सके।

हालाँकि सिद्धो और कान्हू के दृश्य ज्यादा हैं, फिल्म ने वंशावली के विचार या स्मृतियों का संचरण और वर्षों के अर्जित पीढ़ियों के ज्ञान पर जोर डालने के जरिए हूल और इसकी विरासत के व्यापक इहलौकिक फ्रेम की दोबारा तलाश करता है। फिल्म में पहला बोला गया शब्द बिटिया हेंब्रम का है, जो चौथी पीढ़ी की वंशज है, जो हमें यह निर्देश देती है कि "इसे इस तरह कहो : सिद्धो और कान्हू मोइरा बंगालियों (दूध के व्यापार में लगे बंगाली) से लड़े...यदि वे बहादुरी से नहीं लड़े होते तो हम लोगों का क्या हुआ होता? कोई नहीं जानता है।" प्रारंभ में ही अपने (होरको) और दूसरे (दिको) के बीच एक सीमा निर्मित करते हुए उसका कथ्य जल्दी ही एक अनिश्चितता द्वारा बयान कर दिया जाता है। रूपचंद की भाँति बिटिया आदिवासी अधिकार या झारखंडी अस्मिता के विमर्श के जरिए हूल को मौजूदा हालात से नहीं जोड़ पाती है। अपने इंटरव्यू के दौरान वह राज्य सरकार द्वारा परिवार की उपेक्षा की शिकायत करती है।

यह दर्शाता है कि वह समझती है कि हूल की विरासत सिर्फ वर्तमान अन्याय के निपटारे के जरिए बताई जा सकती है। फिल्म में बिटिया की आवाज अनूठी है, जब वह श्रोताओं को सूचित करने के जरिए वंशावली की शब्दावली में अपने ऐतिहासिक ज्ञान का स्रोत तलाशती है, जो कि हूल के बारे में उसकी सूचना, जो उसने अपनी सास से सुनी है, पर आधारित है।

हमें यह बताकर कि उसकी सास ने उससे बहुत कुछ नहीं कहा, न बोल पाने की क्षमता, चुप्पी और अनिश्चितता की अवधारणा फ्रेम में सामने आती है। वर्ष 2003 में बिटिया ने मुझसे पहले कहा था कि उसकी सास और उसकी सास की सास हूल के बारे में बताने से डरती थीं कि उपनिवेशवादी पुलिस उन्हें किसी अपराध में फँसा देगी। एक बाधित या निरुत्तर कर दी गई वंशावली के परिप्रेक्ष्य में बिटिया की आवाज फिल्म में प्रवेश करती है। फिल्म में बिटिया के मुहावरों को शामिल करने के जरिए अतीत का शोषण, वर्तमान का अन्याय, स्मृति का काम, बोले गए शब्द और हूल का प्रतिनिधिक इतिहास लाया गया है। रोचक बात यह है कि इतिहासकार उन्नीसवीं सदी के उत्तरार्द्ध में 'न बोल पाने की क्षमता' के विचार के शोध के लिए ईसाई मिशनरियों के अभिलेखागारों में दुबारा गए (देखें बनर्जी, 1999 और बनर्जी, 2002)। बिटिया का उतर

कि 'कोई नहीं जानता है' से लेकर उसका सवाल, 'हमारा क्या हुआ होता' तक अनिश्चितता के सत्य की ओर ध्यान खींचता है, जो हूल की याद दिलाता है। आंदोलन की घटनाओं और स्थलों के बारे में तथ्यों की शब्दावली में कह कर फिल्म के अन्य सहयोगी इस सत्य को निर्विवाद रूप से ढँक लेते हैं। अनिश्चितता और न बोल पाने की क्षमता की ये परतें दर्शाती हैं कि निजी और सार्वजनिक के बीच, भूत और वर्तमान के बीच व वर्णित और लिखित के बीच किसी सीमा पर स्मृतियाँ और स्मृतियों की प्रणालियाँ किस प्रकार एक-दूसरे से जुड़ी हैं।

हूल की समकालीन आदिवासी व्याख्या को अनिश्चितता और अविच्छेद्यता की अवधारणाओं से जोड़कर देखें तो पता चलता है कि यह लोक विमर्श में शामिल है। यह बिटिया के भाषण में भी स्पष्ट है। डॉक्यूमेंटरी की नैरेटिव आधुनिक संताल संस्कृति के प्रदर्शनात्मक पहलुओं से निर्धारित की गई है। आइसीआइटीपी के साथ कार्यरत जॉन जंतु सोरेन द्वारा लिखित नाटक सेंगेल डाक का प्रदर्शन ऑल इंडिया संताल वेलफेयर एंड कल्चरल सोसायटी के द्वारा 9 सितंबर, 2004 को झारखंड में दुमका के शिकारीपड़ा में 4,000 दर्शकों के बीच किया गया।

सेंगेल डाक का मतलब संताल के राजनीतिक देवता सुबह ठाकुर के आगमन से है। यह 30 जून, 1855 के पहले के हफ्तों में आग के एक गोले के रूप में सामने आता

है। फिल्म की शुरुआत सिद्धो और कान्हू की देव-अर्चना के दृश्यों से होती है और अंत ऐसे दृश्य से होता है, जिसमें दिखाया गया है कि सिद्धो-कान्हू के जरिए राजनीतिक शक्ति का स्थानांतरण देवताओं से उनके अनुयायियों में होता है। इन दृश्यों के चयन के पीछे निर्देशक का विचार यह दिखाना है कि आज आदिवासियों के सामाजिक आंदोलन किस प्रकार सिद्धो-कान्हू के अनुयायियों की शक्ति के ऐतिहासिक स्थानांतरण के सदृश हैं। जिस तरह सिद्धो और कान्हू ने धार्वक (साल की टहनियों के जरिए संचार का तरीका) के जरिए अपने अनुयायियों को संगठित किया, इसलिए आज आदिवासियों की राजनीतिक चेतना सिद्धो और कान्हू की स्मृतियों से संसूचित होती है। इस तरह की स्मृतियों की परंपरा राजनीतिक चेतना और संगठन के लिए एक रूपक बन जाती है। सेक्शनल मेमोरी, मेमोरियल प्रैक्टिस और परफॉरमेंस को फिल्म में विजुअल और नैरेटिव फॉर्म में बुना गया है। यह सांस्कृतिक विश्लेषण, जनसंचार और संगठन की रणनीति बन जाती है। इन परिप्रेक्ष्यों के बीच काम करते हुए फिल्म अपने उभयभावी एकेडेमिक/एक्टिविस्ट निर्माण को दर्शाती है। बिटिया हेंब्रम, रूपचंद मुर्मू और अन्य लोगों द्वारा हूल की की गई व्याख्या की प्रस्तुति संताल क्रांति की मूल भावना है।

स्मरण करने की बहुत-सी प्रणालियों में सतत सत्य-बल की अवधारणा फिर से कहने और सुनने के नैतिक सिद्धांत को रेखांकित करती है। इसीलिए मौखिक इतिहास बहुत ही शक्तिशाली हो जाता है, जब क्रांतिकारी आत्मा वक्तव्यों के जरिए जीवित

रहती है (देखें रैडस्टोन, 2000 और फ्यूश्टवाँग, 2000)। संवाद बनाए रखने के लिए फिर से कहने का काम खुले रूप से राजनीतिक हो जाता है और सुनने की प्रक्रिया प्रमुख हो जाती है। यह दर्शाता है कि विवादों के अतीत पर अधिकार करने के लिए संवाद की प्रक्रिया का इस्तेमाल किस प्रकार कर सकता है। रूपचंद के शब्द सिद्धो और कान्हू की अमरता को न सिर्फ अंकित करते हैं, बल्कि प्रतिविद्रोह को महिमामंडित करने वाले औपनिवेशिक और राष्ट्रवादी विमर्शों के विवरणात्मक तंत्र को खोलने के लिए तोड़ते भी हैं।

फरवरी 1856 में इलस्ट्रेटेड लंडन न्यूज में प्रकाशित 'द सप्रेशन ऑफ द संताल इनसरेक्शन' नामक एक लेख की एक तस्वीर से पता चलता है कि 1855 के उत्तरार्द्ध में मार्शल लॉ के जरिए हूल का दमन कर दिया गया था। यह विवरण एक अनाम ब्रिटिश अफसर का है, जिसने बंदी के रूप में सिद्धो मुर्मू की तस्वीर और जानकारी उपलब्ध कराई थी। इसका उद्देश्य सबाल्टर्न विद्रोह के विरुद्ध औपनिवेशिक उत्पीड़न के डायनामिक्स से महानगरीय पाठकों को रूबरू कराना था। इस विवरण के बीच में संताल विद्रोहियों के मुखिया सिदू माघी (सिद्धो माँझी) की तस्वीर है, जो भागलपुर जेल में उनके बंदी जीवन पर आधारित है। यह संभवतः अगस्त या सितंबर 1855 का समय था। एक अपराधी के रूप में सिद्धो को मुक्ति की मुद्रा में बँधे हाथों के साथ खड़े दिखाया गया है। इस पर मध्ययुगीन विक्टोरियन पाठकों की नजर जरूर पड़ी होगी। सिद्धो औपनिवेशिक सर्वेक्षक की तरफ से नजर दूर हटा लेता है। सर्वेक्षक ने संताल ट्रॉफी के साथ विद्रोही को दर्शाने के जरिए दंड के प्रभावशाली दृश्य को उकेरा है।

इस लेख के प्रकाशन के बाद, इलस्ट्रेटेड लंडन न्यूज ने कुछ और विवरण प्रकाशित किए, पाठकों को बंगाल नेटिव इन्फैंटरी के फौजी शोषण के बारे में सूचित किया। दमन के बाद नए संताल परगना निर्माण के उरार प्रोजेक्ट तक आम जनता की पहुँच बनाई।

वैकल्पिक आदिवासी इतिहास की खोज

□ *डॉ. अशोक कुमार सेन*

संप्रति बुद्धिजीवियों में, जिनमें झारखंड के बुद्धिजीवी भी शामिल हैं, आदिवासी इतिहास की पुनर्रचना की चर्चा ने तूल पकड़ा है। वैचारिक मतभेद के बावजूद विद्वत् समाज इस बात पर सहमत है कि चूँकि आदिवासियों से संबंधित उपलब्ध ज्ञान असंपूर्ण एवं पूर्वाग्रहों से ग्रसित है इसलिए उनके इतिहास को नए सिरे से लिखा जाना चाहिए। मुख्यतः विश्वविद्यालय शिक्षक स्तरीय सेमिनारों एवं सम्मेलनों से उठती इन आवाजों से स्पष्ट होता है कि भारतीय गवेषक आज समझने लगे हैं कि ज्ञान निर्माण की प्रक्रिया एक निरपेक्ष एवं तथ्यनिष्ठ प्रक्रिया नहीं, बल्कि राजनीति से प्रेरित है।

इसे दुहराना उचित होगा कि क्षमता पर अपनी पकड़ को दृढ़ रखने के लिए क्षमतावानों ने हमेशा ज्ञान सृजन को प्रभावित किया। फलतः समाज के पिछड़े एवं दबे कुचले लोगों को इतिहास के पृष्ठों में विशेष जगह नहीं मिली। इसलिए यह अपेक्षा न्यायपूर्ण एवं तर्क संगत है कि उन्हें उनकी सही जगह दी जाए। भारतीय परंपरा रही है कि किसी भी प्रयास पर जब तक विदेशी मुहर नहीं लगती उसे सही मर्यादा नहीं दी जाती। संताल विद्रोह के 150 वर्ष पूरे होते ही ससेक्स विश्वविद्यालय द्वारा आदिवासी इतिहास की पुनर्रचना के लिए एक सम्मेलन का आयोजन किया गया। इससे विशेषतः राज्य गठन के तुरंत बाद झारखंड तथा आदिवासी इतिहास के प्रति जो उफान आया था एवं जो क्रमशः मंद पड़ने लगा था, उसे बल मिला। हिंदी एवं अंग्रेजी दैनिकों ने उपर्युक्त सम्मेलन को सराहते हुए इस ओर विशेष ध्यान देने के लिए सबों से आग्रह किया। इस परिप्रेक्ष्य में प्रभात खबर का प्रयास न केवल सराहनीय बल्कि एक बौद्धिक मंच तैयार करने की दिशा में सशक्त कदम है।

आदिवासी जीवन के संबंध में अध्ययन मुख्यतः ब्रिटिश काल से शुरू हुआ। शासित क्षेत्र एवं वहाँ बसे लोगों के बारे में जरूरी तथ्यों का संग्रह प्रशासनिक दृष्टि से महत्त्वपूर्ण था। इसी उद्देश्य से एशियाटिक सोसायटी ऑफ बंगाल एवं फोर्ट विलियम कॉलेज की स्थापना कलकत्ते में की गई। आदिवासी विषयक ब्रिटिशकालीन रचनाएँ क्षेत्रीय शोधों पर आधारित थीं। यद्यपि यह ज्ञान भंडार अतुलनीय एवं आज भी गवेषकों के लिए अमूल्य धरोहर है, पर साधारणतः प्रशासनिक उद्देश्य से संग्रह किए गए ये तथ्य असंपूर्ण

एवं पूर्वाग्रहों से ग्रस्त थे। स्वभावतः औपनिवेशिक दृष्टिकोण से निर्मित इस ज्ञान को स्वाधीनोत्तर काल में चुनौती देते हुए इतिहास की राष्ट्रीयतावादी व्याख्या की परंपरा शुरू हुई। यह प्रवणता विशेष रूप से 1857-58 के शत वर्षपूर्ति के उद्यापन के समय देखी गई।

फलतः आदिवासी प्रतिरोध, विशेषतः सिद्धो-कान्हू एवं बिरसा के ऐतिहासिक आंदोलनों को भारतीय स्वाधीनता आंदोलन के इतिहास में जगह मिली। बाद में इस चर्चा ने डॉक्टर जे. सी. झा को कोल इनसरेक्शन एवं डॉ. कुमार सुरेश सिंह को डस्ट स्टॉर्म ऐंड हैंगिंग मिस्ट लिखने के लिए प्रेरित किया। विद्वत् समाज ने स्वीकारा कि आदिवासी इतिहास अत्यंत ही रोचक एवं संभावनापूर्ण है। फलस्वरूप राष्ट्रीय एवं अंतर्राष्ट्रीय स्तर पर अंतर्विषयक अनेक महत्त्वपूर्ण शोध हुए। एस. सी. राय, के. के. दत्ता, डी. एन. मजुमदार जैसे विद्वानों की रचनाओं से पूर्वनिर्मित ज्ञान भंडार उत्तरोत्तर समृद्ध होता गया। पर इसमें कुछ त्रुटियाँ रह गईं। जो कि उपर्युक्त ज्ञान सृजन की प्रक्रिया में ही निहित थीं। आदिवासी इतिहास लेखन की अपनी कोई स्वतंत्र स्थिति नहीं थी। अंग्रेजी शासन काल हो अथवा स्वाधीनोत्तर काल, यह बृहत्तर भारतीय इतिहास का एक अध्याय मात्र रहा। उदाहरण के तौर पर ब्रिटिश विरोधी आदिवासी संग्राम पर शोध का प्रारंभिक उद्देश्य 1857-58 के महाविद्रोह के सर्वभारतीय चरित्र को स्थापित करना ही था न कि स्वतंत्र रूप से आदिवासी आंदोलन का अध्ययन।

आज भी क्षेत्रीय ज्ञान सृजन अधिकांशतः मुख्य धारा के निर्माण का साधन ही है। इस परिप्रेक्ष्य में जब गवेषक स्थानीय इतिहास को सही मर्यादा देने की चेष्टा करते हैं तो तथाकथित मुख्य धारा के प्रवर्तकों के द्वारा राष्ट्र विरोध एवं क्षेत्रीयता को बढ़ावा देने का आरोप लगाया जाता है। वे भूल जाते हैं कि अंशों के पूर्ण समावेश से ही संपूर्ण का निर्माण होता है। इसलिए प्रामाणिक

सर्वभारतीय इतिहास तभी लिखा जा सकता है, जब स्थानीय इतिहास पर सघन अध्ययन हो।

अभी भी व्यापक रूप से ब्रिटिशकालीन दलील-दस्तावेजों की स्वयं संपूर्णता एवं अभ्रान्तता पर गवेषकों की आस्था अक्षुण्ण है। यह बात सही है कि इनसे हमें महत्त्वपूर्ण तथ्य मिलते हैं। पर यदि हम केवल दिल्ली, कलकत्ता, पटना एवं राँची में, एवं जो भाग्यवान हैं लंदन में, संगृहीत स्रोतों के आधार पर शोध पत्रों एवं ग्रंथों की रचना करते रहे तो आदिवासी जीवन के प्रवाह पर सम्यक धारणा बन नहीं सकती। ऐसा इसलिए कि सरकारी कागजातों के तथ्य एक पक्षीय होते हैं, उनमें न केवल प्रशासनिक प्रयोजन के अनुरूप तथ्यों को इकट्ठा किया जाता है बल्कि प्रशासन की भूमिका की केंद्रीयता एवं व्यापकता को भी महिमामंडित किया जाता है। यह पूर्वाग्रह निरपेक्ष ज्ञान सृजन के प्रतिकूल है। अब तक का आदिवासी इतिहास मुख्यतः ब्रिटिशकालीन इतिहास है, परंतु इन स्रोतों से प्राक् ब्रिटिशकाल के तथ्य हमें नहीं के बराबर मिलते हैं। फलतः यह भ्रम पैदा होना स्वाभाविक है कि यह समय निहायत महत्त्वहीन रहा एवं इतिहास के दृष्टिकोण से महत्त्वपूर्ण समय अंग्रेजी शासन काल से ही शुरू हुआ।

पर कैसा है यह ब्रिटिशकालीन इतिहास? इन रचनाओं में साधारणतः हम आदिवासी जीवन के कारक के रूप में केवल अंग्रेजों को ही पाते हैं। अर्थात् आदिवासी एकांत में बसा ऐसा पिछड़ा हुआ कौम था जिसने किसी उच्चतर उत्प्रेरक तत्त्व के क्रियाकलापों के द्वारा प्रभावित होकर ही ऐतिहासिक सक्रियता दिखाई। उदाहरण के तौर पर उनकी भूमि पर अंग्रेजों का जब आक्रमण हुआ तो उन्होंने प्रतिरोध जताया; अंग्रेजों ने नियम-कानून बनाए, जिन्हें अधिकांशतः उन्होंने मान लिया एवं अंततः मिट्टी के गीले

पिंड की तरह अंग्रेज उन्हें बनाते गए एवं वे बनते गए। संक्षेप में यदि कहें आदिवासी एक यंत्र जैसे थे, जिन्हें अंग्रेज रूपी यंत्रों ने बनाया एवं चलाया, वे स्वयं अपने जीवन के नियंता नहीं थे।

ब्रिटिशयुगीन दलीलों के अध्ययन से ऐसी ही धारणा बनती है। पर इसके विपरीत यदि हम प्राक्-ब्रिटिश युग की छानबीन करें, जिस पर सूत्रात्मक रूप से कुछ तथ्य हमें ब्रिटिशकालीन स्रोतों से मिलते हैं तो एक अन्य तस्वीर उभरती है। ये तथ्य उस अतीत की ओर संकेत करते हैं जब अपनी स्वतंत्र पहचान बनाए रखने के लिए आदिवासी समूहों ने पहाड़-जंगलों से भरे क्षेत्र को चुना, अपनी सामाजिक संरचना बनाई एवं अपने रीति-रिवाजों के आधार पर उदात्त प्राकृतिक परिवेश में अन्य लोगों के साथ यथासंभव एक सौहार्दपूर्ण जीवन जिया। औपनिवेशिक एवं स्वाधीनोत्तर काल की मृतप्राय जीवनशैली से भिन्न उनका जीवन-छंद सहज, सरल एवं प्राणवंत था। पर हमारा दुर्भाग्य है कि इस सृजनातमक समय का आख्यान इतिहासकारों द्वारा रचित नहीं हो सका। यदि ऐसा हुआ होता तो न केवल एक धारावाहिक आदिवासी इतिहास की रचना होती बल्कि प्राक् एवं स्वाधीनोत्तर काल के शोध अधिक तथ्यपरक होते।

विसंगतियाँ और भी हैं जो मुख्यतः मानव सभ्यता के क्रमिक विकास के इतिहास लेखन की राजनीति से जुड़ी हैं। यह कथा यदि रोचक तथा प्रेरणादायी है तो दर्दनाक भी। दर्दनाक इसलिए कि इसमें सभ्य समाज की विजय गाथा को महिमामंडित किया गया। इतिहास के पन्नों में तथाकथित असभ्य, पिछड़े हुए विजित लोगों पर अत्याचारों के उल्लेख नहीं मिलते। दर्शाया जाता है कि असभ्य-जंगली एवं बर्बर लोगों पर सभ्यता की विजय आवश्यक थी। उनमें सभ्यता की रोशनी फैलाने का पवित्र दायित्व स्वयं ईश्वर ने उन पर बरता था। अंग्रेजों ने भी मानों इस पवित्र दायित्व को निभाने के लिए आदिवासी क्षेत्रों को जीता। इसलिए औपनिवेशिक दलीलों में उन्हें प्रारंभ में जंगली-असभ्य के रूप में ही दर्शाया गया है जिन्हें अंग्रेजी शासन ने सभ्य बनाया तथा

विकास के पथ पर लाया, स्वाधीनोत्तर काल में भी यह औपनिवेशिक मानसिकता अटूट है।

आधुनिक एवं उत्तर-आधुनिक युगीन आदिवासी इतिहास लेखन इस साम्राज्यवादी मानसिकता से किस तरह प्रभावित हुआ, इसे जानना आज अधिक प्रासंगिक है। ब्रिटिशकालीन दस्तावेजों के अनुसार उनके साथ प्रथम साक्षात के समय आदिवासी समाज जंगल पहाड़ों में बसा एक प्राक् राज्यीय एवं प्राक् कृषक समाज था, जो मुख्यतः शिकार पर निर्भर बंजारा जीवन जीता था। सत्य यह है कि शिकार निर्भरता अनिवार्य नहीं थी क्योंकि सभ्यता के अनेक आयामों जैसे कृषि कार्य एवं सुशासित ग्रामीण व्यवस्था के विकास के कुछ प्रमाण हमें ब्रिटिशकालीन स्रोतों में ही मिले हैं, पर इन पर अंग्रेजों ने ध्यान नहीं दिया। आश्चर्य की बात नहीं है कि महाफेजखाना पर निर्भर अंग्रेजोत्तर गवेषकों ने भी इस पर विशेष चर्चा नहीं की। इसलिए ही समाज के कृषिकरण पर अध्ययन करते समय मुझे तथ्यों की कमी का सामना करना पड़ा।

शोध की यह प्रक्रिया निस्संदेह रूप से औपनिवेशिक है, जिसमें भौतिक प्रगति को महज ब्रिटिशकालीन घटना के रूप में दर्शाया जाता है। अन्य दुखद पक्ष यह है कि अभी भी विद्वानों के लिए आदिवासी इतिहास अंग्रेजी शासन के विरुद्ध जंगली तथा तीर-धनुष से लैस आदिवासियों के संग्राम का इतिहास मात्र है। निस्संदेह यह जुझारूपन आदिवासी इतिहास को ही नहीं बल्कि संपूर्ण भारतीय इतिहास को भी गौरवान्वित करता है। परंतु, दो बातों पर आपत्ति जताना अनुचित नहीं

होगा। पहली, कुछ महान व्यक्ति ही इतिहास बनाते हैं, इस विश्वास के कारण आज तक इनकी भूमिका पर ही ज्यादा आलोकपात किया जाता रहा। इनका अहम योगदान सराहनीय जरूर था पर अधिक सही बात यह थी कि आदिवासी आंदोलन मुख्यतः एक सामाजिक प्रतिवाद था, जिसने महानायकों के योगदान को ऐतिहासिक बनाया। इनके साथ-साथ आज आवश्यक है अनेक स्थानीय एवं क्षेत्रीय नेतृत्व को खोज निकालना, जिनकी भूमिका निर्णायक थी। प्रो. गौतम भद्र के प्रारंभिक शोध से प्रेरित होकर जब मैंने सिंहभूम के 1857-58 के महाविद्रोह के इतिहास को जानना चाहा तो मुझे गोनों पिंगुवा के असाधारण नेतृत्व के बारे में कुछ और तथ्य मिले।

आज जरूरत है आदिवासी प्रतिवाद के एक संपूर्ण चित्र को प्रस्तुत करने की ताकि अतीत से लेकर आज तक प्रतिवाद के कारण इसके बदलते रूप एवं इसमें संपूर्ण समाज के योगदान के संबंध में हमें सही जानकारी मिल सके और यह चर्चा सही मायने में, जैसाकि पॉल टॉमसन ने आग्रह किया, गणतांत्रिक बन सके। आखिर इतिहास समाज के योगदान को जानने की एक बौद्धिक क्रिया ही है।

एक और महत्त्वपूर्ण बात यह है कि आदिवासी संग्राम पर अत्यधिक ध्यान देने के कारण उनके संपूर्ण जीवन पर आवश्यक एवं विस्तृत शोध आज तक नहीं हो सका। मेरा इशारा विशेष रूप से उस शांतिकालीन समय की ओर है, जब उनकी आर्थिक-सामाजिक संरचना बनी। इस पर सघन अध्ययन होने पर हम यह जान सकेंगे कि कैसे समाज के अंदर से परिवर्तन की आवाज उठी, कैसे इनका सामना किया गया एवं अंततः सामाजिक व्यवस्था में कितना बदलाव आया अथवा सही परिवर्तन लाने में असमर्थता के कारण कैसे आदिवासी जीवनशैली उन्नततर तकनीकी से लैस बहिरागतों का सामना सही रूप से नहीं कर सकी।

इतिहास चर्चा में आज महत्त्वपूर्ण बदलाव आए हैं। राजनीतिक, प्रशासनिक पक्ष के साथ-साथ भौतिक-नैतिक सांस्कृतिक पक्ष पर ध्यान देने, विशिष्ट जनों के साथ ही साधारण जनों के बारे में जानने की अधिक जरूरत महसूस की जा रही है। आज हम बाहर तथा ऊपर से कम, नीचे तथा अंदर से जीवन-प्रवाह को समझने की अधिक चेष्टा करते हैं। इसलिए आज भी

यदि सरकारी दस्तावेजों के असमीक्षात्मक अध्ययन पर आधारित शोध होते रहेंगे तो पूरी ज्ञानचर्चा एक राज्यीय संवाद भर रह जाएगी। दुनिया भर में गवेषक आज आंतर्विषयक पद्धतियों को आत्मसात करने, भाषाविज्ञान एवं पुरातात्विक खोजों का सहारा लेने में व्यस्त हैं। आदिवासी इतिहास, विशेषतः झारखंड का, इन प्रयोगों से लाभान्वित हो सकता है। इनके साथ मैं एक अन्य सुझाव भी देना चाहूँगा। यह सुझाव है लिखित स्रोतों के साथ-साथ स्मृति को ज्ञान निर्माण के एक सशक्त उपकरण के रूप में उपयोग करने का। लिखित स्रोतों की महत्ता पर बल देने वाले इसके विरुद्ध अनेक तर्क प्रस्तुत करेंगे पर यदि समाज के सीमांत लोगों की कथा को उजागर करना है तो उनकी जुबानी में व्यक्त उनके अतीत पर ध्यान देना निहायत जरूरी है। उन्होंने गीतों, लोक कथाओं एवं प्रजन्मीय संप्रेषण की पद्धति के सहारे अनेकांशों में अपने अतीत की स्मृति को जीवित रखा है संताल विद्रोह पर धीरेंद्र नाथ बास्के की रचनाएँ गीतों के प्रयोग से अधिक समृद्ध एवं अंतरंग हुई हैं।

हो इतिहास चर्चा के दौरान कोल सृष्टि मिथक में मैं अनेक ऐतिहासिक संवादों को छुपा पाया। सिंहभूम के ग्राम संबंधित दस्तावेजों में हो ग्रामवासियों की स्मृतियों को लिखित रूप दिया गया है। इनके अध्ययन से मुझे न केवल गोनो पिंगुवा के बारे में महत्त्वपूर्ण तथ्य मिले बल्कि ज्ञात हुआ कि सरकारी दलीलों में उद्धृत एवं संगृहीत स्मृति से प्राप्त इतिहास कितना भिन्न है। यदि पहले से हमें 1857-58 के महाविद्रोह में आदिवासी सशस्त्र संग्राम एवं उनके दमन का एक रूप चित्र मिलता है तो दूसरे से हमें इस आंदोलन के क्षेत्र विशेष, स्वरूप, अंग्रेजों के अत्याचार एवं गाँव से लोगों के पलायन का दर्दनाक चित्र। पर इन दो अनुभवों के कहीं अधिक लाभकारी संकेत मुझे हो गाँवों से संबंधित दस्तावेजों से मिले, जिन्होंने मेरे इस विश्वास को मजबूत किया कि आदिवासी इतिहास का पुनर्निर्माण होना चाहिए एवं ऐसा करना संभव भी है। यह इतिहास प्राक् ब्रिटिशयुगीन है। इसका कथानक संपूर्ण भिन्न है। इसमें सबसे पहले आंतरिक स्थानांतरण से संबंधित असंपूर्ण किंतु इंगितमय संवाद हैं, जिसमें हो कौम

के द्वारा व्यापक भौगोलिक क्षेत्र पर अधिकार कायम करने की कथा कही गई है।

ग्रामीण संवादों के उपयोग के सहारे जा सकता है कि यह अन्य झारखंडी आदिवासियों के लिए भी प्रासंगिक है। स्थानांतरण की प्रक्रिया के साथ जुड़ी थी गाँवों के निर्माण की परंपरा। ये दस्तावेज गाँवों की स्थापना, इससे जुड़े लोगों, खुँटकट्टी की परंपरा, सहअस्तित्व बोध पर आधारित ग्रामीण समुदाय का गठन एवं शांतिपूर्ण ढंग से जमीनों के बँटवारे के बारे में रोचक किंतु अनेक अनजाने तथ्यों को उजागर करते हैं। साथ ही बताते हैं कि कैसे प्रकृति के साथ एकात्मकता के आधार पर आदिवासी भौतिक संरचना तैयार हुई एवं उनके सामाजिक रीति-रिवाज बने। मेरा अनुभव यह है कि लोककथा एवं लिखित स्मृति प्राक् ब्रिटिशयुगीन अनेक महत्त्वपूर्ण संवादों से भरी पड़ी हैं। इस इतिहास को जाने बगैर यदि हम विच्छिन्न रूप से परवर्ती काल के बारे में जानने की चेष्टा करेंगे तो यह इतिहास अधूरा एवं समाज से कटा हुआ होगा। इन स्रोतों से हमें ब्रिटिशकालीन इतिहास के अनेक महत्त्वपूर्ण तथ्य भी मिल सकते हैं। निस्संदेह ये आदिवासी जीवन की संपूर्ण कथा, उनके जीवन के द्वंद्वों को समझने में अधिक सहायक होंगे। हम इतिहास को शुद्ध अतीत का आख्यान भर नहीं मानते। वरन् यह ऐसा विषय है जो मानव जीवन के धारावाहिक ज्ञान को सँजोकर वर्तमान को समझने में मदद कर सकता है ताकि हम एक सुखद भविष्य की रचना कर सकें।

अंतः जनजातीय विजातीयता और विकास

□ *नंदिता सिंह*

झारखंड में सामाजिक-सांस्कृतिक व्यवहारों की व्याख्या

लंबे अरसे से यहाँ के विविध सामाजिक समूह व समुदाय और उनकी संस्कृति अध्ययन और पुनर्अध्ययन के विषय रहे हैं, लेकिन यहाँ जो एक सामान्य तस्वीर उभर कर सामने आई है, वह आदिवासियों का प्रतिनिधित्व कर रही एक सजातीय/सामंगी सामाजिक-आर्थिक इकाइयाँ हैं। शायद ये अध्ययन-लेखन दिग्भ्रम का शिकार हो जाते हैं कि आदिवासी एक सामान्य आर्थिक स्थिति रखते हैं, कमोबेश उनकी अर्थव्यवस्था के साधन सामान्य रहे हैं, इस प्रकार उनमें आर्थिक-सामाजिक एकरूपता है। लेकिन समकालीन झारखंड में यह तस्वीर किस हद तक सही है?

राज्य के सबसे बड़े आदिवासी समुदायों में मुंडा हैं, जिनकी संख्या और स्थान के लिहाज से व्यापकता जाहिर है और वे लोग यहाँ सबसे पहले वास करने वाले लोगों में रहे हैं (रॉय, 1970 (1912))। इस आदिवासी समुदाय पर हुए अध्ययन संकेत देते हैं कि यह समुदाय एकल सामाजिक-सांस्कृतिक इकाई का प्रतिनिधित्व करता है, जो क्षेत्र में चहुँओर फैली इस समुदाय की आबादी में एकरूप रही है (चौधरी-1977; कोइची-1969; रॉय-1970) हालाँकि बाद के एक अध्ययन (सच्चिदानंद-1979) में उप-सांस्कृतिक क्षेत्रों के रूप में कुछ 'क्षैतिज परिवर्तनशीलताएँ' भी देखी गई हैं। ये हैं–'हासदा', 'नागुरी', 'पंचपरगना', जिनके बारे में माना जाता है कि 'रीतिरिवाजों और उनके इस्तेमाल में क्षेत्रीय परिवर्तनशीलताएँ' प्रदर्शित करते हैं (वही : 26)। इन उप-सांस्कृतिक विविधताओं की पहचान न सिर्फ एक एकल और एकरूप समुदाय के भीतर आंतरिक विविधताओं की संभावनाएँ खोलती हैं, बल्कि इसके भीतर एक ढाँचा उपलब्ध कराती हैं, जिसके तहत नए राज्य के समकालीन मुद्दों को समुचित तरीके से विश्लेषित और इन्हें प्रभावी तरीके से सुलझाया जा सकता है।

क्षेत्र में आदिवासी आबादी का समान विकास एक महत्त्वपूर्ण और मुखर मुद्दे का प्रतिनिधित्व करता है। इसलिए अगर नए राज्य के निर्धारित लक्ष्यों को प्रभावी तरीके से हासिल करना है, तो उपर्युक्त मुद्दे की संभावनाओं और समस्याओं को विश्लेषित और उन पर बहस करने की फौरी जरूरत है। इस लिहाज से इस अध्ययन में दो सवालों

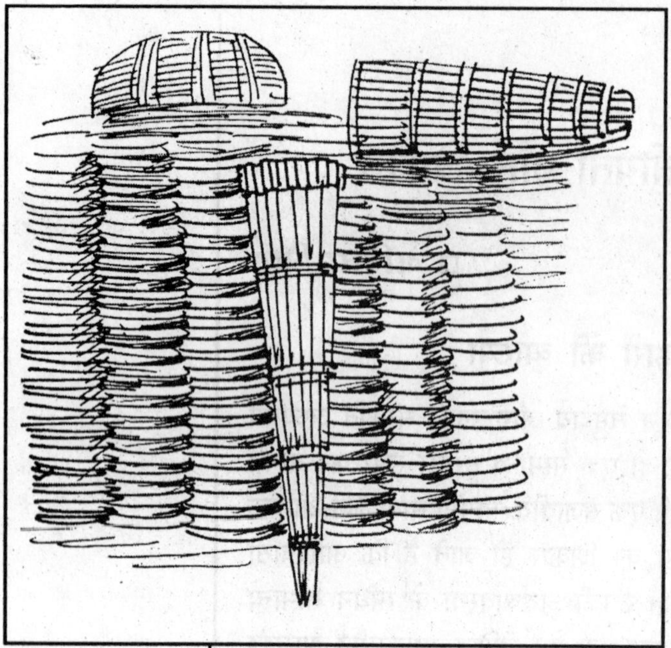

का परीक्षण किया गया है, जो मुंडाओं से संबंधित है। **पहला,** विकास के संदर्भ और संबंध में अंतः जनजातीय विजातीयता किस प्रकार की भूमिका निभाती है? **दूसरा,** अंतः सामुदायिक परिवर्तनशीलताओं की प्रकृति क्या है, जो इस संदर्भ में सबसे ज्यादा प्रासंगिक है? चूँकि इस आदिवासी समूह को अभिन्न रूप से एक आर्थिक एकरूप, चावल उगानेवाले लोगों की तरह, के रूप में देखा गया है, इसलिए जाहिरा तौर पर परिवर्तनशीलता की धुरी गैर-आर्थिक, सामाजिक-सांस्कृतिक क्षेत्रों के भीतर ही है। यहाँ पहचान के अंतर के इस सवाल को चर के रूप में लिया गया है, जो मुंडा समुदाय को दो भागों में विभाजित करती हैं—सरना अनुयायी और ईसाई धर्म में दीक्षित मुंडा आदिवासी।

बाद वाले लोगों के ईसाई धर्म अंगीकार करने की प्रक्रिया ने न सिर्फ संस्कृति के भौतिक और व्यवहारगत पहलुओं में बदलावों को रेखांकित किया, बल्कि उसकी मान्यताओं, विश्वासों, मूल्यों, मूल्यों व नजरिए में महत्त्वपूर्ण बदलाव लाए हैं, जिन्हें कभी-कभार मुंडाओं के मौलिक लोकाचार से एकदम परे देखा गया है। इसने धीरे-धीरे धर्मांतरित लोगों को मूल समूह से बाहर कर दिया है और अंततः उसी समुदाय के भीतर एक अलग पहचान के आधार पर उनका क्रिस्टलीकरण (एक निश्चित रूप-रंग और विशेषता वाले) कर दिया है।

आज हर पहचान-समूह अपनी दुनियावी-दृष्टि रखता है, जिसने उनकी किसी चीज को जानने-समझने, प्राप्त करने और तदनुरूप बाहरी कारकों के आधार पर तुरत प्रतिक्रिया करने की योग्यताओं में बदलाव लाए हैं। ऐसी परिस्थितियों में मुंडा संस्कृति को एकल एकरूप के संदर्भ में लेते हुए गलत ढंग से व्याख्यायित करने के आधार पर क्रियान्वित की जा रही किसी विकास योजना को मिश्रित प्रतिक्रिया जरूर मिलेगी। ऐसा क्यों और कैसे होता है और समुदाय के विकास और प्रगति के लिए ऐसे हस्तक्षेप को किस प्रकार ज्यादा प्रभावी बनाया जा सकता है, इसे इस आलेख में दर्शाया गया है।

कुछ सालों बाद आर्थिक विकास के नाम पर एक पायलट प्रोजेक्ट के रूप में खूँटी प्रखंड के बहुत-से मुंडा गाँवों में सोयाबीन को एक वाणिज्यिक फसल के रूप

में उगाने के लिए प्रेरित किया गया। फसल शुरू कराने से पहले ग्रामीणों को फसल उगाने के तरीके, तकनीकी सहायता और बाद के लाभों के बारे में बताने के लिए गंभीरता से प्रशिक्षित किया गया और इसके बाद सोयाबीन के बीज मुफ्त में बाँटे गए। बावजूद इन सबके इस परियोजना को लक्षित इलाकों में जड़ जमाने में मदद मिली और बाद में इसे वापस भी ले लिया गया। प्रखंड कार्यालय ने विफलता के लिए समुचित मार्केटिंग तरीकों की कमी को दोषी बताया, उन्होंने यह महसूस भी किया कि उत्पादन भी पर्याप्त नहीं था, क्योंकि सोयाबीन बीज को फसल के रूप में स्वीकार भी कम लोगों ने ही किया था। आखिर लक्षित आबादी के एक बड़े भाग ने इन बीजों को ठुकरा क्यों दिया?

इस समस्या की कुंजी को पहले बताए गए दो भिन्न पहचान समूहों का अलग-अलग आकलन करके समझा जा सकता है। सोयाबीन बीजों को टाँड पर उगाए जाने की जरूरत थी, जहाँ लोग सामान्यतः उरद उगाते हैं। सरना धर्मावलंबियों पर अपना ध्यान देने पर हम पाते हैं कि उरद न सिर्फ उनके भोज्य पदार्थ का एक हिस्सा है, बल्कि यह उनकी पहचान से भी अभिन्न रूप से जुड़ा हुआ है। जब भी किसी गाँव स्तर पर या घर में पूजा होती है, इसकी उपस्थिति अनिवार्य मानी जाती है। इसे पुनःस्थापित करने के बारे में नहीं सोचा जा सकता। यदि किसी सरना मुंडा के घर में उरद नहीं होता या खत्म हो जाता है, तो वह पड़ोस से उधार लेकर जरूर रखता है। सरना मुंडाओं में उरद की ऐसी अपरिहार्यता को देखते हुए कोई कैसे इसकी जगह दूसरी फसल जैसे सोयाबीन, को लगाने या लाभ कमाने की उम्मीद कर सकता है?

शायद प्रखंड कार्यालय ने इन परिप्रेक्ष्यों को विचार में रखते हुए रैंडम पर लाभुक गाँवों का चुनाव करने के बजाय ईसाई धर्मांतरित समुदाय क्षेत्रों में उक्त फसल को उगाने के लिए गंभीर रूप से प्रेरित किया होता तो नतीजे दूसरे हुए होते। जहाँ तक इस योजना के ठुकराए जाने की बात है, जहाँ उस बड़ी गलती की निंदा की जानी चाहिए, जिसके तहत गलत धारणा से प्रेरित होते हुए फसल उगाने में विफलता को एक सामान्य विफलता मानते हुए इस योजना को त्याग दिया गया। वास्तव में प्रखंड कार्यालय ने जिस आधार पर आकलन किया था, वह सरना धर्मावलंबियों के इलाके में

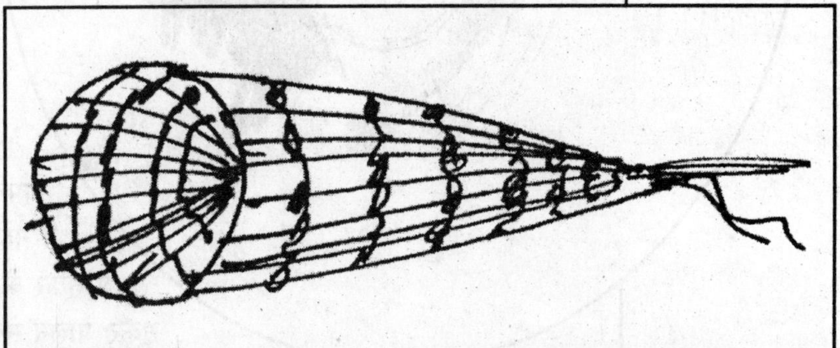

योजना का प्रदर्शन था, जो रैंडम चुनाव में संयोग से मुंडा समुदाय के इसी संवर्ग के ज्यादा इलाके आ गए। यह शर्मनाक है कि ऐसी प्रशासनिक विफलता बाद के प्रयासों के द्वारा भी हुई, जहाँ पहले मूँगफली उत्पादन को प्रोत्साहित किया गया था और जिसकी दशा भी सोयाबीन फसल की तरह ही हुई। इसमें कृषि आधारित अभिनव प्रयोगों के द्वारा आदिवासियों की प्रगति के द्वार एक तरह से बंद कर दिए गए।

मुंडाओं की प्रगति के लिए दूसरी योजना का जायजा लिया जा सकता है जिसके तहत पूरक व्यवसाय के रूप में सूकर पालन को प्रोत्साहित करने की कोशिश की गई थी। इसके लिए ग्रामीणों को सूकर पालन के तरीके, तकनीकी व्यावहारिक उपायों का प्रशिक्षण तथा संभावित लाभों के बारे में बताया गया और मुफ्त में सूकर बाँटे गए। यह परियोजना नई थी और इसे खूँअटी के इलाकों में बड़े उत्साह से शुरू किया गया। लेकिन बावजूद इन प्रयासों के लाभुकों की संख्या कम रही। इस परियोजना की देखरेख करनेवाली एजेंसी ने जब इसका भविष्य धुँधला देखा तो उसने इसे वापस ले लिया।

पुनः इस घटना की तह में जाने से कुछ सवाल उभर कर आते हैं : परियोजना को जनसमर्थन क्यों नहीं मिला? उसी समुदाय के कुछ लोगों ने परियोजना में स्वैच्छिक सहभागिता दिखाई थी? इस समस्या का हल भी मुंडा समाज के दो भिन्न समूहों के संदर्भ में ही संपादित किया जा सकता है। सरना धर्मावलंबियों के बीच सूकर को गंदे और गंदगी फैलानेवाले जानवर के रूप में देखा जा सकता है और इसे वे अपने समुदाय के लिए बहुत शुभ भी नहीं मानते। वस्तुस्थिति यह है कि वे सूकर के मांस का सेवन नहीं करते और सूकर पालन-सेवन को उन समुदायों से जोड़

कर देखते हैं, जो गंदे काम करते हैं, स्वाभाविक ही वे अपने समुदाय को उनसे कहीं ऊपर रखते हैं। जबकि ईसाई धर्मांतरित मुंडाओं में सूकर का मांस खाया जाता है और वे सूकर-पालन को सामाजिक रूप से निम्न काम नहीं मानते। परिणामस्वरूप जब इस समूह के लोगों के पास सूकर पालन योजना आई तो उन्होंने इसे अतिरिक्त आमदनी का जरिया समझ अपनाया।

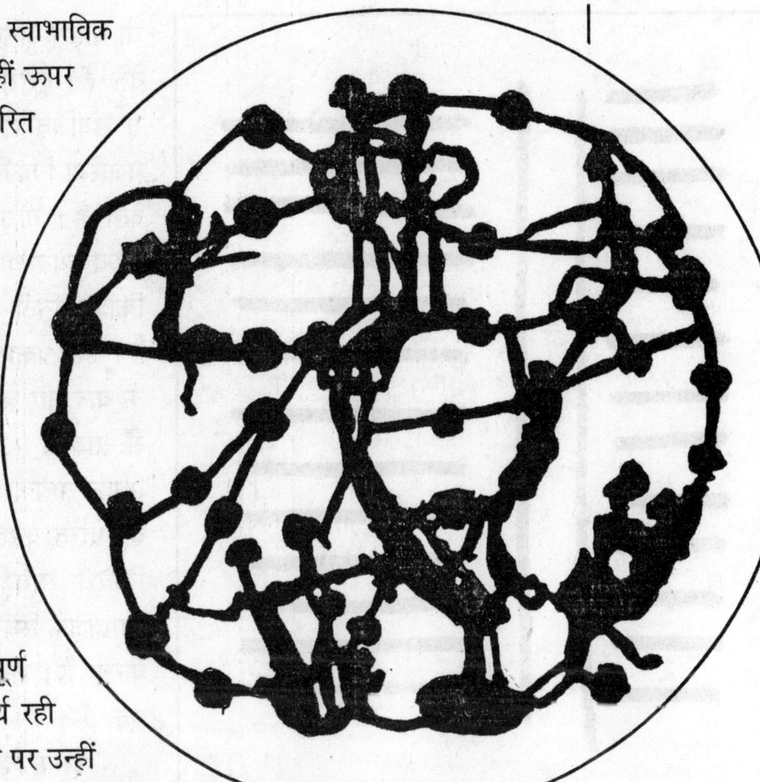

इस प्रकार एक बार फिर यह स्पष्ट है कि परियोजना के प्रभाव का आकलन गलत और अपूर्ण था। एजेंसी यह देखने में असमर्थ रही कि इस परियोजना को बड़े पैमाने पर उन्हीं क्षेत्रों में लागू किया गया, जो सरना धर्मावलंबियों से संबंधित थे, जिन्होंने इसे खारिज कर दिया था। जबकि ईसाई धर्मांतरित लाभुकों की संख्या काफी कम थी, इसलिए इस समूह से ज्यादा प्रतिक्रिया नहीं मिल पाई, जितनी अपेक्षा समग्र तौर पर पूरे समुदाय से की गई थी। वास्तव में ईसाई धर्मांतरित लोगों में इस योजना का दूरगामी परिणाम यह हुआ कि इसे दूसरे गाँवों तक में फैलाया गया।

तीसरा, सामाजिक विकास के क्षेत्र में शिक्षा को एक प्रभावी औजार के रूप में देखते हुए कई एजेंसियों (सरकारी-गैरसरकारी) द्वारा औपचारिक शिक्षा की शुरुआत की गई, लेकिन इसका एकरूप परिणाम नहीं मिला। पुनः इसके कारणों को समुदाय के अस्तित्व में रह रहे दो पहचान समूहों के आधार पर ही समझा जा सकता है। पहले पहल ईसाई धर्मांतरित लोगों को देखने पर देखा जा सकता है कि क्रिश्चियनिटी को स्वीकार करना महज एक धर्मांतरण की बात नहीं थी, क्योंकि धर्म में एक तयुशदा नियम-विचार, नजरिया और मूल्य सन्निहित होते हैं। इसके परिणामस्वरूप ईसाई धर्म में दीक्षित होने से उनमें कई व्यवहारगत या उनके नजरिए में बदलाव आए। पहला, एक बाहरी धर्म होने के कारण इसकी स्वीकार्यता खुद-ब-खुद वहाँ रहनेवाले लोगों

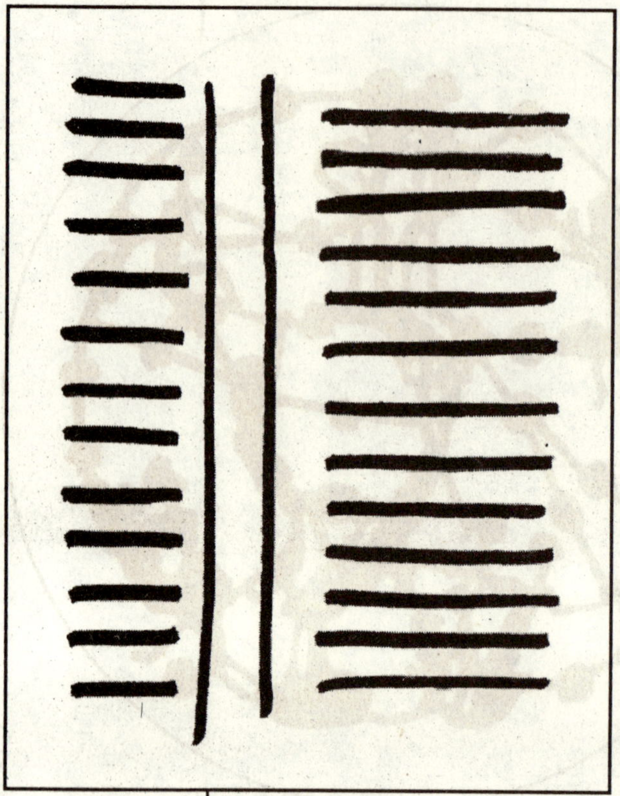

या बाहरी दुनिया की आशंकाओं को कमतर कर देते हैं। दूसरा, यह धर्म इसकी प्राचीन परंपरा से संबंधित होने के कारण उनमें एक सार्वत्रिक नजरिया विकसित और खुलापन समायोजित कर देता है। तीसरा, औपचारिक शिक्षा आधुनिक विश्व व्यवस्था का एक उत्पाद है, जो बाद में क्रिश्चियनिटी के धार्मिक पहचानों में बदल जाता है। इस प्रकार ईसाई धर्म को अंगीकार करने के बाद नए लोगों का इस नई दुनिया व सिस्टम से साबका पड़ता है। अंततः व्यापक दुनिया से उनका साबका अपनी वर्तमान स्थिति के मूल्यांकन को प्रेरित करता है। यही नहीं उन्हें इससे आगे विविध सामाजिक-आर्थिक माध्यमों के द्वारा सामाजिक स्थिति प्राप्त करने के लिए भी उत्प्रेरित करता है। इन्हीं माध्यमों में औपचारिक शिक्षा एक है।

इसके विपरीत सरना धर्मावलंबी एक भिन्न नजरिया रखते हैं, जो निश्चित तौर पर ज्यादा संकुचित होते हैं। पहला, इनमें अंतर, जो छोटी परंपरा के वाहक हैं, और उनकी जरूरतों को पूरा करते हैं, आर्थिक, राजनीतिक, धार्मिक और सामाजिक हैं। यह उन्हें बाहरी दुनिया से सामाजिक रूप से नजदीक जोड़ देता है। दूसरा, चूँकि उनका धर्म इस इंडिजिनस प्रणाली का एक हिस्सा है, यह उन्हें बाहरी विमर्श के प्रति उत्प्रेरित करने में नाकाम होता है। तीसरा, उनकी अपनी शैक्षणिक या ज्ञान प्रणाली है, जो उनकी परंपरागत जरूरतों और उनकी पूर्ति में सक्षम है। चौथा, वे सामाजिक स्थिति में खुद को ऊँचा मानते हैं और इस स्थान को बनाए रखने के लिए वे कई नियम और निर्बंधन मानते चले आते हैं। परिणामतः उनके मामले में बाहरी लोगों के साथ किसी प्रतियोगिता का सवाल नहीं उठता, इसलिए किसी बाहरी शिक्षा प्रणाली के द्वारा उन्हें प्रेरित करने की संभावना अनुपस्थित रहती है।

ये व्यवहारगत अंतर धर्मांतरित मुंडा समूह को औपचारिक शिक्षा के प्रति उन्मुख करता है, लेकिन सरना धर्मावलंबी इसे स्वीकार करने के प्रति ज्यादा उत्सुकता नहीं दिखाते। इसे दो तरह की शिक्षा प्रणालियों आँगनबाड़ी और औपचारिक स्कूल, में परीक्षित किया जा सकता है।

आँगनबाड़ी परियोजना के तहत माताओं व बच्चों को शिक्षा प्रदान की जाती है। यहाँ शिक्षा का मतलब महज साक्षरता नहीं, बल्कि स्वास्थ्य शिक्षा भी होती है। इस कार्यक्रम का उद्देश्य लाभुकों को स्वास्थ्य सुविधाएँ उपलब्ध कराना, बच्चों को मध्याह्न भोजन (मिड-डे मील) देना, गर्भवती महिलाओं की सहायता तथा बच्चों के लिए बुनियादी शिक्षा की व्यवस्था कराना होता है। दूसरी विकास योजनाओं की तरह यह परियोजना उन गाँवों में बहुत ज्यादा सफल है, जहाँ धर्मांतरित लोग बसते हैं। वहाँ देखा जा सकता है कि धर्मांतरित औरतें खुद को और अपने बच्चों को साफ-सुथरा और स्वास्थ्य व साफ-सफाई के प्रति जागरूक रखने को तत्पर रहती हैं। दूसरी तरफ सरना बहुल गाँवों में आँगनबाड़ी कार्यक्रम नियमित संचालित नहीं होता, वहाँ महज मिड-डे मील और खाना पकाने का काम ही इसके तहत हो पाता है। इस योजना की बाकी चीजें यहाँ अस्तित्व में नहीं दिखतीं। इसी तरह की प्रवृत्ति को औपचारिक शिक्षा के क्षेत्र में देखा जा सकता है, जहाँ धर्मांतरित इलाकों के बच्चों में स्कूलों में कम ड्राप आउट और ज्यादा उपस्थिति में देखा जा सकता है।

ऐसी स्थिति में नीति-नियंताओं और परियोजना कार्यान्वयन देखने वाले लोगों के लिए कई महत्त्वपूर्ण सबक व सुझाव हैं। पहला, जब भी शिक्षा के जरिए मुंडाओं के विकास की कोशिश होती है, तब हर समूह के शिक्षा के प्रति नजरिए का समुचित अध्ययन व आकलन करना चाहिए। दूसरा, ऐसे अध्ययन करते समय किसी समूह के नजरिए को पूरे समुदाय के दृष्टिकोण के बतौर कोई धारणा नहीं बनानी चाहिए। इन कदमों से विशिष्ट समूहों के लिए उपयुक्त परियोजना या कार्यक्रम बनाने या उनके क्रियान्वयन में बड़ी मदद मिलेगी। तीसरा, किसी नई शैक्षणिक परियोजना के मूल्यांकन, अध्ययन या उनके प्रभाव को मुंडा समूहों की भिन्नता को ध्यान में रखते हुए क्रियान्वित करने की जरूरत है। इससे बाधाओं को पहचानने में मदद मिलेगी और समुचित सुधारों को शुरू किया जा सकेगा, जिससे योजना की व्यावहारिकता बढ़ेगी।

उपर्युक्त विश्लेषण बिना किसी संदेह के यह दिखाते हैं कि मुंडा समुदाय के भीतर कैसे पहचान की विभिन्नता को

लेकर बदलाव अस्तित्व में है, जो समुदाय के सदस्यों के आर्थिक-सामाजिक विकास में कितनी गत्यात्मक भूमिका निभाते हैं। इन्हें उनके विकास के विभिन्न आयामों के संबंध में भी देखा-परखा जा सकता है। अतः जनजातीय विजातीयता को अस्वीकार करने की प्रवृत्ति या इसे पहचानने में विफलता से कार्यक्रम निर्माण व उनके क्रियान्वयन में गलत निर्णय पर पहुँचने की आशंका बनी रहती है। ये आंतरिक बदलाव सांस्कृतिक कारकों की प्रकृति में विभिन्न स्तरों पर बदलाव या संभावनाएँ पैदा कर सकते हैं, जो विकासपरक बदलावों को उत्प्रेरित कर सकते हैं या उनमें बाधा खड़ी कर सकते हैं।

ये पर्यवेक्षण खासकर मुंडाओं के विकास या सामान्यतः झारखंड के आदिवासियों के विकास में सहभागी बनी एजेंसियों के लिए महत्त्वपूर्ण अर्थ रखते हैं। पहला, न तो पूरी जनजातीय आबादी को या न ही किसी क्षेत्र के एक आदिवासी समुदाय को एकरूप सामाजिक-सांस्कृतिक श्रेणी में लिया जाना चाहिए। इसकी तुलना में बेहतर होगा कि किसी कार्यक्रम को अंतिम कार्यरूप देने या कोई परियोजना शुरू करने के पहले हर आदिवासी समुदाय में विजातीयता के लक्षणों को ध्यान में रखा जाना चाहिए। इसके लिए एक व्यावहारिक अध्ययन, उसका क्रियान्वयन और मूल्यांकन आवश्यक है। दूसरा, क्रियान्वयन के बाद तदनुरूप बदलावों को देखते हुए समुचित कदम उठाए जाने चाहिए। तीसरा, ऐसे हर मूल्यांकन में, न सिर्फ विफलता के कारणों के सवालों की जाँच होनी चाहिए, बल्कि उन कारकों (जिनकी स्वीकार्यता है और जो प्रभावी हैं) की पहचान की जानी चाहिए, जिनसे सफलता मिलने की उम्मीद है, भले ही छोटे या छिटपुट इलाकों में इनके सकारात्मक परिणाम देखने को मिलें, तो उन पर गंभीरता से अपेक्षित ध्यान देना चाहिए।

जिन इलाकों में सकारात्मक परिणाम मिल रहे हैं, वहाँ से संभावित लाभुकों की पहचान हो सकेगी जिन्हें कम सफल इलाकों के सामने बतौर नजीर पेश करते हुए भावी कार्यक्रम में शामिल कर सकते हैं, साथ ही एजेंसी को भी कार्यक्रम में सामयिक बदलाव के लिए मार्गदर्शन मिल सकता है। इससे व्यापक समुदाय में उन इलाकों की पहचान हो सकती है, जहाँ भविष्य में कुछ अच्छा करने की आशा बँधती है।

जिन पर्यवेक्षणों की तरफ इशारा किया गया है, वे किसी मायने में मुंडाओं के लिए अनूठे नहीं हैं। मानवशास्त्रियों ने लंबे समय से एक आदिवासी समूहों के भीतर ऐसे सामाजिक-सांस्कृतिक बदलावों के अस्तित्व और उनसे संबंधित योजनाओं में प्रासंगिक बदलावों की बात की है। यह भी देखा जा सकता है कि कई सांस्कृतिक तत्त्व उसी समुदाय के दूसरे उप-समूहों में अंतर पाते हैं, यानी किसी योजना में जो एक चीज एक वर्ग को सही लगती है, जरूरी नहीं कि वह दूसरे के लिए भी सही हो (मान—1982, दारा—1959)।

ऐसे व्यवहारों में, यदि उद्देश्य को उचित होना है, दृश्यमान आदिवासी झारखंड राज्य में एकरूप और तीव्र विकास के लिए सीधे कार्यक्रम व परियोजनाओं के निर्माण को आदिवासी समुदायों के बजाय उनके भीतर अंतः सामुदायिक स्तरों पर उतारने की फौरी जरूरत है, जहाँ विभिन्न वर्गों के बदलावों को पृष्ठभूमि में रखा जाना अनिवार्य है। यहाँ यह जरूर देखा जाना चाहिए कि परितंत्र व प्रौद्योगिकी के नजरिए से आर्थिक विभेदों की उपस्थिति या अनुपस्थिति को ध्यान में रखना ही पर्याप्त नहीं है। विजातीयता एक समुदाय के भीतर गैरआर्थिक स्तरों पर विद्यमान रह सकती है, जिस कारण स्वाभाविक रूप से ही एक योजना को विविध प्रतिक्रियाएँ मिल सकती हैं। इसलिए सही नजरिया तो यही होगा कि नए राज्य में आदियासियों के विकास के नाम पर कोई भी कदम उठाने से पहले हर समुदाय और उसमें सन्निहित बदलावों की संपूर्ण जानकारी प्राप्त कर ली जाए, तदनुरूप ही सार्थक व सामयिक कदम उठाए जाएँ।

विकास का समावेशी दर्शन : आदिवासी संदर्भ

□ *डॉ. पद्मजा सेन*

प्रायः जब किसी आदिवासी क्षेत्र के लिए विकास की आधुनिक और प्रगतिशील अवधारणा के अनुरूप बड़ी योजनाएँ प्रारंभ की जाती हैं तो उन्हें आदिवासी समुदाय के प्रतिरोध का सामना करना पड़ता है। इस अवरोध एवं तज्जनित तनाव के कारण ऐसा प्रतीत होता है मानों आदिवासी समुदाय विकास का विरोधी एवं बाधक है। लेकिन यह सच नहीं है। ऐतिहासिक तथ्य यह है कि किसी भी अन्य जन समुदाय की तरह आदिवासी समुदाय भी परिवर्तन एवं जीवन की गुणवत्ता में वृद्धि का स्वागत करता है। स्वभावतः प्रश्न उठता है कि तब विकास की आधुनिक प्रगतिशील अवधारणा के प्रति उनका मन सशंकित क्यों है और वे इसका प्रतिरोध क्यों करते हैं?

विकास के संबंध में स्वयं उनकी धारणा, उनकी प्रत्याशा क्या है? क्या दोनों में कोई सामंजस्य संभव है? मैंने विकास संबंधी भारतीय एवं पाश्चात्य अवधारणाओं की पृष्ठभूमि में इस संभावना को तलाशने की चेष्टा की है लेकिन इसका अर्थ यह नहीं कि मैं आदिवासी धारणा पर बृहत्तर भारतीय एवं पाश्चात्य अवधारणाओं का वर्चस्व स्थापित करना चाहती हूँ या आदिवासी अवधारणा को किसी भी तरह इन अवधारणाओं से आक्रांत करना चाहती हूँ। वरन् इसके विपरीत मेरा उद्देश्य आदिवासी क्षेत्रों में विकास संबंधी योजनाओं के प्रतिरोध की तह में निहित मूल धारणा की पहचान कर सामंजस्य का आधार ढूँढ़ना है, जिसकी नींव पर विकास की एक व्यापकतर एवं अधिक ग्रहणयोग्य अवधारणा बनाई जा सके। यह अवधारणा प्रचलित आधुनिक प्रगतिशील धारणा की व्याघाती नहीं वरन् समावेशी है, क्योंकि यह विकास में निहित बृहत्तर आयाम की ओर हमारा ध्यान आकर्षित करती है जो उपेक्षित रह जाता है।

साधारणतः विकास से हमारा तात्पर्य आर्थिक-सामाजिक विकास से होता है और अब तक हमने इसके दो प्रमुख एवं भिन्न प्रारूपों को देखा है—पूँजीवाद तथा समाजवाद पूँजीवादी प्रारूप में जहाँ तकनीकी प्रगति, औद्योगीकरण, सकल राष्ट्रीय उत्पाद में वृद्धि, प्रति व्यक्ति आय में वृद्धि, आधुनिकीकरण आदि पर जोर दिया जाता है, वहीं समाजवादी प्रारूप में तकनीकी-आर्थिक नियंत्रण, उत्पादन के साधनों का केंद्रीकरण तथा समस्त

संसाधनों का राज्य द्वारा नियंत्रण। लेकिन, दुर्भाग्यवश संतोषजनक रूप में जनसाधारण की समस्याओं के समाधान एवं उनके जीवन स्तर को ऊपर उठाने में दोनों ही प्रारूप असफल रहे हैं। फलस्वरूप बेरोजगारी की समस्या क्रमशः भयावह हुई है। सेरकारी भंडारों में खाद्यान्न के पर्याप्त संग्रह के बावजूद आज भी आबादी की एक बड़ी संख्या को एक शाम का पर्याप्त भोजन भी उपलब्ध नहीं है। मूलभूत रांरचना, स्वास्थ्य एवं शिक्षा सुविधाएँ अपर्याप्त हैं। यहाँ तक कि ग्रामीण क्षेत्रों में पेयजल का भी संकट है। ये जमीनी तथ्य हैं। भारत के लगभग सभी राज्यों के, उनकी शासन व्यवस्था पूँजीवादी हो अथवा समाजवादी। इस असफलता के कई कारण हो सकते हैं। मैं उनकी समीक्षा में न जाकर इस बात की ओर ध्यान

आकर्षित करना चाहती हूँ कि आज की उन्मुक्त बाजार एवं वैश्वीकरण की नीति सहित विकास के इन सभी प्रारूपों में आर्थिक विकास को अपने आप में एक लक्ष्य मान लिया गया है। बिना पर्याप्त समीक्षा के बड़े उद्योगों, बहुराष्ट्रीय कंपनियों, विशाल बाँधों और खाती-पीती, महँगी पोशाकें आदि जीवन की सुख-सुविधाएँ भोगती आबादी को विकास का पर्याय मान लिया गया है। यद्यपि आर्थिक संपन्नता एवं सुख-सुविधाओं का प्राचुर्य उपलब्ध कराने में विकास की भूमिका को अस्वीकार नहीं किया जा सकता

लेकिन सिर्फ इन्हें ही वास्तविक विकास मान लेना संभवतः विकास की मूल भावना को नहीं समझ पाना है। इस मूल भावना को समझने के लिए हमें पुनः बृहदारण्यक उपनिषद् के उस मौलिक प्रश्न पर लौटना होगा, जो मैत्रेयी ने याज्ञवल्क्य के समक्ष उपस्थित किया था, इस समस्त आर्थिक संपदा का लक्ष्य क्या है? मैत्रेयी की रुचि इस जगत से इतर किसी लक्ष्य में थी। इसे छोड़ भी दें, फिर भी प्रश्न रह ही जाता है। क्या यह स्वतः मूल्यवान है या फिर किसी बृहत्तर लक्ष्य के साधन के रूप में मूल्यवान है?

आर्थिक विकास अपने आप में लक्ष्य नहीं है वरन् यह गरीबी एवं निरक्षरता उन्मूलन, जन-जीवन की गुणवत्ता में वृद्धि तथा ऐसे ही अनेकानेक महती उद्देश्यों का साधन है यह मानने में कोई कठिनाई नहीं होनी चाहिए। भारतीय विचार परंपरा के चाणक्य सूत्र में अर्थ (आर्थिक विकास) को जीवन के महत्त्वपूर्ण लक्ष्यों में एक माना गया है लेकिन यह सापेक्ष लक्ष्य है जो अंततः बृहत्तर लक्ष्यों जैसे धर्म और काम का साधन भी है। पाश्चात्य परंपरा में अरस्तू ने माना है कि आर्थिक संपदा वह परम शुभ नहीं है जिसकी हम कामना करते हैं। हाँ, किसी अन्य लक्ष्य की प्राप्ति में यह उपयोगी अवश्य है। हमारे समय में प्रोफेसर अमर्त्य सेन जब कहते हैं कि आर्थिक विकास की उपयोगिता उन स्वतंत्रताओं में निहित है जो यह हमें प्रदान करता है, तब संभवतः उनके मन में यही बात रही हो। उनके लिए विकास का अर्थ है मानव की मूलभूत योग्यताओं का विस्तार जैसे, दीर्घ जीवन जीने की योग्यता, लिखने-पढ़ने की योग्यता, बीमारियों से बचने की योग्यता, लिंग भेद की चिंता किए बगैर घर से बाहर काम करने की

योग्यता तथा सहकारी एवं प्रतिकूल राजनीति में सहभागिता की योग्यता अर्थात् अपने इच्छानुकूल जीवन जी पाने की योग्यता। विकास के प्रति यह दृष्टिकोण निश्चित रूप से विकास को केवल आर्थिक संपन्नता के रूप में आँकने की संकीर्ण प्रवृत्ति से कहीं परे है।

स्पष्ट है कि सकल राष्ट्रीय उत्पाद, प्रति व्यक्ति आय, औद्योगीकरण, तकनीकी प्रगति पारिभाषिक विशेषताएँ नहीं हैं। विकास में निस्संदेह ये सभी अंतर्निहित हैं, लेकिन वास्तविक विकास की धारणा इनमें भी कहीं आगे जाती है। मुझे लगता है कि इस अतिक्रमण का सूत्र काम की अवधारणा में निहित है। वात्स्यायन के अनुसार, अर्थ के लक्ष्य के रूप में काम इच्छा भी है और इच्छा-पूर्ति का साधन भी। तर्कतः इसे संप्रसारित करते हुए यह सहज ही कहा जा सकता है कि चूँकि इच्छाएँ हमारी सत्ता, हमारे व्यक्तित्व की अभिव्यक्तियाँ हैं अतः आर्थिक विकास का बृहत्तर लक्ष्य अपनी सत्ता, अपनी पहचान को पाना, उसे स्थापित करना, उसका सर्वांगीण विकास है। इस युक्ति को एक अन्य दृष्टिकोण से भी सशक्त किया जा सकता है। यदि विकास का लक्ष्य मानवीय योग्यताओं का विस्तार है जैसा कि प्रोफेसर अमर्त्य सेन कहते हैं तो तार्किक रूप से इसे केवल हमारी आर्थिक-सामाजिक योग्यता के विस्तार तक ही सीमित

क्यों होना चाहिए? वरन् इसका लक्ष्य समस्त मानवीय संभावनाओं का विस्तार होना चाहिए जिसे अरस्तू मानव की, संपूर्ण प्रकृति की पूर्णता के रूप में चिह्नित करते हैं और ब्रैडले उस इच्छा के रूप में जो अपने आप को आत्मस्वीकृति के रूप में व्यक्त करती है। यह तार्किक आधार है जहाँ से विकास की एक समावेशी एवं व्यापकतर अवधारणा बनाई जा सकती है जो केवल आर्थिक विकास से कहीं आगे जाती है। इस रूप में विकास का अर्थ है अपनी इच्छा अनुसार जीवन जी पाना, अपनी सत्ता, अपनी पहचान की सचेतन अभिव्यक्ति, पूर्णतर उपलब्धि। मैं इसे अपना-आप होने की योग्यता कहती हूँ। इस तरह विकास इच्छा है, अपनी तलाश है, अपने स्व को पाने और स्थापित करने का आनंद है जिसका वास्तविक आदर्श अपना-आप होने की योग्यता का विस्तार है, चाहे वह व्यक्ति का हो या समुदाय का।

विकास की इस समावेशी धारणा के परिप्रेक्ष्य में संभवतः आदिवासी प्रतिरोध के मूल तक पहुँचा जा सकता है। आदिवासी क्षेत्रों में जब आधुनिक प्रगतिशील विकास के नाम पर बड़ी योजनाओं के लिए आदिवासी जमीन के अधिग्रहण की बात उठती है तो अक्सर आदिवासी समुदाय की ओर से इसका संगठित विरोध होता है। विरोध इसलिए नहीं होता कि आदिवासी विकास नहीं चाहते। इसके मूल में है उनका कटु अनुभव और अविश्वास। पिछले अनुभवों से उन्होंने जाना है कि प्रथमतः इन बड़ी योजनाओं का कोई प्रत्यक्ष लाभ उन्हें नहीं मिलता। बड़े उद्योगों और विशाल बाँधों के नाम पर गाँव के गाँव उजड़ जाते हैं और इसका लाभ मिलता है कतिपय राजधानियों और बड़े शहरों में रहने वालों को। आदिवासी अपनी ही जमीन पर मजदूर भर रह जाते हैं। द्वितीय, इन विकास प्रकल्पों के नाम पर वे विस्थापन की त्रासदी झेलने को बाध्य होते हैं। अतीत से लेकर आज तक बार-बार अपने विकास के नाम पर दूसरों के विकास के मूल्य पर उन्हें विस्थापित होना पड़ा है। कहा जा सकता है कि विस्थापन के एवज में सरकार उन्हें मुआवजा देती है लेकिन इस तर्क का यथार्थ बेहद कटु है। धीमी और समय सापेक्ष सरकारी प्रक्रिया के बाद जो कुछ उनके हाथ आता है और उसके बाद प्रभावित परिवारों की जो आर्थिक-सामाजिक परिस्थिति होती है इस पर समय-समय पर अध्ययन होते रहे हैं जिनसे कोई आशाजनक तस्वीर नहीं उभरती। लेकिन इससे भी अधिक महत्त्वपूर्ण यह है कि अपने जल, जंगल, जमीन जिसके इर्द-गिर्द उनकी आदिवासियत बुनी होती है, उससे विस्थापन उनके समक्ष पहचान का संकट लेकर आता है। उनकी भाषाई, धार्मिक, सामाजिक, सांस्कृतिक पहचान खो जाती है। फलतः तथाकथित विकास उन्हें अभिशाप प्रतीत होता है। कोई आश्चर्य नहीं कि मौन रहकर या प्रकाश्य रूप से संगठित होकर वे इन बड़ी योजनाओं का विरोध करते हैं क्योंकि अतीत के अनुभवों ने उन्हें सिखाया

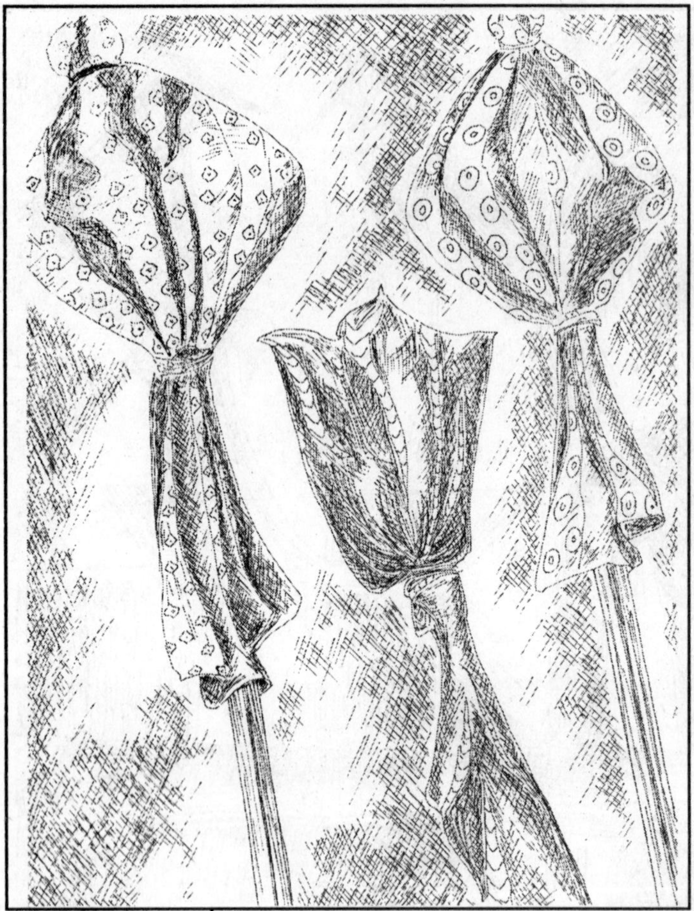

है कि इस समस्या का सामना वे व्यक्ति के रूप में नहीं कर सकते।

स्पष्ट है कि विकास का अर्थ आदिवासी समुदाय के लिए केवल मात्र आर्थिक संपन्नता नहीं है। इसका अर्थ केवल व्यक्ति का विकास भी नहीं है वरन् पूरे समुदाय का विकास है। यद्यपि आधुनिक सभ्यता के साथ-साभ भौतिक जीवन-मूल्यों के साथ संपर्क से उनमें भी वैयक्तिकता का प्राधान्य उभर रहा है। विकास उनके लिए आर्थिक संपन्नता के साथ-साथ अपनी पहचान की स्वीकृति, उसकी स्थापना भी है। अपना आप, स्व होने की योग्यता का विस्तार। लेकिन यह स्व या पहचान है क्या? समानता, एकता, वैयक्तिकता—पहचान के ये शब्दकोशीय अर्थ एक समस्या खड़ी करते हैं। हम जानते हैं कि इस आनुभूतिक जगत में चीजें हमेशा परिवर्तित होती रही हैं फिर उनकी कोई निश्चित पहचान कैसे हो सकती है? लेकिन नदी में अबाध पानी बहकर चला जाता है फिर भी हम कहते हैं यह वही नदी है जिसमें मैंने पिछले साल स्नान किया था। दो दिनों का शिशु 20 वर्ष का युवक हो जाता है फिर भी हम कहते हैं यह वही है जो कभी शिशु था। तो वह क्या है जो परिवर्तनों के बावजूद परिवर्तित नहीं होता? तर्कतः जब हम कहते हैं कि कोई वस्तु परिवर्तित हो रही है तो वास्तव में हम यह मान लेते हैं कि कोई वस्तु या व्यक्ति या समाज है जिसमें परिवर्तन हो रहा है फिर भी यह वही है। यही व्यक्तित्व की अपरिवर्तनीय एकता या वैयक्तिकता उसकी पहचान है। पहचान से तात्पर्य है आत्म-रूप चाहे वह व्यक्ति का हो या समुदाय का। निस्संदेह आदिवासी समाज में भी समय के साथ अनेक परिवर्तन आए हैं। फिर भी अपनी स्वतंत्र भाषा, धर्म, परंपरा, रीति-रिवाज, सांस्कृतिक चेतना के सूत्र इस समाज को एक अलग पहचान देते हैं। एक स्वतंत्र भाषाई, धार्मिक, सांस्कृतिक समुदाय के रूप में अपनी

इस पहचान को स्थापित करना उनके लिए विकास का आवश्यक पर्याय बन गया है। अपनी अस्मिता को लेकर आदिवासी समुदाय के समसामयिक असंतोष और उद्वेलन को इसी परिप्रेक्ष्य में देखा जा सकता है। इसकी झलक संप्रति धर्म और भाषा को लेकर आदिवासियों की चिंता और चेतना में पाई जा सकती है।

जनगणना रिपोर्ट में जो आदिवासी अपनी धार्मिक पहचान हिंदू, मुस्लिम, क्रिश्चियन या बौद्ध के रूप में नहीं करना चाहते, उन्हें अन्य की श्रेणी में अंतर्भुक्त होने का विकल्प दिया गया है। लेकिन अब वे अपनी स्वतंत्र धार्मिक पहचान सरना मतावलंबी के रूप में करने के लिए उद्वेलित हैं। सरना को किसी एक आदिवासी समुदाय नहीं बल्कि झारखंड के सभी आदिवासी समुदायों की सामूहिक धार्मिक पहचान के रूप में स्वीकृति देने की प्रक्रिया जारी है। आदिवासी धर्म के लिए 'सरना' शब्द को चुनने का अपना एक इतिहास है। इसके लिए पहले कोई विशिष्ट निर्देशात्मक शब्द नहीं था। 1932 में चाईबासा में एक विचार गोष्ठी में बिहार, बंगाल और उड़ीसा से आए आदिवासी प्रतिनिधियों ने प्राचीन आदिवासी धर्म को 'सरना धरम' के नाम से जानने का प्रस्ताव लिया। पं. रघुनाथ मुर्मू ने सरना धरम सेमलेट की स्थापना की जिसका उद्देश्य था सरना धरम को केंद्र कर आदिवासियों की एकात्मकता और धार्मिक विश्वास को सुदृढ़ करना। सिंहभूम के हो समुदाय ने दुपुब समाज और उरांवों ने सरना नवयुवक संघ की स्थापना की। 1978 में ऑल इंडिया सरना नवयुवक संघ की स्थापना आदिवासी धर्म और संस्कृति के संरक्षण के उद्देश्य से हुई। हालाँकि झारखंड के विविध आदिवासी समुदायों के धार्मिक विश्वास एवं आचार को निर्देशित करने के लिए एकमात्र सरना शब्द को आज भी सर्वसम्मति से स्वीकार नहीं किया गया है। आदिवासी धर्म के लिए अन्य शब्दों जैसे–आदि धरम, जनजाति धरम, सारी धरम, संसारी धरम, दुपुब धरम,

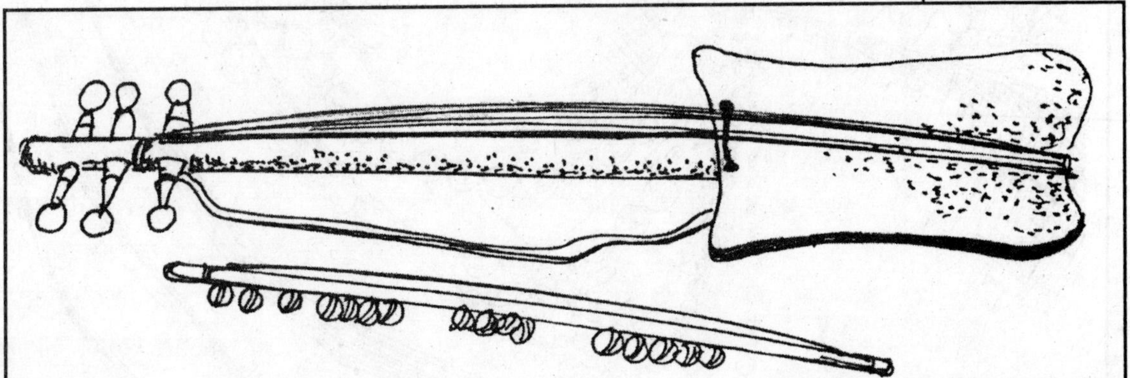

जाहेरा धरम, बोंगाइज्म आदि शब्दों का भी प्रयोग किया जाता है। फिर भी, संप्रति आदिवासी समाज अपनी स्वतंत्र धार्मिक पहचान का दावा मुखर रूप से कर रहा है। सरना धरम अब न केवल आदिवासियों की स्वतंत्र धार्मिक पहचान का प्रतीक है वरन् उनकी राजनीतिक पहचान की चेतना का आधार भी है। अपनी पहचान की खोज में शिक्षित आदिवासियों में अपने प्राचीन धार्मिक उत्तराधिकार के प्रति झुकाव भी बढ़ा है।

भाषा के संबंध में भी यही स्थिति है। जो समुदाय निकट अतीत तक मौखिक स्तर पर था आज उसमें अपनी भाषाई अस्मिता की चिंता साफ झलक रही है। 1920-30 के दशकों में राजनीतिक स्वायत्तता आंदोलन के दौरान झारखंड के आदिवासी नेतृत्व ने अपनी स्वतंत्र भाषा और लिपि की आवश्यकता गहराई से अनुभव की। उन्होंने महसूस किया कि बिना लिखित परंपरा के उनके समृद्ध सांस्कृतिक उत्तराधिकार का संरक्षण संभव नहीं होगा। वैसे भी सभ्यता के विकास की दृष्टि से मौखिकता का स्तर समझा कि अपनी लिपि एवं साहित्य का विकास किए बिना न तो अन्य विकसित समुदायों की तरह उनकी अपनी स्वतंत्र भाषाई सत्ता होगी न ही वास्तविक नैतिक और भौतिक विकास संभव होगा। उदाहरण स्वरूप यहाँ संताली और हो भाषाओं के विकास को संक्षेप में देखा जा सकता है।

उपर्युक्त उद्देश्यों के साथ पं. रघुनाथ मुर्मू ने 1920 के दशक में संताली भाषा के लिए ओलचिकी लिपि का आविष्कार किया। उनका विश्वास था कि देश के विभिन्न भागों में बिखरे हुए संताल जो हिंदी, बांग्ला, उड़िया, असमी भाषा अपनाने को बाध्य हैं यदि उनकी अपनी एक लिखित भाषा होगी तो वे एकबद्ध हो सकेंगे। विद्यालय स्तर पर संताली भाषा की पढ़ाई हो इसके लिए उन्होंने ओलचिकी लिपि में प्राथमिक स्तर की कई पुस्तकें लिखीं। इस प्रयास ने बाद में एक सांस्कृतिक आंदोलन का रूप ले लिया। 1953 में आदिवासी वेलुयर एसोसिएशन की स्थापना हुई, जिसने संताली

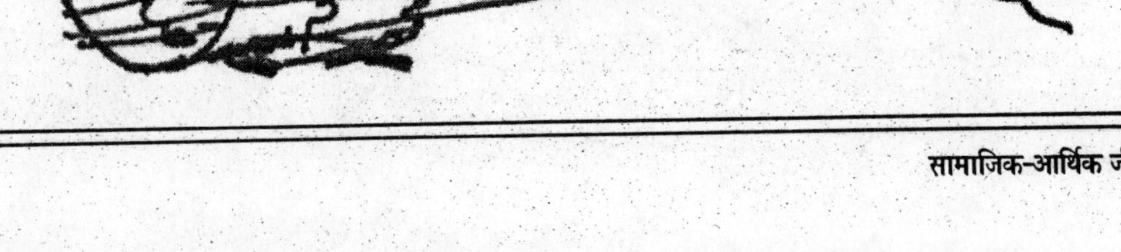

भाषा के विकास के लिए ओलचिकी लिपि में सागेन सकम नामक पत्रिका प्रकाशित की। संताली भाषा में शिक्षकों के प्रशिक्षण के लिए इतुन आश्रम की स्थापना भी की गई। इसी तरह अपनी स्वतंत्र भाषाई अस्तित्व की आकांक्षा हो समुदाय में भी देखी जा सकती है।

1950 के दशक में गुरु लाको बोदरा ने हो भाषा के लिए वारंगक्षिति लिपि का आविष्कार किया। हो भाषा के विकास के लिए उन्होंने हो रीति-रिवाजों एवं धर्म पर अनेक पुस्तकें लिखीं। उनकी मृत्यु के बाद चाईबासा के निकट बड़ा झींकपानी में स्थापित हो ह़यम वारंगक्षिति शिक्षक प्रशिक्षण केंद्र आज न केवल हो भाषा के शिक्षकों को प्रशिक्षित करने में वरन् लाको बोदरा द्वारा हो भाषा के विकास के लिए प्रस्थापित नींव को और भी सुदृढ़ करने में अहम भूमिका निभा रहा है। विद्यालयों के स्तर पर वारंगक्षिति लिपि में हो भाषा की पढ़ाई के लिए बुद्धिजीवियों ने सशक्त रूप से माँग उठाई। राज्य सरकार से इसकी मान्यता भी मिली। संप्रति सतत प्रयास के फलस्वरूप संताली भाषा को सांविधानिक मान्यता मिली है। हो भाषा-भाषी भी अब इस दिशा में प्रयासरत हैं। आज रघुनाथ मुर्मू संताली एवं लाको बोदरा हो भाषाई पहचान के प्रतीक बन गए हैं जैसे बिरसा मुंडा झारखंडी राजनीतिक एवं सांस्कृतिक पहचान के प्रतीक हैं।

आदिवासी समुदायों में अपने जल-जंगल-जमीन, धर्म, भाषा एवं संस्कृति को लेकर समसामयिक चिंतन एवं उद्वेलन से स्पष्ट है कि एक स्वतंत्र भाषाई, धार्मिक एवं सांस्कृतिक जन-गोष्ठी के रूप में अपनी पहचान स्थापित करना आज उनकी प्राथमिकता है। समस्या यह है कि विकास की आधुनिक अवधारणा हमारे समक्ष विकास का जो प्रारूप प्रस्तुत करती है उसमें संस्कृतियों की विविधता लुप्त हो जाती है। अंततः उसका लक्ष्य एकरूप मानव समाज विकसित करना है। लेकिन अपनी पूर्णतर प्रकृति के अनुरूप जीने की योग्यता, अपनी पहचान अक्षुण्ण रखते हुए विकसित हो पाना विकास का एक व्यापक परिदृश्य उपस्थित करता है। यह बृहत्तर प्रकृति के नियमों के अनुकूल भी है जिसमें प्रत्येक

जीव का लक्ष्य अपनी प्रकृति के अनुरूप अपने में निहित संभावनाओं का पूर्ण विकास होता है। आदिवासी क्षेत्रों में विकास प्रकल्पों के रूपायन के समय यह ध्यान रखना होगा कि एकरूपता लाने के क्रम में कहीं जनसमुदायों की अपनी विशिष्टता न खो जाए। लेकिन विकास का यह दर्शन केवल आदिवासियों के लिए उपयुक्त है, औरों के लिए नहीं, ऐसी बात नहीं है। इसे हम विकास के सामान्य नियम के रूप में अपना सकते हैं। इस समग्र दृष्टिकोण में विकास के एक समावेशी प्रारूप की संभावना भी निहित है जो विकास की आधुनिक अवधारणा के समक्ष एक चुनौती प्रस्तुत करती है। इस समग्र दृष्टिकोण को अपनाने पर विकास आनंदमय हो सकता है, अभिशाप नहीं।

मध्य भारत के आदिवासी क्षेत्रों में वैकल्पिक शिक्षाकरण

□ *घनश्याम गुप्ता*

शैक्षिक योजना के लिए एक उदात्त चिंतन*

राष्ट्रीय शिक्षा नीति

1986, जिसे 1992 में परिमार्जित किया गया था, में सूत्रीकृत प्राथमिक शिक्षा के लोक-व्यापीकरण के परिप्रेक्ष्य में राजीव गांधी प्राथमिक शिक्षा मिशन मध्यप्रदेश द्वारा नवम्बर 1994 में जिला प्राथमिक शिक्षा कार्यक्रम की राज्य विशेषांश योजना (1994-2001) तैयार की गई है।

इस विशेषांश योजना में आदिवासी शिक्षा के उन्नयन की दृष्टि से प्राथमिक शालाओं में सभी बच्चों के प्रवेश के लिए, जो रणनीति तय की गई है उसके मार्गदर्शी बिन्दु ये हैं—

प्रदेश के आदिवासी क्षेत्रों की बसाहट अत्यन्त बिखरी हुई और दुर्गम होती है। ऐसी बसाहटों में स्कूल न होने के कारण अन्यत्र स्थापित स्कूलों में बच्चों का पहुँचना मुश्किल होता है। इसे देखते हुए इन बसाहटों में नए स्कूल खोलने के जनसंख्या आकार के वर्तमान मानदण्डों को शिथिल किया जाना आवश्यक है।

अभी प्रदेश के गैर आदिवासी क्षेत्रों में उन बसाहटों में स्कूल खोलने का प्रावधान है जहाँ की आबादी 300 से 250 के बीच है जबकि आदिवासी क्षेत्रों में 250-200 की जनसंख्या वाली बसाहटों में स्कूल खोलने का प्रावधान है।

जब आदिवासी क्षेत्रों के लिए इसे शिथिल करके 200 से कम जनसंख्या वाली बसाहटों के लिए लागू किया जाना चाहिए, विशेषकर उन जिलों में जहाँ जिला प्राथमिक शिक्षा कार्यक्रम क्रियाशील है।

---

* यह विचार पत्र 17-21 जुलाई 1995 को राष्ट्रीय शैक्षिक योजना और प्रशासन संस्थान, नई दिल्ली द्वारा आयोजित ओरियेंटेशन कम-वर्कशाप आन प्लानिंग एण्ड मैनेजमेंट ऑफ ट्रायबल एजुकेशन में प्रस्तुत किया गया था।

जहाँ नए स्कूल खोलने के जनसंख्या आकार का मानदण्ड औपचारिक स्कूल खोलने की अनुमति नहीं देता है वहाँ यह वैकल्पिक स्कूल केन्द्र (आल्टरनेटिव स्कूल सेंटर) को स्थापित करना ही एकमात्र विकल्प है।

इन स्थानों पर वैकल्पिक शिक्षाकरण की दिशा में आल्टरनेट स्कूलिंग सेंटर स्थापित करने की एक ऐसी नई अवधारणा विकसित की जानी चाहिए जो स्थानीय बसाहट की शैक्षणिक आवश्यकता के अनुरूप हो। ऐसे स्थान वे हो सकते हैं जहाँ न्यूनतम 20 साथ जाने योग्य बच्चे उपलब्ध हों।

बिखरी हुई जनसंख्या तथा भौगोलिक रूप से कटी बसाहट वाले क्षेत्रों के लिए प्रदेश के आदिवासी विकास विभाग द्वारा पूर्व से ही आश्रम स्कूल खोलने की परम्परा रही है।

जिला प्राथमिक शिक्षा कार्यक्रम के अन्तर्गत बिखरी जनसंख्या और कठिन भौगोलिक स्थिति वाली आदिवासी बसाहटों में इसी प्रकार के आश्रम/आवासीय स्कूल स्थापित किए जाएँ।

आदिवासी प्राथमिक शिक्षा के विस्तार और विकास की दिशा में विशेषांश योजना द्वारा निर्धारित उपरोक्त रणनीति को मूर्तरूप देने के लिए एक उदात्त चिन्तन यहाँ प्रस्तुत है :

स्कूल रहित आदिवासी बस्तियाँ

जैसा कि मध्यप्रदेश के पाँचवें राष्ट्रीय शिक्षा सर्वेक्षण (1986) में स्पष्ट हुआ है कि प्रदेश में कुल 1,06,291 बस्तियाँ हैं। इनमें 44,861 बस्तियाँ आदिवासी जनसंख्या बहुल बस्तियाँ हैं जो प्रदेश की कुल बस्तियों का 42.20 प्रतिशत है।

कुल आदिवासी बस्तियों में से 18,913 अर्थात् 42.16 प्रतिशत बस्तियाँ ऐसी हैं जिनके अन्दर प्राथमिक शिक्षा उपलब्ध है। 15,774 अर्थात् 35.16 प्रतिशत बस्तियाँ ऐसी हैं जिनको 1 किलोमीटर के अन्दर प्राथमिक शिक्षा की सुविधा उपलब्ध है।

10,075 अर्थात् 22.46 प्रतिशत बस्तियाँ ऐसी थीं जो एक किलोमीटर की दूरी पर प्राथमिक शिक्षा की सुविधा प्राप्त कर सकती हैं।

इस प्रकार वास्तविक रूप से प्राथमिक शिक्षा की सुविधा से विहीन (अर्थात् जिनकी अपनी बस्ती में प्राथमिक शिक्षा की सुविधा नहीं उपलब्ध है) बस्तियों की संख्या 25,847 है जो कुल आदिवासी जनसंख्या बहुल बस्तियों का 57.61 प्रतिशत है।

जनसंख्या आकार की दृष्टि से आदिवासी जनसंख्या बहुल बस्तियों और उन्हें प्राप्त शैक्षणिक सुविधा की स्थिति इस प्रकार है—

1. 5000 से अधिक आदिवासी जनसंख्या वाली बस्तियाँ मात्र 2 हैं। यह कुल आदिवासी बस्तियों का 0.004 प्रतिशत है। इन बस्तियों के अन्दर ही प्राथमिक शिक्षा

उपलब्ध है।

2. 2000 से 4999 आदिवासी जनसंख्या वाली बस्तियों की संख्या 54 है। यह कुल आदिवासी बस्तियों का 0.12 प्रतिशत है। इनमें से 53 बस्तियों के अन्दर ही प्राथमिक शिक्षा उपलब्ध है। इसे मिलाकर कुल 54 ऐसी बस्तियाँ हैं जिन्हें एक किलोमीटर के अन्दर प्राथमिक शिक्षा की सुविधा प्राप्त है।

3. 1000 से 1999 आदिवासी जनसंख्या वाली बस्तियों की संख्या 760 है। यह कुल आदिवासी बस्तियों का 2.24 प्रतिशत है। इस जनसंख्या आकार की 743 बस्तियों को बस्ती के अन्दर ही प्राथमिक शिक्षा की सुविधा प्राप्त है। जबकि इन्हें मिलाकर कुल 759 बस्तियाँ ऐसी हैं जिन्हें एक किलोमीटर के अन्दर प्राथगिक शिक्षा की सुविधा प्राप्त है।

इस प्रकार इस जनसंख्या आकार वाली आदिवासी बस्तियों में मात्र 1 बस्ती ऐसी है जो पूर्णतः प्राथमिक शिक्षा की सुविधा से वंचित है।

4. 500 से 999 आदिवासी जनसंख्या वाली बस्तियों की संख्या 4994 है। यह कुल आदिवासी बस्तियों का 11.13 प्रतिशत है। इस जनसंख्या आकार की 743 बस्तियों को बस्ती के अन्दर ही प्राथमिक शिक्षा की सुविधा प्राप्त है। जबकि इन्हें मिलाकर कुल 759 बस्तियाँ ऐसी हैं जिन्हें एक किलोमीटर के अन्दर प्राथमिक शिक्षा की सुविधा प्राप्त है। इस प्रकार इस जनसंख्या आकार वाली 101 आदिवासी बस्तियाँ प्राथमिक शिक्षा की सुविधा से पूर्णतः वंचित हैं।

5. 400 से 499 आदिवासी जनसंख्या वाली बस्तियों की संख्या 3,182 है। यह कुल आदिवासी बस्तियों का 7.09 प्रतिशत है। इनमें से 2,611 बस्तियों में बस्ती के अन्दर ही प्राथमिक शिक्षा की सुविधा उपलब्ध है। जबकि इन्हें मिलाकर 4,831 बस्तियों को एक किलोमीटर पर प्राथमिक शिक्षा की सुविधा उपलब्ध है। इस प्रकार इस जनसंख्या

आकार वाली 141 आदिवासी बस्तियाँ ऐसी हैं जो प्राथमिक शिक्षा की सुविधा से पूर्णतः वंचित हैं।

6. 300 से 399 आदिवासी वाली बस्तियों की संख्या 5,449 है। यह कुल आदिवासी बस्तियों का 12.15 प्रतिशत है। इनमें से 3,796 बस्तियों में बस्ती के अन्दर ही प्राथमिक शिक्षा की सुविधा उपलब्ध है। जबकि इन्हें मिलाकर 4,831 बस्तियों को एक किलोमिटर पर प्राथमिक शिक्षा की सुविधा उपलब्ध है। इस प्रकार जनसंख्या आकार वाली 618 आदिवासी बस्तियाँ ऐसी हैं जो प्राथमिक शिक्षा की सुविधा से पूर्णतः वंचित हैं।

7. 200 से 299 आदिवासी जनसंख्या वाली बस्तियों की संख्या 8,547 है। यह कुल आदिवासी बस्तियों का 19.06 प्रतिशत है। इनमें से 3,839 बस्तियों में बस्ती के अन्दर ही प्राथमिक शिक्षा की सुविधा उपलब्ध है। जबकि इन्हें मिलाकर 6669 बस्तियों को एक किलोमीटर की दूरी पर प्राथमिक शिक्षा की सुविधा उपलब्ध है। इस प्रकार इस जनसंख्या आकार वाली 1878 आदिवासी बस्तियाँ ऐसी हैं जो प्राथमिक शिक्षा की सुविधा से पूर्णतः वंचित हैं।

8. 100 से 199 आदिवासी जनसंख्या वाली बस्तियाँ 12,408 हैं। जो कुल आदिवासी बस्तियों का 27.66 प्रतिशत है। इनमें से 2,588 बस्तियों में बस्ती के अन्दर ही प्राथमिक शिक्षा की सुविधा उपलब्ध है। जबकि इन्हें मिलाकर 8,659 बस्तियों को एक किलोमिटर की दूरी पर प्राथमिक शिक्षा की सुविधा उपलब्ध है। इस प्रकार इस जनसंख्या आकार वाली 3,753 आदिवासी बस्तियाँ ऐसी हैं जो प्राथमिक शिक्षा की सुविधा से पूर्णतः वंचित हैं।

9. 100 से कम आदिवासी जनसंख्या वाली बस्तियाँ 9465 हैं। जो कुल आदिवासी बस्तियों का 21.10 प्रतिशत है। इनमें से 663 बस्तियों में बस्ती के अन्दर ही प्राथमिक शिक्षा की सुविधा उपलब्ध है। जबकि इन्हें मिलाकर 5,878 बस्तियों को एक किलोमिटर की दूरी पर प्राथमिक शिक्षा की सुविधा उपलब्ध है। इस प्रकार इस जनसंख्या आकार वाली 3,587 बस्तियाँ ऐसी हैं जो प्राथमिक शिक्षा की सुविधा से पूर्णतः वंचित हैं।

उपरोक्त विश्लेषण से स्पष्ट है कि प्रदेश की विभिन्न जनसंख्या आकार वाली कुल आदिवासी बस्तियों में से 10,075 अर्थात् 22.46 प्रतिशत बस्तियाँ ऐसी हैं जो प्राथमिक शिक्षा की सुविधा से पूर्णतः वंचित हैं। इस विश्लेषण से एक विशेष तथ्य यह भी उजागर होता है कि जैसे-जैसे आदिवासी बस्तियों का जनसंख्या आकार घटता जाता है वैसे-वैसे प्राथमिक शिक्षा की सुविधा की वंचितता बढ़ती जाती है।

शिक्षा योजना का अँधेरा पक्ष :

जैसा कि पहले उल्लेखित है प्रदेश में नए स्कूल खोलने के लिए अपनाए मानदण्डों में से एक न्यूनतम जनसंख्या आकार है। गैरआदिवासी क्षेत्रों के लिए यह आकार 300

से 250 के बीच है और आदिवासी क्षेत्रों के लिए 250 से 200 का आकार। अब तक के विश्लेषण से स्पष्ट है कि आदिवासी क्षेत्रों के लिए निर्धारित मानदण्ड के आधार पर भी हम अब तक 500 से 999 की जनसंख्या वाली 101 आदिवासी बस्तियों, 400 से 499 की जनसंख्या वाली 141 आदिवासी बस्तियों, 300 से 399 जनसंख्या वाली 618 आदिवासी बस्तियों, 200 से 299 जनसंख्या वाली 1878 आदिवासी बस्तियों इस प्रकार कुल मिलाकर 2738 आदिवासी बस्तियों में स्कूल खोलने में असमर्थ सिद्ध हुए हैं। जबकि 200 से कम जनसंख्या वाली कुल 7334 आदिवासी बस्तियों में स्कूल खोलने की हम कल्पना भी नहीं कर पाए हैं।

वास्तविक लक्ष्य क्षेत्र :

शिक्षा के लोकव्यापीकरण के राष्ट्रीय संकल्प को पूरा करने की दिशा में आदिवासी क्षेत्र में किए जाने वाली पहल का पहला कदम प्राथमिक शिक्षा की दृष्टि से वंचित आदिवासी क्षेत्रों की वास्तविक पहचान का है। यद्यपि पाँचवें शिक्षा सर्वेक्षण की प्राप्तियों से प्रथमतः विभिन्न जनसंख्या आकार वाली 6 आदिवासी बस्तियों में से प्राथमिक शिक्षा की सुविधा से पूर्णतः वंचित 11,079 बस्तियों की स्पष्ट पहचान हुई है किन्तु वास्तविक सुविधा-हीन आदिवासी बस्तियों की यह संख्या अन्तिम नहीं है। वस्तुतः पूर्ण वंचितता की तुलना में पूर्ण उपलब्धता तभी सार्थक है जब प्रत्येक आदिवासी बस्ती को प्राथमिक शिक्षा भी अपने में ही अपनी सुविधा प्राप्त हो। इस धारणा के आधार पर आदिवासी क्षेत्र में प्राथमिक शिक्षा के लोकव्यापीकरण की दृष्टि से हमारा वास्तविक लक्ष्य क्षेत्र आदिवासी बस्तियाँ भी हैं जिनमें प्राथमिक शिक्षा की सुविधा स्वयं बस्ती में नहीं है। भले ही एक किलोमीटर दूर पर उपलब्ध हों। इस दृष्टि से कुल वास्तविक आदिवासी बस्तियों की संख्या 25,877 है और ये कुल आदिवासी बस्तियाँ प्रदेश में राजीव गाँधी मिशन के एक संकल्प आदिवासी क्षेत्रों में वैकल्पिक शिक्षाकरण का वास्तविक लक्ष्य क्षेत्र हैं।

राज्य विशेषांश योजना के लिए वैकल्पिक शिक्षाकरण का उर्वर क्षेत्र :

राजीव गांधी प्राथमिक शिक्षा मिशन, मध्यप्रदेश द्वारा जिला प्राथमिक शिक्षा कार्यक्रम के अंतर्गत जारी राज्य विशेषांश योजना (1994-2001) के लिए उसके एक अंश वैकल्पिक शिक्षाकरण केन्द्रों की स्थापना का सर्वाधिक उर्वर क्षेत्र क्या हो? इस पर यहाँ विचार किया जा सकता है।

जैसा कि वास्तविक लक्ष्य क्षेत्र की चर्चा में स्पष्ट हुआ कि प्रदेश में कुल 10,075 आदिवासी बस्तियाँ ऐसी हैं जिनमें बस्ती के अन्दर प्राथमिक शिक्षा उपलब्ध नहीं है।

ये कुल बस्तियाँ विभिन्न जनसंख्या आकार की हैं। इनमें 100 से 199 जनसंख्या आकार की कुल 3,749 बस्तियाँ हैं, जिनकी अपनी बस्तियों में प्राथमिक शिक्षा की सुविधा नहीं है। जबकि 100 से कम जनसंख्या वाली कुल 3,587 बस्तियाँ हैं जिनकी

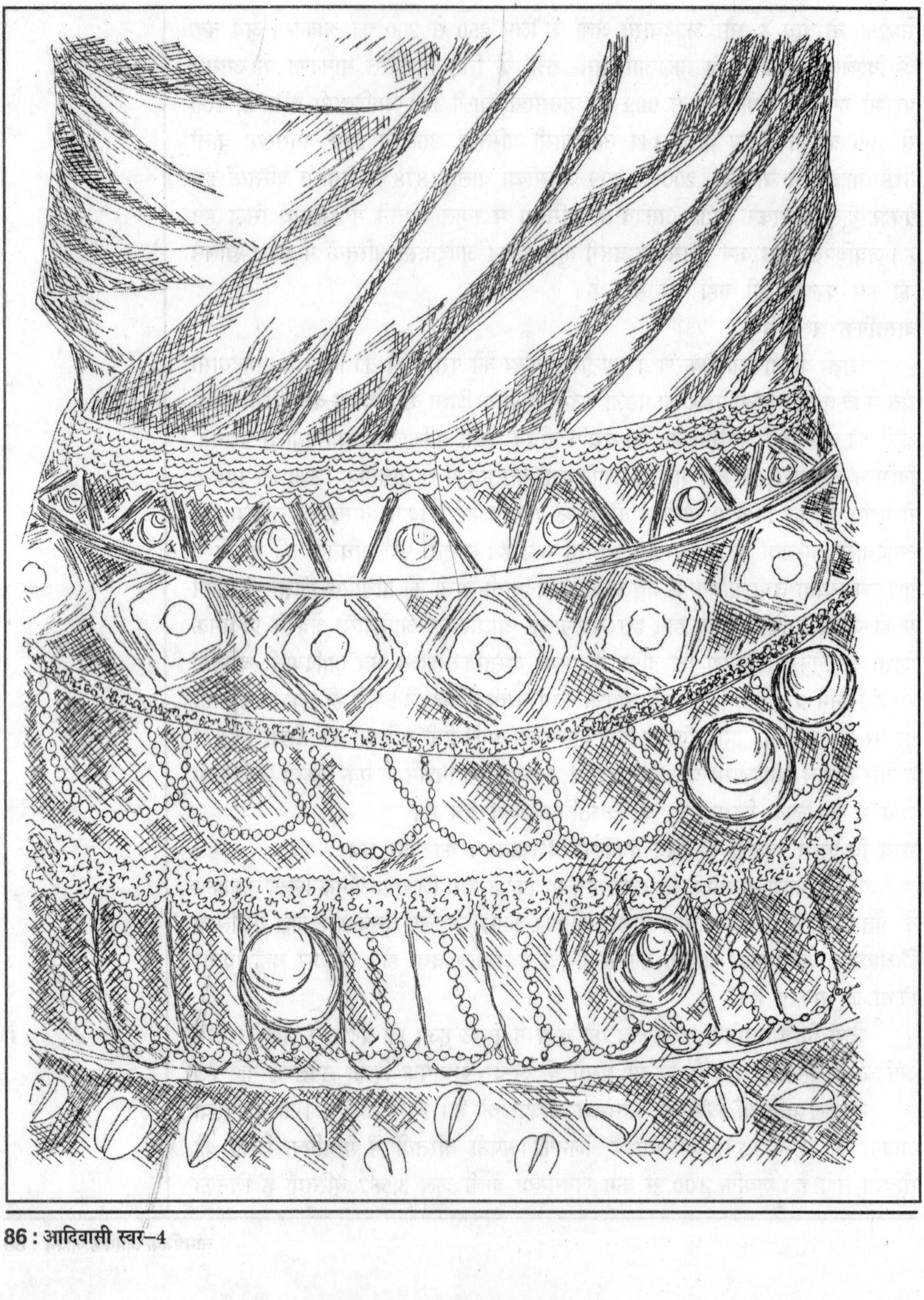

अपनी बस्तियों में प्राथमिक शिक्षा की सुविधा नहीं है। इस प्रकार वर्तमान में 199 से कम जनसंख्या आकार वाली कुल 7,356 ऐसी बस्तियाँ हैं जो स्थानिक प्राथमिक शिक्षा की सुविधा से वंचित हैं।

आदिवासी क्षेत्रों में वैकल्पिक शिक्षाकरण के केन्द्रों की स्थापना की दृष्टि से ये बस्तियाँ ही *उर्वर क्षेत्र* हैं। ध्यान रखने की बात है कि 200 से 250 की जनसंख्या आकार वाली आदिवासी बस्तियों में सामान्य आदिवासी शिक्षा विकास कार्यक्रम के अन्तर्गत राज्य का आदिवासी विकास विभाग औपचारिक स्कूल खोलने के लिए प्रतिबद्ध है और वह क्रमशः इसकी ओर अग्रसर है। वर्तमान जनसंख्या मानदण्डों के अन्तर्गत वह 199 से कम जनसंख्या वाले आदिवासी क्षेत्रों में शिक्षाकरण के लिए आज वह पहल शून्य है और यहाँ पर वैकल्पिक शिक्षाकरण केन्द्रों का खोला जाना ही एक सार्थक विकल्प है।

यद्यपि सभी छः जनसंख्या आकार वाली प्राथमिक शिक्षा की सुविधा से पूर्णतः वंचित बस्तियों की संख्या 10,075 है और इनमें 199 से कम जनसंख्या वाली कुल बस्तियाँ 7,356 (73.01) प्रतिशत बस्तियाँ ही वैकल्पिक शिक्षाकरण केन्द्रों को खोलने के लिए प्रथम उर्वर क्षेत्र हैं। फिर भी शेष अन्य 4 जनसंख्या आकार वाली कुल 2,719 (26.99 प्रतिशत) आदिवासी बस्तियों को वैकल्पिक शिक्षाकरण के लिए द्वितीय उर्वर क्षेत्र के रूप में स्वीकार किया जा सकता है।

सुझाव :

वर्तमान में प्रदेश के आदिवासी क्षेत्रों में वैकल्पिक शिक्षाकरण के कार्य सम्पादित करने के लिए वहाँ कुछ कार्यकारी सुझाव प्रस्तुत हैं—

1. प्रथम उर्वर क्षेत्र की कुल 7,356 आदिवासी बस्तियों में वैकल्पिक शिक्षाकरण केन्द्र स्थापित करने और उसे परिणाम मूलक ढंग से संचालित करने के लिए राज्य राजीव गांधी प्राथमिक शिक्षा मिशन के अन्तर्गत एक विशेष परियोजना प्रकोष्ठ स्थापित किया जाए।

   यह प्रकोष्ठ वृहद् स्तरीय परियोजना और स्थल योजना के तैयार करने और कार्यान्वयन एवं प्रबन्धन के लिए पूर्णतः स्वतन्त्र होगा। इसका अपना बजट शीर्ष होगा।
2. वैकल्पिक शिक्षाकरण केन्द्रों की पहचान के लिए एक शैक्षणिक मानचित्र तैयार किया जाए।
3. प्रदेश में वैकल्पिक शिक्षाकरण के सभी अंगों जैसे भवन, शिक्षक, पाठ्यसामग्री निर्माण, शिक्षक प्रशिक्षण के मॉडल प्रोजेक्ट बनाने के लिए प्रदेश स्तरीय वर्कशाप आयोजित किया जाए।

4. वैकल्पिक शिक्षाकरण केन्द्रों का स्थल संचालन पूर्णतः स्वयंसेवी संगठनों को सौंपा जाए। विशेष परियोजना प्रतिवेदन तैयार करने में भी स्वयंसेवी संगठनों का सहयोग लिया जाए।

5. प्रथम उर्वर क्षेत्र के लिए मध्यमव्यापी और द्वितीय उर्वर क्षेत्र के लिए दूर-व्यापी कार्य-योजना बनाई जाए।

अनुलग्नक–1

मध्यप्रदेश में जनसंख्या आकार की दृष्टि से बस्तियों की संख्या और उसमें आदिवासी जनसंख्या बहुल बस्तियों का प्रतिशत

क्र.	जनसंख्या आकार	बस्तियों की कुल संख्या	आदिवासी बस्तियों की संख्या और कुल बस्तियों में प्रतिशत संख्या	प्रतिशत
(1)	(2)	(3)	(4)	(5)
1.	5000 से अधिक	105 (0.10)	2 (0.004)	1.90
2.	2000 से 4999	1,768 (1.66)	54 (0.12)	3.05
3.	1000 से 1999	7,641 (7.19)	760 (1.69)	9.95
4.	500 से 999	20,641 (19.42)	4,994 (11.13)	24.19
5.	400 से 499	8,665 (8.15)	3,182 (7.09)	36.72
6.	300 से 399	12,288 (11.56)	5,449 (12.15)	44.34
7.	200 से 299	16,222 (15.26)	8,547 (19.08)	52.69
8.	100 से 199	21,494 (20.23)	12,408 (27.66)	57.73
9.	100 से कम	17,467	9,465	54.19

	(16.43)	(21.10)	
योग :	106,291	44,861	42.20
	(100.00)	(100.00)	

टीप : कोष्ठक के अंक प्रतिशत के सूचक हैं।

अनुलग्नक–2

मध्यप्रदेश में विभिन्न जनसंख्या आकार वाली
आदिवासी बस्तियों में उपलब्ध प्राथमिक शिक्षा की स्थिति

(स्रोत : पाँचवाँ राष्ट्रीय शिक्षा सर्वेक्षण, मध्यप्रदेश)

क्र.	जनसंख्या आकार	कुल बस्ती	
		संख्या	प्रतिशत
(1)	(2)	(3)	(4)
1.	5000 से अधिक	2	0.004
2.	2000 से 4999	54	0.12
3.	1000 से 1999	760	1.69
4.	500 से 999	4,994	11.13
5.	400 से 499	3,182	7.09
6.	300 से 399	5,449	12.15
7.	200 से 299	8,547	19.06
8.	100 से 199	12,408	27.66
9.	100 से कम	9,465	21.10
योग		44,861	100.00

(क्रमशः)

अनुलग्नक–2

मध्यप्रदेश में विभिन्न जनसंख्या आकार वाली आदिवासी बस्तियों में उपलब्ध प्राथमिक शिक्षा की स्थिति

(स्रोत : पाँचवाँ राष्ट्रीय शिक्षा सर्वेक्षण, मध्यप्रदेश)

क्र.	जनसंख्या आकार	बस्तियों के अन्दर उपलब्ध बस्तियों की संख्या	स्तम्भ (3) से प्रतिशत
(1)	(2)	(3)	(4)
1.	5000 से अधिक	2	100.00
2.	2000 से 4999	53	98.10
3.	1000 से 1999	743	97.80
4.	500 से 999	4588	91.90
5.	400 से 499	2641	82.90
6.	300 से 399	3796	69.70
7.	200 से 299	8,547	19.06
8.	100 से 199	12,408	27.66
9.	100 से कम	9,465	21.10

(क्रमशः)

अनुलग्नक–2

मध्यप्रदेश में विभिन्न जनसंख्या आकार वाली आदिवासी बस्तियों में उपलब्ध प्राथमिक शिक्षा की स्थिति

(स्रोत : पाँचवाँ राष्ट्रीय शिक्षा सर्वेक्षण, मध्यप्रदेश)

क्र.	जनसंख्या आकार	बस्तियों के अन्दर उपलब्ध बस्तियों की संख्या	स्तम्भ (3) से प्रतिशत
(1)	(2)	(3)	(4)
1.	5000 से अधिक	0.00	0.00
2.	2000 से 4999	0.1	1.90

3.	1000 से 1999	16	2.10
4.	500 से 999	205	4.10
5.	400 से 499	400	12.57
6.	300 से 399	1,035	18.99
7.	200 से 299	2,830	33.11
8.	100 से 199	6,071	48.93
9.	100 से कम	5,215	55.10
	योग :	15,774	35.16

क्रमशः

अनुलग्नक–2

मध्यप्रदेश में विभिन्न जनसंख्या आकार वाली आदिवासी बस्तियों में उपलब्ध प्राथमिक शिक्षा की स्थिति

(स्रोत : पाँचवाँ राष्ट्रीय शिक्षा सर्वेक्षण, मध्यप्रदेश)

क्र.	जनसंख्या आकार	बस्तियों के अन्दर उपलब्ध बस्तियों की संख्या	स्तम्भ (3) से प्रतिशत
(1)	(2)	(3)	(4)
1.	5000 से अधिक	0.00	0.00
2.	2000 से 4999	0.00	0.00
3.	1000 से 1999	01	0.13
4.	500 से 999	101	2.02
5.	400 से 499	141	4.43
6.	300 से 399	618	11.34
7.	200 से 299	1878	21.97
8.	100 से 199	3749	30.21
9.	100 से कम	3587	37.90
	योग :	10,075	22.46

(क्रमशः)

अनुलग्नक–2

मध्यप्रदेश में विभिन्न जनसंख्या आकार वाली आदिवासी बस्तियों में उपलब्ध प्राथमिक शिक्षा की स्थिति

(स्रोत : पाँचवाँ राष्ट्रीय शिक्षा सर्वेक्षण, मध्यप्रदेश)

क्र.	जनसंख्या आकार	बस्तियों के अन्दर उपलब्ध बस्तियों की संख्या	स्तम्भ (3) से प्रतिशत
(1)	(2)	(3)	(4)
1.	5000 से अधिक	0.00	0.00
2.	2000 से 4999	0.00	0.00
3.	1000 से 1999	17	2.24
4.	500 से 999	306	6.13
5.	400 से 499	541	17.00
6.	300 से 399	1653	30.34
7.	200 से 299	4708	55.08
8.	100 से 199	9820	79.142
9.	100 से कम	8802	92.99
	योग :	25,847	57.61

आदिवासी बोलियों के माध्यम से शिक्षा योजना

□ *डॉ. एम. एल. वर्मा*

(एक अध्ययन, वर्ष 1995 सर्वे पर आधारित)

जनगणना 1991 के अनुसार भारत वर्ष में जनजातियों की संख्या 6,83,81,251 है, जिनमें से अकेले मध्यप्रदेश में इनकी संख्या 1,53,99,034 है, अर्थात् राष्ट्र की कुल जनजातियों का 22.52 प्रतिशत जनजातियाँ मध्यप्रदेश में निवास करती हैं, यह उल्लेखनीय है कि मध्यप्रदेश की कुल जनसंख्या में 23.27 प्रतिशत जनजाति के लोग हैं। ये प्रायः सुदूर अंचलों में पर्वतों की तराइयों एवं घने जंगलों के मध्य निवास करते हैं। इन क्षेत्रों में आवागमन एवं प्रचार-प्रसार के माध्यमों की न्यूनता है। राष्ट्रव्यापी आन्दोलन की लहर उन तक वांछित परिमाण में नहीं पहुँच पाई है। उनके सर्वांगीण विकास के लिए जो विभिन्न कार्यक्रम क्रियान्वित किए जा रहे हैं उनमें शैक्षणिक विकास के कार्यक्रमों का महत्त्वपूर्ण स्थान है।

प्रदेश में शिक्षा के उत्थान की सामान्यतः जिम्मेदारी शिक्षा विभाग की है, किन्तु जनजातीय क्षेत्रों में उच्चतर माध्यमिक स्तर तक शिक्षा के विकास की जिम्मेदारी आदिम जाति, अनुसूचित जाति एवं पिछड़ा वर्ग कल्याण विभाग को सौंपी गई है। जनजातियों के छात्रों में शिक्षा की ओर अभिरुचि उत्पन्न करने के लिए अनेक प्रयास किए जा रहे हैं। शासन द्वारा छात्रों के लिए निःशुल्क पाठ्य सामग्री एवं छात्रवृत्ति की योजना संचालित है। इन्हीं प्रयासों में एक प्रयास यह भी किया गया है कि कुछ चुने हुए क्षेत्रों में जन-जातीय छात्रों को उनकी, अपनी-अपनी मातृभाषाओं (आदिवासी) बोलियों की सहायता से प्रारम्भिक कक्षाओं में राज्य की सर्वमान्य भाषा हिन्दी से परिचित कराते हुए शिक्षा दी जा रही है, ताकि प्रारम्भिक शिक्षा उन्हें, नई व अटपटी न लगे। तात्पर्य यह है कि इन छात्रों को अपनी बोली के माध्यम से शिक्षा की मुख्य धारा के साथ मिलाने का प्रयास किया जा रहा है।

इसी प्रयास के अनुरूप प्रदेश की प्रमुख पाँच आदिवासी बोलियों, यथा—भीली, कोरकू, गोंडी, कुडुख और हल्बी की सहायता से प्राथमिक शालाओं में कक्षा तीन तक जन-जातीय छात्रों को शिक्षा दी जा रही है। लक्ष्य यह है कि स्थानीय बोलियों तथा संस्कृति एवं

परिवेश की सहायता से सुदूरवर्ती क्षेत्रों के जन-जाति के बच्चों को कक्षा एक, दो एवं तीन में इस प्रकार शिक्षा दी जा रही है कि कक्षा चार तक पहुँचते-पहुँचते वे सामान्य हिन्दी भाषी छात्रों के बराबर हो जाएँ।

आदिवासी बोलियों के माध्यम से शिक्षा देने का उद्देश्य रहा है, कि जन-जातीय बालकों को प्राथमिक कक्षाओं (कक्षा एक से तीन तक) में उनकी मातृभाषा (आदिवासी बोली) को आधार मानकर शिक्षा दी जाए, जिसमें बोली के साथ हिन्दी का समावेश हो। उक्त शिक्षा-माध्यम से बच्चों का शाला के प्रति अनुराग होने की सम्भावना है।

पाँच प्रमुख आदिवासी बोलियाँ बोलने वालों की जनसंख्या

प्रदेश की जनजातियों में पाँच प्रमुख जनजातियाँ हैं, जिनकी जनसंख्या एक लाख से ऊपर है, तथा उनकी अपनी-अपनी विभिन्न मातृभाषा हैं। साक्षरता का प्रतिशत भी नगण्य है। इन पाँचों जनजातियों का निवास क्षेत्र, बोली क्षेत्र एवं संख्या निम्नानुसार है–

1.	भील	धार	1971	16,18,746	भीली	12,99,411
		झाबुआ				
		रतलाम				
		खरगोन	1981	25,00,530		16,04,884
2.	कोरकू	बैतूल	1971	2,07,912	कोरकू	2,21,960
		खण्डवा				
		होशंगाबाद	1981	66,781		2,53,781
3.	गोंड	मण्डला				
		सिवनी	1971	37,69,547	गोंडी	11,45,545
		बैतूल				
		बलाघाट				
		दुर्ग				
		राजनाँदगाँव	1981	53,49,883	13,45,526	
		बस्तर				
4.	उराँव	रायगढ़	1971	3,70,652	कुड़ुख	3,70,652
		सरगुजा	1981	88,819		3,50,059
5.	हल्वा	दुर्ग	1971	1,73,374	हल्वी	3,40,460
		राजनाँदगाँव				
		बस्तर	1981	2,36,375	4,10,768	

उक्त आँकड़ों के आधार पर विभिन्न आदिवासी बोली बोलने वाले 5 से 11 वर्ष तक के आयु के बच्चों की संख्या निम्नानुसार आँकी गई है–

क्र.	बोली	बोली बोलने वालों की कुल संख्या	आयु समूह में बच्चों की कुल संख्या		
			5 से 6 वर्ष आयु समूह	6 से 9 वर्ष आयु समूह	9 से 11 वर्ष आयु समूह
(1)	(2)	(3)	(4)	(5)	(6)
1.	भीली	16,04,884	34,424	1,03,996	69,330
2.	कोरकू	2,53,781	5,443	16,443	10,963
3.	गोंडी (अपने विभिन्न स्वरूपों में)	13.45,520	28,861	81,189	58,126
4.	कुडुख	3,50,059	7,509	22,684	15,122
5.	हल्वी	4,10,768	8,810	26,417	17,770

आदिवासी बोली की सहायता से प्राथमिक स्तर की शुरू की तीन कक्षा तक अध्यापन की योजना चयनित 9 विकास खण्डों में क्रियान्वित है। इन विकास खण्डों में 5 से 11 वर्ष तक की आयु वर्ग के शाला जाने योग्य सभी बच्चों की संख्या का अनुमान निम्नानुसार है–

बोली	विकास खण्ड	कुल जनसंख्या 1991	5 से 6 वर्ष आयु समूह (2.14%)	6 से 9 वर्ष आयु समूह (6.48%)	9 से 11 वर्ष आयु समूह (4.32%)
(1)	(2)	(3)	(4)	(5)	(6)
भीली	रामा झाबुआ	1,87,010	4,011	12,118	8,079
कोरकू	खालवा खकनार	2,44,296	5,240	15,830	10,554
गोंडी	घुघरी	68,399	1,467	4,432	2,955
कुडुख	जशपुरनगर मनोरा	1,00,920	2,164	6,538	4,359
हल्वी	तोकापाल बस्तर	1,75,145	3,756	11,345	7,566

योजना का लक्ष्य

1. प्राथमिक शालाओं में दर्ज संख्या में वृद्धि।
2. पढ़ाई पूर्ण करने के पूर्व शाला छोड़ने की प्रवृत्ति पर रोक।
3. अवरोध पर रोक।

योजना का स्वरूप

1981 में कक्षा एक के लिए उपरोक्त आदिवासी बोलियों (भीली, कोरकू, गोंडी, कुडुख, हल्वी) के माध्यम से पाठ्यपुस्तकों की संरचना की गई। पाठ्य सामग्री के निर्माण में जन-जातीय संस्कृति एवं जन-जातीय बोलियों का समन्वय निम्न प्रतिशत में किया गया—

कक्षा	बोली	हिन्दी
एक	70	30
दो	50	50
तीन	20 या 25	80 या 75

पाठ्य पुस्तकों में कक्षा एक में आदिवासी बोली का अनुपात हिन्दी से अधिक, कक्षा दो में हिन्दी एवं आदिवासी बोली का अनुपात बराबर-बराबर और कक्षा तीन में आदिवासी बोली का अनुपात कम एवं हिन्दी का अनुपात अधिक रखा गया। लक्ष्य अनुसार अहिन्दी-भाषी छात्रों को शनैः-शनैः हिन्दी की ओर व्यावर्तन करना था, जिससे कि वे छात्र कक्षा-चार में हिन्दी-भाषी छात्रों के साथ समान रूप से अध्ययन कर सकें।

योजना का क्रियान्वयन

योजनानुसार पाठ्य पुस्तकें 1982 से प्रयोग के तौर पर प्रदेश की पाँचों बोली क्षेत्रों की बीस-बीस शालाओं में पढ़ाई गईं, जिनका मूल्यांकन 1988-89 में एन.सी.ई.आर.टी., नई दिल्ली के सहयोग से किया गया। मूल्यांकन समिति की राय से पाठ्य पुस्तकों में पुनः संशोधन के बाद उक्त बोली क्षेत्रों के जन-जातीय विकास खण्डों की सभी प्राथमिक शालाओं में उन पुस्तकों के माध्यम से निम्नलिखित विकास खण्डों में पढ़ाई की जा रही है—

क्रमांक	बोली	जिला	विकास खण्ड
1.	भीली	झाबुआ	रामा, झाबुआ
2.	कोरकू	खण्डवा	खालवा, खकनार
3.	गोंडी	मण्डला	घुघरी
4.	कुडुख	रायगढ़	जशपुरनगर, मनोरा
5.	हल्वी	बस्तर	तोकापाल, बस्तर

आदिवासी बोलियों के माध्यम से शिक्षा योजना का पुनः मूल्यांकन

जिला प्राथमिक शिक्षा कार्यक्रम के अन्तर्गत जन-जातीय शिक्षा में बोली माध्यम की शिक्षा पर जोर दिया गया है। उक्त योजना के तहत आयुक्त, आदिवासी विकास, सतपुड़ा भवन के पत्र क्रमांक/योजना/30846, भोपाल, दिनांक 10-10-94 के द्वारा पुनः बोलियों के माध्यम से शिक्षा योजना का मूल्यांकन इस संस्थान द्वारा कराया गया, जिसका उद्देश्य योजना की गुणवत्ता एवं सम्भावना पर वैज्ञानिक रूप से विश्लेषण कर प्रकाश डालना है।

सर्वेक्षित गाँवों में आदिवासी बोली बोलने वाले बच्चों की संख्या, शाला जाने योग्य बच्चों की संख्या, आयु के अनुसार निम्नानुसार है–

क्र.	बोली क्षेत्र	कुल जनसंख्या	बच्चों की संख्या				योग
			5 वर्ष से 9 वर्ष	6 से 11 वर्ष	9 से 14 वर्ष	11 से 14 वर्ष	6 से 14 वर्ष
(1)	(2)	(3)	(4)	(5)	(6)	(7)	(8)
1.	भीली	7260	155	470	313	492	1275
2.	कोरकू	5586	120	362	241	378	981
3.	गोंडी	5040	108	362	218	341	885
4.	कुडुख	4442	96	288	192	300	780
5.	हल्वी	5620	121	364	243	380	987

सर्वेक्षित क्षेत्रों की जनसंख्या के मान से शाला जाने योग्य बच्चों की संख्या (6-14 वर्ष समूह) तथा उन क्षेत्रों में प्राथमिक शालाओं के दर्ज बच्चों की संख्या निम्नानुसार है–

क्रमांक	विवरण	भीली	कोरकू	गोंड़ी	कुडुख	हल्वी
1.	शाला जाने योग्य कुल बच्चों की संख्या	1275	981	885	780	987
2.	शाला में दर्ज बच्चों की संख्या	931	638	667	624	805
3.	प्रतिशत	73%	65%	75%	70%	82%

सेम्पल

प्रदेश के 5 जिलों के 9 विकास खण्डों में आदिवासी बोलियों के माध्यम से शिक्षा दी जा रही है। मूल्यांकन हेतु प्रत्येक बोली क्षेत्र के दस-दस शालाओं अर्थात् कुल 50 शालाओं

(ग्रामों) का चयन किया गया। घुघरी विकास खण्ड में दस तथा अन्य आठ विकास खण्डों में पाँच-पाँच शालाओं का सर्वेक्षण किया गया है। (सर्वेक्षित शालाओं की सूची संलग्न) परिशिष्ट-5.

विधा

सर्वेक्षण के लिए निम्न उपकरणों का सहारा लिया गया, जिनके द्वारा चयनित शालाओं के शिक्षक, पालक, बच्चों एवं क्षेत्रीय शिक्षा अधिकारियों की राय ली गई है।
सर्वेक्षण हेतु उपकरण निम्नानुसार है—

उपकरण क्रमांक एक	शिक्षकों के लिए
उपकरण क्रमांक दो	बच्चों के लिए
उपकरण क्रमांक तीन	पालकों के लिए
उपकरण क्रमांक चार	क्षेत्रीय शिक्षा अधिकारियों के लिए।

उक्त उपकरणों का निर्माण, संस्थान में एक कर्मशाला आयोजित कर किया गया। इस कर्मशाला में इस संस्थान के अधिकारी, संबंधित क्षेत्रों के शिक्षा अधिकारी तथा अध्यापकों द्वारा भाग लिया गया। इन उपकरणों के आधार पर शाला अभिलेख, शिक्षक, बच्चे, पालक तथा शिक्षा अधिकारियों के विचार जानने का निम्नानुसार प्रयास किया गया है—

(1) **उपकरण एक** में सर्वेक्षित शालाओं में कार्यरत सभी अध्यापकों से जानकारी ली गई है।

(2) **उपकरण दो** में सर्वेक्षित शाला-ग्रामों के बच्चों से पूछकर उनकी राय ली गई है। ये बच्चे आदिवासी वर्ग के हैं, तथा बालक एवं बालिकाओं की प्रत्येक की संख्या दस है। इनमें कुछ बच्चे नियमित शाला आने वाले, कुछ प्राथमिक शिक्षा पूर्ण करने के पूर्व शाला त्यागने वाले हैं, तथा कुछ अपने जीवन में पढ़ाई के उद्देश्य से कभी शाला नहीं गए हैं, को सम्मिलित किया गया है।

अध्ययन के लिए चयनित शाला ग्रामों में से सर्वेक्षण के लिए चुने गए बच्चों की संख्या प्रत्येक गाँवों से निम्नानुसार थी—

कक्षाएँ	बालक	बालिकाएँ
कक्षा एक में अध्ययनरत	1	1
कक्षा दो में अध्ययनरत	1	1
कक्षा तीन में अध्ययनरत	2	2
कक्षा चार में अध्ययनरत	2	2

कक्षा पाँच में अध्ययनरत	1	1
पुनः प्रवेशी बच्चे	1	1
शाला त्यागी बच्चे	1	1
जो कभी शाला नहीं गए	1	1
कुल :	10	10

इस प्रकार प्रत्येक गाँव से 20 बालक, बालिकाओं की राय ली गई। प्रदेश में कुल 50 ग्रामों का सर्वेक्षण किया गया, अर्थात् इस योजना में 1000 बच्चों का सर्वेक्षण किया गया है।

(3) **उपकरण तीन**–प्रत्येक गाँव से दस जन-जातीय वर्ग के पालकों (5 पिता-5 माता) की राय ली गई। इस प्रकार प्रदेश में कुल 250 पिता तथा 250 माताओं का सर्वेक्षण इस उपकरण के माध्यम से किया गया है।

(4) **उपकरण चार**–इस उपकरण के माध्यम से प्रत्येक विकास खण्ड में कार्यरत उन शिक्षा अधिकारियों से राय ली गई है, जिनके कन्धों पर सार्वभौमिक शिक्षा का भार है। इसके अन्तर्गत, खण्ड शिक्षा अधिकारी, मण्डल संयोजक, एवं सहायक जिला शाला निरीक्षक आते हैं, जो प्राथमिक शालाओं का निरीक्षण करते हैं तथा शिक्षा व्यवस्था से जुड़े हैं।

अन्वेषण (सर्वेक्षण) विधा

इन चारों उपकरणों द्वारा सर्वेक्षण की जिम्मेदारी सम्बन्धित विकास खण्ड के शिक्षा अधिक़ारी को सौंपी गई थी। सर्वेक्षण प्रशिक्षण हेतु आदिवासी अनुसन्धान संस्थान भोपाल में 30 जनवरी 95 को कर्मशाला आयोजित की गई थी। जिसमें सर्वेक्षण एवं सारिणीकरण हेतु मार्गदर्शन दिया गया था। सर्वेक्षण में आने वाली कठिनाइयों के निराकरण हेतु बाद्‌ में प्रत्येक क्षेत्र के लिए इस संस्थान के एक-एक अधिकारी नियुक्त किए गए थे।

सर्वेक्षण क्रियान्वयन

सर्वेक्षण कार्य खण्ड शिक्षा अधिकारी के निर्देश में सम्बन्धित शालाओं के अध्यापकों द्वारा किया गया। उक्त उपकरणों की जाँच प्रथम चरण में खण्ड शिक्षा अधिकारी एवं संस्थान के जिला प्रभावी अधिकारियों द्वारा की गई। तत्पश्चात् पाँचों क्षेत्रों से उपलब्ध उपकरणों एवं सारिणी के आधार पर सारिणीकरण एवं विश्लेषण कर प्रतिवेदन तैयार किया गया है।

अध्ययन की सीमा

(1) यद्यपि सर्वेक्षण के लिए उपकरण बनाए गए थे तथा सर्वेक्षण हेतु सम्बन्धित क्षेत्र के अधिकारियों को प्रशिक्षण भी दिया गया था, किन्तु उपलब्ध उपकरणों में प्राप्त जानकारियों में कुछ जानकारियाँ भ्रमात्मक हैं, जैसेः—रायगढ़ जिले के मनोरा एवं जशपुरनगर विकास खण्ड से प्राप्त जानकारी में 100 पालकों (50 पिता-50 माता) के सर्वेक्षण में शत-प्रतिशत पालक निरक्षर बताया गया है और प्रतिवेदन के लिए सूचनादाता की सीमा है, फिर भी उनसे प्राप्त जानकारी के आधार पर संग्रहित आँकड़ों को सही मानकर उपयोग किया है।

(2) खण्ड शिक्षा अधिकारियों से इस योजना के विषय में राय माँगी थी। अधिकारियों द्वारा गुण-दोष तो बताया गया, किन्तु दोष दूर करने के लिए कोई सुझाव नहीं दिया गया है।

(3) यह योजना प्रयोगात्मक रूप से 1982 से प्रारम्भ की गई थी। उस समय इस माध्यम से अध्ययन किए हुए छात्रों के विषय में सम्बन्धित क्षेत्र के शिक्षा अधिकारियों को जानकारी नहीं है और न उनके द्वारा जानने का प्रयास किया गया है।

यह अध्ययन उन शालाओं पर आधारित है, जिनमें आदिवासी बोली में अध्यापन किया जा रहा है। सामान्य हिन्दी-माध्यम वाली शालाओं के परिणामों से इनकी तुलना नहीं की गई है। आदिवासी बोलियों के माध्यम से शिक्षा की उपयोगिता सम्बन्धी अभिमत जो पालकों से तथा बच्चों से लिए गए हैं, उनके द्वारा प्रदत्त उत्तरों को विश्वसनीय नहीं कहा जा सकता, चूँकि पालकों में शिक्षितों की संख्या कम है, साथ ही शिक्षा जैसे गहन विषय पर वे अपनी रुचि ही बता सकते हैं। ग्राह्यता एवं अग्राह्यता का मापदण्ड बता पाना संभव नहीं है।

निष्कर्ष

आदिवासी बोलियों के माध्यम से शिक्षा-योजना का मूल्यांकन सर्वेक्षण से उपलब्ध निष्कर्ष निम्नानुसार है—

1.	योजना का क्षेत्र	5 जिलों में 9 विकास खण्ड
2.	ग्रामों की संख्या	1026
3.	जनसंख्या	7,75,770
4.	कुल बालक प्राथमिक शाला	889
5.	कुल कन्या प्राथमिक शाला	70
6.	छात्रों की संख्या	73,699

7. बालक 43,633

बालिका 30,066

8. अनुसूचित जनजाति छात्र/छात्राएँ 56,101 कुल प्रतिशत 76.12%

अनुसूचित जाति छात्र/छात्राएँ 1,719 कुल प्रतिशत 6.22%

9. शिक्षक संख्या 2498 कुल प्रतिशत–

पुरुष 2064 कुल प्रतिशत 82.48%

महिला 434 कुल प्रतिशत 17.52%

10. छात्र शिक्षक अनुपात 30:1

11. प्रशिक्षित शिक्षकों की संख्या

कुल 860 प्रतिशत 34.42%

महिला 119 प्रतिशत 4.76%

12. (अ) शिक्षा अधिकारियों की संख्या

प्रशिक्षित	3 प्रतिशत	33.3%
अप्रशिक्षित	6 प्रतिशत	66.6%

(ब) सहायक जिला शाला निरीक्षक

प्रशिक्षित	4 कुल का प्रतिशत 100%	
अप्रशिक्षित	–	–

(स) मंडल संयोजक

प्रशिक्षित	–	–
अप्रशिक्षित	6 कुल का प्रतिशत 100%	

(द) पू. मा. शा. प्र. पा. प्र. 1 100%

13. कुल 20

प्रशिक्षित	8 प्रतिशत	40%
अप्रशिक्षित	12 प्रतिशत	60%

विश्लेषित आँकड़ों से ज्ञात होता है कि बिन्दु 9 में महिला अध्यापकों की संख्या मात्र 17.52% है। कन्या-शिक्षा के प्रोत्साहन हेतु अध्यापकीय कार्य में महिला वर्ग को प्राथमिकता दी जा सकती है।

बिन्दु क्रमांक 10 के अनुसार छात्र एवं अध्यापकों का सामान्यतः अनुपात ठीक है, किन्तु शिक्षण व्यवस्था में जिलों से प्राप्त आंकड़े के अनुसार स्थिति निम्नानुसार है–

जिला	छात्र	अध्यापक
झाबुआ	33	1
खण्डवा	21	1

मण्डला	67	1
रायगढ़	16	1
बस्तर	50	1

उक्त आँकड़ों से ज्ञात होता है कि मण्डला जिले के सर्वेक्षित विकास खण्ड घुघरी में अध्यापकों की संख्या दर्ज संख्या के मान से कम है, जबकि रायगढ़ जिले के मनोरा एवं जशपुरनगर विकास खण्ड में अध्यापकों की संख्या छात्र संख्या की अपेक्षा अनुपात ठीक नहीं है।

बिन्दु क्रमांक 11 से मात्र 34.42% अध्यापक ही अपने व्यवसाय में प्रशिक्षित हैं। शिक्षा के गुणात्मक सुधार के लिए प्रशिक्षण आवश्यक है। इन 65.58% अध्यापकों को प्रशिक्षित किया जाना आवश्यक है। यदि चूना एवं पत्थर से मकान बनाने वाले मिस्त्री (राजगीर) का प्रशिक्षण आवश्यक है, तो मानव निर्माता अध्यापकों का प्रशिक्षित होना उससे अधिक जरूरी है। आदिवासी बोलियों के माध्यम से शिक्षा योजना क्षेत्र में अध्यापन करने वाले अध्यापकों को लघु अवधि का एक विशेष प्रशिक्षण भी दिया जाना चाहिए।

प्राथमिक स्तर की शालाओं में अध्यापकों की नियुक्ति में संस्कृति, बोली तथा प्रशिक्षण को प्राथमिकता दी जानी चाहिए।

सर्वेक्षित शालाओं के निष्कर्ष

मूल्यांकन के अन्तर्गत सर्वेक्षण शालाओं से उपलब्ध आँकड़ों का विश्लेषण निम्नानुसार है—

परिशिष्ट-2

1.	सर्वेक्षित शालाओं की संख्या	50	
2.	सर्वेक्षित शिक्षकों की संख्या	117	
3.	लिंग-पुरुष	91	77.78%
	लिंग-स्त्री	26	22.22%
4.	मातृभाषा—		
	आदिवासी बोली	65.81%	
	हिन्दी	34.19%	
5.	आदिवासी समुदाय के शिक्षकों की संख्या	70	59.82%

6. शैक्षणिक योग्यता—

सर्वेक्षित अध्यापकों में 65.81% उच्चतर माध्यमिक विद्यालय तक शिक्षा प्राप्त हैं। स्नातक शिक्षक 27.35% तथा 6.84% स्नातकोत्तर हैं।

7. व्यावसायिक प्रशिक्षण—

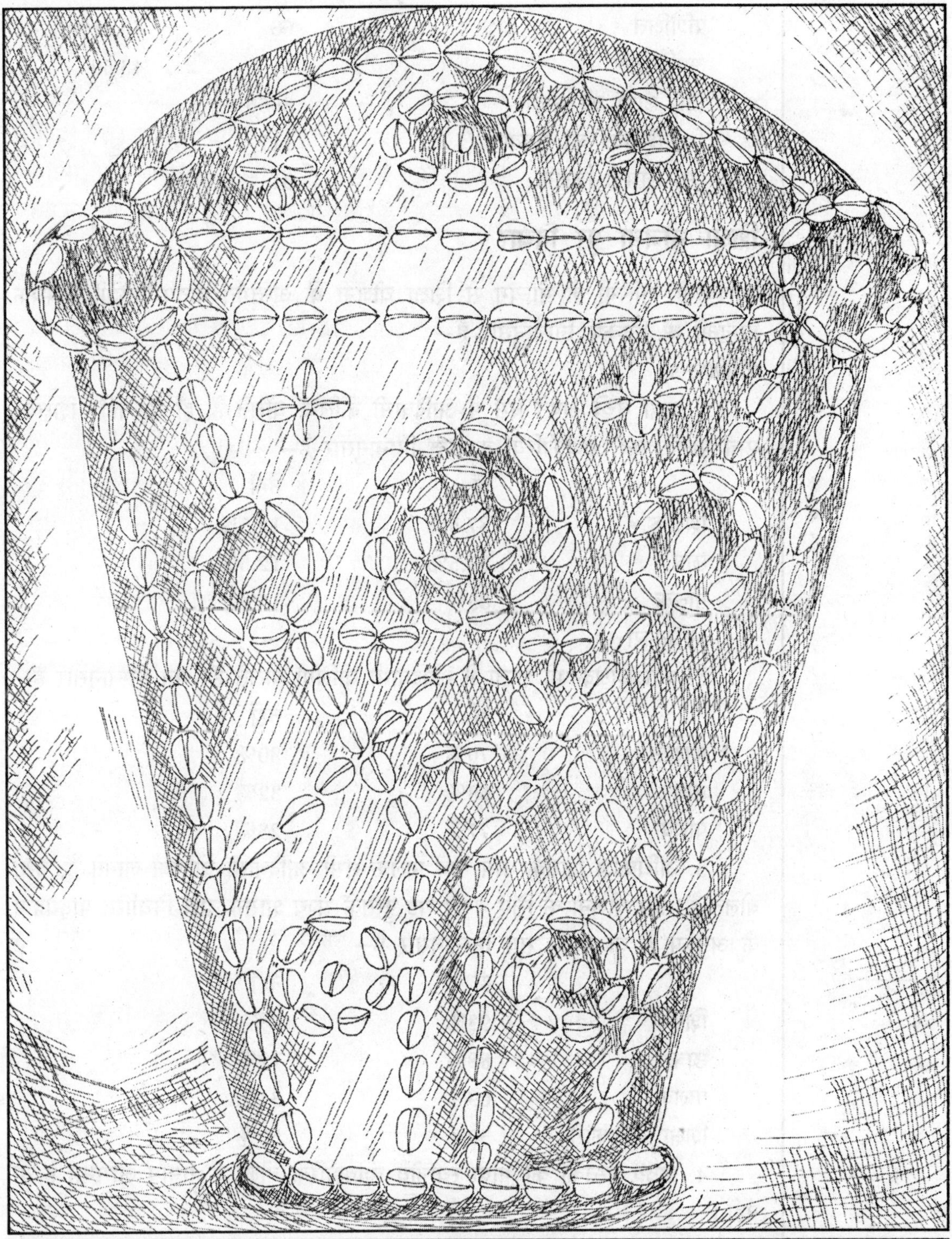

	प्रशिक्षित	66	56.41%
	अप्रशिक्षित	51	43.59
8.	(अ) छात्रों की संख्या	3665	
	(ब) शिक्षकों की संख्या	117	
	(स) छात्र : शिक्षक	31 : 1	

शिक्षा योजना पर विचार

आदिवासी बोलियों के माध्यम से शिक्षा योजना के अन्तर्गत पाठ्य सामग्री विषयक बिन्दुओं के निष्कर्ष निम्नानुसार हैं–

परिशिष्ट-3

1. क्या बच्चे अपने घरों में आदिवासी बोलियाँ बोलते हैं, हाँ या नहीं। शिक्षक, छात्र पालक एवं अधिकारियों का मत निम्नानुसार है–

	हाँ	नहीं
शिक्षक	87.5%	12.5%
छात्र	87.5%	12.5%
पालक	85%	15%
अधिकारी	–	–

2. क्या शिक्षक भी शाला में आदिवासी बोलियाँ बोलते हैं? मत निम्नानुसार हैं–

	हाँ	नहीं
शिक्षक	70%	30%
छात्र	68%	32%
पालक	77%	23%

3. अधिकांश शिक्षक छात्र, एवं पालक सभी आदिवासी बोलियाँ जानते हैं, तथा बोलते हैं। इस योजना के लिए बनाई गई पुस्तकें राज्य शासन द्वारा निर्धारित पाठ्यक्रम के अनुरूप हैं या नहीं। राय निम्नानुसार है–

	हाँ	नहीं
शिक्षक	93%	7%
छात्र	88%	12%
पालक	69%	31%
शिक्षा अधिकारी	50%	50%

4. पाठ्य पुस्तकों की भाषा स्थानीय व्यावहारिक बोली के समान अभिमत है या नहीं।

	हाँ	नहीं
शिक्षक	90%	10%
छात्र	90%	10%
पालक	66%	34%

5. अधिकारी गणों में मात्र एक अधिकारी ही आदिवासी बोली जानता है पाठ्य पुस्तकों में स्थानीय संस्कृति के समावेश के विषय में 88% शिक्षकों का मत है कि पाठ्य पुस्तकों में स्थानीय संस्कृति का समावेश पूर्ण है। 84% छात्रों को गीत, लोक कथाएँ अच्छी लगती हैं। 77% पालकों की दृष्टि में पुस्तकें परिपूर्ण हैं, क्योंकि उनके बच्चों को इन पुस्तकों को पढ़ने में आनन्द आता है। 88% शिक्षा अधिकारियों के अनुसार इन पाठ्य पुस्तकों में स्थानीय संस्कृति का पूर्ण समावेश है।

6. हिन्दी सीखना–इस योजना का मुख्य उद्देश्य है, अहिन्दी भाषी, (आदिवासी बोली-भाषी) छात्रों को उनकी मातृभाषा (बोली) के माध्यम से पढ़ाते हुए हिन्दी भाषा के राजकीय पाठ्यक्रम के अनुसार शिक्षा प्रदान करना है। प्रदेश की राजभाषा हिन्दी है। शिक्षा के लक्ष्य में उन्हें मुख्य धारा से जोड़ने में हिन्दी का ज्ञान आवश्यक है। अभिमत निम्नानुसार है–

	हाँ	नहीं
शिक्षक	79%	21%
छात्र	94%	43%
पालक	69%	23%
शिक्षा अधिकारी	50%	12%

43 प्रतिशत छात्र कक्षा एक तथा दो के हैं, जो हिन्दी समझ लेते हैं, लेकिन लिख या बोल नहीं सकते।

7. पाठ्यपुस्तकों की सामग्री रुचिकर है या नहीं, पर मत निम्नानुसार है–

	हाँ	नहीं
शिक्षक	73%	27%
छात्र	94%	6%
पालक	69%	31%
शिक्षा अधिकारी	50%	50%

8. पुस्तकों की गुणवत्ता को प्रमाणित करने के लिए 82.5% अध्यापकों का कथन पर्याप्त है, कि इन पुस्तकों के माध्यम से बच्चे घर में गृह कार्य पूर्ण कर लेते हैं। इस तथ्य को 60% पालक भी स्वीकार करते हैं।

अन्ततः सर्वेक्षण से प्राप्त आँकड़ों से यह निष्कर्ष निकलता है कि आदिवासी बोलियों

के माध्यम से शिक्षा-योजना प्राथमिक स्तर पर कक्षा तीन तक के बच्चों के लिए उपयोगी एवं व्यावहारिक है। झाबुआ जिले के सन्दर्भ में पुस्तकों की पाठ्य सामग्री के बारे में स्थिति पर पुनर्विचार किया जाना होगा।

परिशिष्ट-1

आदिवासी बोलियों के माध्यम से शिक्षा योजना
योजना क्षेत्र की जानकारी

क्रमांक		झाबुआ	खंडवा	मंडला	रायगढ़	बस्तर	योग
1.	विकास खंड	झाबुआ	खालवा	घुघरी	जशपुरनगर	तोकापाल	9
			रामा	खकनार	मनोरा	बस्तर	
2.	गाँवों की संख्या	254	292	96	194	187	1026
3.	जनसंख्या	1,87,010	2,44,296	88,399	1,00,920	1,75,145	7,75,770
4.	बालक प्राथमिक शालाएँ	244	132	98	212	203	889
5.	कन्या प्राथमिक शालाएँ	16	18	1	8	27	70
6.	छात्र संख्या						
	बालक	14045	4253	5018	8699	11648	43633
	बालिका	7944	2505	3867	7880	7870	30066
7.	अनुसूचित जनजातियाँ						
	बालक	13758	3855	3612	6440	6413	34078
	बालिका	7,674	2,195	2,581	5865	3708	22,023
8.	शिक्षक संख्या						
	पुरुष	548	326	123	834	323	2,064
	महिला	129	21	9	211	64	434
9.	शिक्षक : छात्र	1:33	1:21	1:67	1:16	1:50	1:30
10.	शिक्षकों की योग्यता						
	प्रशिक्षित	162 + 36	223 + 14	39 + 5	232 + 43	85 + 21741	+ 119
	अप्रशिक्षित	296 + 93	103 + 784 +	4602 +	168238 +	431323 +	15

परिशिष्ट-2

आदिवासी बोलियों के माध्यम से शिक्षा योजना
सर्वेक्षित शालाओं की जानकारी

क्रमांक		झाबुआ	खंडवा	मंडला	रायगढ़	बस्तर	योग	प्रतिशत
1.	शालाओं की संख्या	10	10	10	10	10	50	
2.	शिक्षकों की संख्या	26	13	26	29	23	117	
3.	लिंग							
	पुरुष	13	13	25	24	18	91	77.78
	महिला	13	—	3	5	5	26	22.22
4.	मातृभाषा							
	आदि. बोली	11	7	26	16	17	17	65.81
	हिन्दी	15	6	—	13	6	44	34.19
5.	जनजातीय समुदाय के शिक्षक	16	10	13	16	15	70	59.82
6.	शैक्षणिक योग्यता							
	उ. मा. वि. तक	14	11	12	23	17	17	65.81
	स्नातक	12	1	10	4	5	32	27.35
	स्नातकोत्तर	—	1	4	2	1	8	6.84
7.	प्रशिक्षण							
	प्रशिक्षित	10	10	8	21	17	66	56.41
	अप्रशिक्षित	16	3	18	8	6	51	43.59
8.	कुल छात्रसंख्या		931	630	667	624	805	3665
9.	शिक्षक : छात्रों में अनुपात		1:36	1:49	1:26	1:22	1:35	1:31

परिशिष्ट-3

आदिवासी बोलियों के माध्यम से शिक्षा योजना का मूल्यांकन

क्रमांक		शिक्षक प्रतिशत		छात्र प्रतिशत		पालक प्रतिशत		अधिकारी प्रतिशत	
		हाँ	नहीं	हाँ	नहीं	हाँ	नहीं	हाँ	नहीं
1.	बच्चे घर में शाला में आदिवासी बोली बोलते हैं?	87.5	12.5	87.5	12.5	85	15	–	–
2.	क्या शिक्षक भी शाला में आदिवासी बोली बोलते हैं?	70	30	68	32	77	23	–	–
3.	क्या पाठ्य पुस्तकें-पाठ्यक्रम अनुकूल हैं?	93	7	88	12	69	31	50	50
4.	पाठ्यपुस्तकों की भाषा स्थानीय बोली के समान है	90	10	90	10	66	34	–	–
5.	पाठ्यपुस्तकों में स्थानीय संस्कृति का समावेश है?	88	12	84	16	77	23	80	20
6.	क्या आदिवासी बोली के माध्यम से बच्चे हिन्दी सीख लेते हैं?	79	21	57	43	73	27	60	40
7.	पाठ्य सामग्री रुचिकर है?	73	27	94	6	69	31	50	50
8.	क्या हम बच्चे घर में गृह कार्य (होम वर्क) करते हैं?	82.5	17.6	–	–	60	40	–	–
9.	पाठ्य पुस्तक सामग्री अध्यापन के उपयुक्त है?	64	36	–	–	70	30	60	40

परिशिष्ट-4

जनजातिवार शाला जाने योग्य बच्चों की संख्या

क्रमांक	जाति		संख्या	आयु	समूह	
		5 वर्ष से 6 वर्ष	6 वर्ष से 9 वर्ष	9 से 11 वर्ष	11 से 14 वर्ष	
1.	भील	25,00,530	53,511	1,62,034	1,08,022	1,69,035
2.	कोरकू	66,781	1,429	4,327	2,885	4,514
3.	गोंड	53,49,883	1,14,487	3,46,672	2,31,114	3,61,652
4.	उरांव	88,819	1,901	5,755	3,836	6,004
5.	हल्वी	2,36,375	5,058	15,317	10,211	15,979

परिशिष्ट-5

सर्वेक्षित शाला ग्रामों की सूची का विवरण पत्रक

क्रमांक	बोली	जिला	विकास खंड	शालाग्राम
1.	भीली	झाबुआ	रामा	1. कालीदेवी (आश्रम शाला) 2. भंवर पिपलिया, 3. काली-देवी (कन्या प्राथमिक) 4. झिरी, 5. छपरी
			झाबुआ	6. बाबड़ी छोटी 7. चारोली पाड़ा, 8. हुड़ा, 9. पिटोल, 10. रंगपुरा
2.	कोरकू	खंडवा	खालवा	1. जमुनापुर 2. खारिमाल, 3. सुहागी, 4. आंवलिया 5. रहेटिया, खकनार 6. डागुरला, 7. पागरी, 8. झिरमिटी, 9. सातोड़, 10. चौखड़िया
3.	गोंडी	मंडला	घुघरी	1. बिजोरा, 2. पलकी, 3. उमरिया 4. कुम्ही, 5. सहवाह, 6. नाहरवेली, 7. राम्हे पुर 8. डोंगरमंडला, 9. सेंधवारा, 10. घुघरी
4.	कुडुख	रायगढ़	जशपुरनगर	1. सरडीह, 2. नीमगांव, 3. रातामाटी, 4. जकबा, 5. खरसोता, मनोरा 6. सोगड़ा, 7. कनमोरा, 8. पटिया, 9. कलारू, 10. कसेरा
5.	हल्वी	बस्तर	तोकापाल	1. मुरमगुड़ा, 2. तेलीमारेगा, 3. मरलेंगा 4. टेकामेटा, 5. सालेपाल, बस्तर 6. मुण्डापाल, 7. भुरसुण्डी, 8. लामनेर, 9. कविआसना, 10. मंडवा

कंवर जनजाति की परंपरागत राजनीतिक संरचना एवं उनका बदलता स्वरूप

□ *श्रीमती अंजुबाला*

[प्रस्तुत शोध-पत्र मध्यप्रदेश राज्य के बिलासपुर जिले में निवासरत कंवर जनजाति के मध्य, तीन माह के क्षेत्रीय कार्य पर आधारित है। क्षेत्रीय कार्य हेतु बिलासपुर जिले के दो तहसील कटघोरा एवं कोरबा का चयन किया गया जहाँ इस जनजाति की कुल जनसंख्या का लगभग 80 प्रतिशत लोग निवास करते हैं। उपरोक्त तहसील के अन्तर्गत आने वाले प्रत्येक प्रखण्ड से दो-दो गाँव तथा प्रत्येक गाँव से 20-20 सूचनादाताओं का चयन दैव निदर्शन (Random sampling) द्वारा किया गया।]

(सुविधानुसार शोध-पत्र को तीन खण्डों में विभाजित किया गया है। प्रथम खण्ड में कंवर जनजाति का संक्षिप्त परिचय दिया गया है। द्वितीय खण्ड में परंपरागत राजनीतिक संरचना की चर्चा की गई है। तृतीय खंड में उनके बदलते स्वरूप का वर्णन है।)

I

भारत के मध्य में 18^0 उत्तरी अक्षांश से 26^0-39^0 उत्तरी अक्षांश तक तथा 74^0 पूर्वी देशान्तर से 84^0-30^0 पूर्वी देशान्तर तक विस्तृत है। क्षेत्रफल (4,43,446 वर्ग किलोमीटर) की दृष्टि से यह भारत का सबसे बड़ा राज्य है। इस प्रदेश के उत्तर में उत्तर प्रदेश, उत्तर-पूर्व में बिहार, पूर्व में उड़ीसा, पश्चिम में राजस्थान तथा गुजरात, दक्षिण में आन्ध्रप्रदेश तथा महाराष्ट्र हैं। कर्क रेखा राज्य के मध्य भाग से गुजरती है।

1991 की जनगणना के अनुसार मध्यप्रदेश की कुल आबादी 6,61,81,170 है। यहाँ अनुसूचित जनजातियों की कुल संख्या 46 है, जिनकी जनसंख्या 153.99 लाख है। राज्य में अनुसूचित जनजातियों का प्रतिशत राष्ट्रीय प्रतिशत 8.08 के मुकाबले 23.27 प्रतिशत है।

1981 की जनगणना के अनुसार मध्यप्रदेश में कंवर जनजाति की कुल जनसंख्या

5,62,200 है। मध्यप्रदेश के आदिवासी परिक्षेत्र[1] में यदि कंवर जनजाति की जनसंख्या के वितरण का अवलोकन करें तो यह स्पष्ट होता है कि उत्तर पूर्वी क्षेत्र में इनकी जनसंख्या सबसे अधिक (कंवर जनजाति की कुल जनसंख्या का 79.35 प्रतिशत) है। उत्तर पूर्वी क्षेत्र के पश्चात् दक्षिणी क्षेत्र (18.50 प्रतिशत) का स्थान आता है। अन्य तीन क्षेत्रों में इनकी जनसंख्या बहुत ही कम है। बिलासपुर जिले में इनकी कुल जनसंख्या का 25.55 प्रतिशत निवास करते हैं।

रसेल एवं हीरालाल (1975 : 389) के अनुसार—"बिलासपुर के आठ जमींदार कंवर जनजाति के थे। इन जनजातियों की कुल संख्या 2,00,000 थी जो वस्तुतः केंद्रीय प्रान्तों से सम्बद्ध थी। बिलासपुर में ये हमेशा कंवर (KANWAR) के नाम से पुकारे जाते हैं।"

उद्‌गम सम्बन्धी तथ्यों से स्पष्ट होता है कि कंवर जनजाति का रावत तथा धोबी समूहों से कोई नजदीकी पैतृक सम्बन्ध है और यह तथ्य भी मिथ्या है कि कंवर जनजाति का उद्‌गम कौरवों से हुआ है क्योंकि यह मात्र पौराणिक कथाओं तथा नामों की समरूपता पर आधारित है। यह जनजाति अपनी निजी भाषा भी खो चुकी है और यह एक मिली-जुली मिश्रित भाषा का प्रयोग करते हैं जो हिन्दी की छत्तीसगढ़ी बोली का एक मिला-जुला स्वरूप है। ऐसी सम्भावना है कि वे द्रविड़ प्रजाति समूह परिवार से सम्बन्धित हैं।

कंवर जनजाति के आठ संगोत्रीय—तांवर, कमालवंसी, पैकरा, दुध-कंवर, रठिया, चंटी, चेरवा एवं रैतिया हैं। इनमें पैकरा समूह सबसे विशाल समूह है जो कुल संख्या का 3/5 हिस्सा बनते हैं।

II

परम्परागत राजनीतिक संरचना का वर्णन मुख्य रूप से डण्डा (1971), रसेल एवं हीरालाल (1975), विद्यार्थी एवं राय (1976) की पुस्तकों में दिए गए संक्षिप्त लेख एवं क्षेत्रीय कार्य के दरम्यान साक्षात्कार से प्राप्त जानकारी पर आधारित है। क्योंकि मध्यप्रदेश की कंवर जनजाति पर विस्तृत अध्ययन का अभाव है।

---

1. प्रस्तुत अध्ययन की सुविधा हेतु मध्य प्रदेश के आदिवासी परिक्षेत्र को पाँच भागों में बाँटा गया है। क्षेत्र एवं उनके अन्तर्गत आने वाले जिले निम्नानुसार हैं—

आदिवासी क्षेत्र	जिला
I. पश्चिम क्षेत्र	झाबुआ, धार, खरगौन (पश्चिमी निमाड़ पूर्वी निमाड़), रतलाम।
II. मध्यक्षेत्र	मंडला, बैतूल, छिंदवाड़ा, सिवनी, बालाघाट, शहडोल।
III. उत्तर पूर्वी क्षेत्र	सरगुजा, रायगढ़, बिलासपुर, सीधी।
IV. दक्षिणी क्षेत्र	बस्तर, दुर्ग, राजनाँदगाँव, रायपुर।
V. उत्तर पश्चिमी क्षेत्र	मुरैना, शिवपुरी, गुना।

कंवर जनजाति के परम्परागत राजनीतिक क्षेत्र का निर्माण परम्परागत राजनीतिक संस्थाओं तथा रीति-रिवाजों द्वारा निर्मित होता है। प्रत्येक कंवर ग्राम एक राजनीतिक इकाई होता है तथा वहाँ की राजनीतिक व्यवस्थाएँ सुदीर्घ परम्पराओं, रीति रिवाजों, सामुदायिक आदर्शों, विश्वासों तथा धार्मिक आस्थाओं से निर्मित होती हैं। समुदाय पर राजनीतिक नियन्त्रण बनाए रखने तथा ग्राम प्रशासन को सुदृढ़ बनाने के लिए संस्थाएँ—परिषद्, गौटिया, गाँव-दरबार एवं जाति-दरबार होती हैं।

सियान-परिषद्

सियान से तात्पर्य ग्राम के बड़े बूढ़ों से होता है। प्रत्येक व्यक्तिगत परिवार का मुखिया जो कि बुजुर्ग होता है उसे 'सियान' कहा जाता है। ये सियान परम्परागत राजनीतिक संरचना में सर्वाधिक महत्त्वपूर्ण भूमिका का निर्वाह करते हैं। इसे 'वृद्ध परिषद्' भी कहा जा सकता है। यह चुने हुए ग्रामवासियों का एक अस्थायी तथा अनौपचारिक समूह है जो निश्चित समय पर निश्चित समस्याओं की विवेचना करते हैं और विवादों—जैसे, दो ग्रामवासियों के बीन झगड़ा, इनके बीच लैंगिक अपराधों को, बाहरी व्यक्तियों द्वारा ग्रामीण मामलों में अनधिकार प्रवेश, आदि मामलों की विवेचना एवं समाधान करते हैं।

सियान-परिषद् प्रथानुसार हर सुबह गाँव के केन्द्रीय स्थान, युवाओं के युवा गृह या किसी निर्धारित स्थान पर इकट्ठा होती है। यहाँ सभी व्यक्ति चारों ओर बैठकर ग्रामीण मामलों पर विचार करते हैं। प्रायः

वास्तविक रूप से कोई गम्भीर मामले नहीं होते, इसलिए इस बैठक को मुख्यतः सामाजिक ही माना जा सकता है। वैसे ही इनकी किसी भी बैठक का व्यावसायिक और सामाजिक पहलुओं में कोई स्पष्ट विभाजन नहीं होता है।

यद्यपि सियान परिषद् की इस बैठक में कोई वास्तविक कार्य नहीं होता और न ही कोई निर्णय ले पाते हैं तथापि गाँव में विशिष्ट समस्याओं के प्रति जनमत बनाने पर नैतिक दबाव डालने में ये सियान समर्थ होते हैं। प्रायः गाँव-दरबार का प्रमुख किसी समस्या को सुलझाने में सियान लोगों की सलाह लेना आवश्यक समझता है।

गौटिया

प्रत्येक ग्राम-दरबार का प्रमुख 'गौटिया' कहलाता है। गौटिया सम्पूर्ण ग्राम का प्रतिनिधि एवं प्रवक्ता होता है जो बाहरी अधिकारियों के सम्पर्क के समय ग्रामवासियों के लिए प्रवक्ता का कार्य करता है। फिर भी इसके अतिरिक्त गौटिया का अपना कोई औपचारिक प्राधिकार नहीं होता जिसके लिए उसके अपने व्यक्तिगत अधिकार अनुमति देते हों। गौटिया गाँव में उच्च आर्थिक-सामाजिक प्रस्थिति धारण करता है। यह पद वंशानुगत होता है तथा गाँव के सबसे विस्तृत गोत्र समूह को दिया जाता है। इसलिए उसे अपने निर्णयों को लागू करवाने में कोई कठिनाई नहीं होती।

गौटिया एक ऐसा व्यक्ति है जो अधिकांश गाँव वालों पर अपना अधिकार रखता है। उसके अनुयायी उसे अपना मार्गदर्शक तथा पारम्परिक मूल्यों का रखवाला समझते हैं तथा जो दिल से अपने अनुयायियों की भलाई चाहता है।

बैगा, जो कि ग्राम पुजारी और ग्रामवासियों का धार्मिक नेता होता है, वह गौटिया द्वारा निपटाए जा रहे किसी भी मामले में हस्तक्षेप कर सकता है और उस पर अपनी सलाह दे सकता है। यह माना जाता है कि बैगा अलौकिक शक्ति पर नियन्त्रण रख सकता है और उनका

प्रतिनिधि है। अतः उसकी सलाह को महत्त्वपूर्ण माना जाता है। इस हस्तक्षेप के बावजूद गौटिया गाँव का अधिकृत प्रधान होता है और ग्राम के समुचित प्रशासन और कार्यों के नियमन के लिए उत्तरदायी होता है।

अपने कार्यों को सही रूप से चलाने के लिए गौटिया द्वारा चार सहायकों की नियुक्ति की जाती है जो निम्नलिखित हैं—

(क) प्रधान—जो जातीय मामलों को सुलझाता है।
(ख) भोट—जो अतिथियों की अगवानी करता है।
(ग) बरगाह—जो जल का संभरण करता है।
(घ) कोटवार—जो पहरेदारी करता है।

गाँव दरबार

परम्परागत ग्राम पंचायत, गाँव-दरबार कहलाती है। यह ग्राम प्रशासन की सर्वोच्च समिति है, जिसके सदस्य समस्त गाँववासी होते हैं। गाँव-दरबार का अध्यक्ष गौटिया होता है, जो कि इस समिति का सर्वोच्च पदाधिकारी होता है। गाँव-दरबार के अन्य पदाधिकारियों में प्रधान तथा भोट मुख्य होते हैं।

गाँव-दरबार की बैठक सामान्यतः गौटिया के निवास स्थान पर, किसी खुली जगह पर होती है। विचार-विमर्श करते समय प्रत्येक व्यक्ति अपनी राय प्रकट करता है और सबसे प्रभावशाली मनोवृत्ति फौरन प्रकट हो जाती है। कदाचित ही कोई ऐसा विवादास्पद विषय होता है जो बहस का कारण न बन जाए। गाँव दरबार में गाँव के विभिन्न प्रकार के मामलों की चर्चा होती है। इसमें कोई औपचारिक मतदान नहीं होता। इस चर्चा में वास्तविक रूप से गौटिया को किसी दूसरे सदस्य से ज्यादा अधिकार नहीं होता। सम्भवतः उसकी बातों को दूसरे की अपेक्षा अधिक ध्यान से सुना जाता है। यह उसकी पद की गरिमा और कुछ इसलिए कि वह ज्यादा लोगों के करीबी सम्पर्क में रहता है, के कारण होता है।

गौटिया किसी भी व्यक्ति को आक्षेप करने, अश्लील भाषा के प्रयोग पर रोक सकता है किन्तु ऐसा बहुत ही कम होता है कि दरबार की किसी बैठक में उसकी गरिमा को कम करने का प्रयास हुआ हो।

जात दरबार

छत्तीसगढ़ में पाण्डों, कोरवा, खैरवार, प्रधान और नगेशिया की तरह कंवरों की भी परम्परागत क्षेत्रीय पंचायत होती है, जो कि जात-दरबार कहलाती है। जात-दरबार एक क्षेत्रीय समिति होती है जो कि एक वृहत भौगोलिक-क्षेत्र का प्रशासन करती है।

कंवर जनजाति में जात-दरबार उनकी स्थानीय परिषद् होती है जिसमें एक दीवान (उनका प्रधान), एक मांझी (सहायक तथा दीवान का सचिव) और एक सहायक ओहदार (उनका सिपाही) शामिल रहते हैं। ओहदार गाँव वालों और स्थानीय जात दरबार के बीच सम्पर्क का कार्य करता है। अव्यवस्थित प्रजातीय मामलों को सिपाही द्वारा दरबार में पेश किया जाता है। गाँव दरबार के फैसलों के विरुद्ध जात दरबार में अपील की जा सकती है। जात दरबार के कर्मचारियों का चुनाव गाँव वाले ही करते हैं और ये पूरी तरह गोत्र पर आधारित होते हैं तथा दो सिपाही किसी एक कुल के नहीं हो सकते।

इस तरह कंवर जनजाति के राजनीतिक ढाँचे में जात दरबार का विशेष महत्त्व होता है। उसके कर्मचारियों के कर्तव्य एवं दायित्व पूर्व निश्चित होते हैं।

III

अल्पाकार समाजों में रहने वाले लोग अपनी संस्थाओं के विषय में यह सोचते हैं कि वे सदा से ऐसी ही रही होंगी, जैसा उन्हें कल्पित आदि-पुरुष ने बनाया था। वे कभी भी उसी प्रकार नहीं रह सकतीं, क्योंकि मानव संस्थाएँ धीरे-धीरे बनी होंगी। परन्तु हम ऐसा सोच सकते हैं कि लम्बे अरसे से उनमें बहुत धीरे-धीरे परिवर्तन हुए।

सभ्यता के सम्पर्क में आने से कंवर जनजाति में बदलाव आया है, इस बात की पुष्टि डब्लू. एच. शूबर्ट द्वारा लिखित लेख 'दि एबीरिजनल ट्राइब्स ऑफ सेन्ट्रल–दि इफेक्ट्स ऑन दि ट्राइब्स ऑफ कान्टेक्ट्स विथ सिविलाइजेशन' में उल्लेखित है जो कि सन् 1931 की जनगणना रिपोर्ट में प्रकाशित हुई है। (हट्टन 1989 : पृष्ठ-70)

राजनीतिक और गुट सचेतना, अन्तर दलीय भावना, क्षेत्रीय आवेग इत्यादि बातों का परिणाम यह हुआ कि जनजातियों में एक नए संगठन का निर्माण हुआ। इसे आदिवासी महासभा कहते हैं। जनजाति महासभा एक ऐसी समिति होती है, जो वास्तविक रूप से सम्पूर्ण जनजाति समुदाय का प्रतिनिधित्व करती है। महासभा का कोई स्थान या समय निश्चित नहीं होता और आवश्यकता पड़ने पर यह कभी भी आयोजित की जा सकती है। महासभा में न केवल गाँव या क्षेत्र विशेष के जनजाति के सदस्य बल्कि कई तहसीलों

या सम्पूर्ण जिले के सदस्य उपस्थित रह सकते हैं। महासभा आयोजित करने के निम्न उद्देश्य होते हैं–

- जनजातीय सामाजिक संगठन को सुदृढ़ करना।
- समुदाय में व्याप्त बुराइयों को दूर करना।
- समुदाय की राजनीतिक चेतना का विस्तार करते हुए उसे एक दबाव समूह में परिणत करना।

उपर्युक्त उद्देश्यों को प्राप्त करने के लिए महासभा का आयोजन किया जाता है। वास्तव में यह एक राजनीतिक परिदृश्य है जिसमें जनजाति के लोकप्रिय नेता महासभा के माध्यम से अपनी बातों को रखते हैं। महासभा के कुछ सामान्य नियम इस प्रकार हैं–

सम्पूर्ण सात गढ़ के कंवर समाज के लोगों का वृहत् सम्मेलन होता है, जो महासभा कहलाता है। इसमें कंवर लोगों से सम्बन्धित सामाजिक नियमों पर चर्चा होती है। पूर्व में बनाए गए नियमों में यदि वे लोग सुधार करना जरूरी समझते हैं तो सर्व सम्मति से स्वीकृति हेतु उसे महासभा में पेश किया जाता है। साथ ही महासभा में लम्बित तथा क्लिष्ट मामलों का भी फैसला होता है।

सातों गढ़ को चलाने के लिए मुखिया होता है जिसे केन्द्रीय अध्यक्ष माना जाता है। सुचारु रूप से कार्य हो सके इस हेतु इनमें छोटे-छोटे चक बनाये गये हैं। अभी इनमें (बरेली बारी) 28 चक हैं। एक गाँव का एक पार गाँव भी रहे इसके लिए हर चक (सर्कल) में जोड़ा-जोड़ा (दस, बारह, बीस गाँव) गाँव रखा जाता है। सभी चक के एक-एक अध्यक्ष होते हैं। प्रत्येक इकाई चक के अध्यक्ष को वहीं के गाँव वाले चुनते हैं। इसके पश्चात् सभी चक के अध्यक्ष सात गढ़ कंवर समाज के केन्द्रीय अध्यक्ष का चुनाव करते हैं।

प्रत्येक चक में अपनी एक कार्यकारिणी समिति होती है जिसमें एक अध्यक्ष, एक कोषाध्यक्ष, एक सचिव, तथा पाँच कार्यकारिणी के सदस्य होते हैं। अपने चक के सम्पूर्ण सामाजिक नियमों की देखरेख एवं निपटारे का अधिकार चक इकाई समिति को होता है। दण्ड एवं व्यवस्था के क्षेत्र में भी इकाई समिति स्वतन्त्र होती है। किन्तु उन्हें अपने-अपने क्षेत्र के दण्ड राशि का 25 प्रतिशत केन्द्रीय समिति के अध्यक्ष या कोषाध्यक्ष के पास जमा करना होता है। किसी भी मुद्दे का फैसला अपने तथा पार गाँव के सदस्य बैठकर करते हैं। जब पार गाँव के साथ मिलकर मुद्दे का फैसला नहीं हो पाता है तो उन मुद्दों को महासभा में फैसला हेतु रखा जाता है। इस तरह महासभा, कंवर जनजाति में बढ़ती हुई राजनीतिक चेतना का प्रतीक है।

वर्तमान समय में कंवर जनजाति की पारम्परिक राजनीति संरचना में बहुत ज्यादा परिवर्तन दृष्टिगोचर नहीं होता है, फिर भी यह नहीं कहा जा सकता कि समय के साथ उनमें बदलाव नहीं आया है। कंवर महासभा भी इनके परिवर्तित दृष्टिकोणों का परिणाम है।

क्षेत्रीय कार्य के दरम्यान साक्षात्कार से प्राप्त जानकारी के अनुसार पूर्व में इनके समाज में कोई लिखित आचार संहिता नहीं थी। महासभा के गठन के पश्चात् इनमें लिखित रूप में आचार संहिता प्रकाशित हुई है जिनमें उनके सभी सामाजिक नियमों की चर्चा की गई है तथा उनका उल्लंघन करने वाले को दण्ड दिए जाने का भी प्रावधान है। यहाँ यह उल्लेखनीय है कि महासभा में अन्य बातों के साथ-साथ सामाजिक स्थिति में सुधार लाने हेतु भी चर्चा की जाती है। गणेश राम कंवर, जो कि कंवर महासभा, बरेली बारों के अध्यक्ष हैं, के कथनानुसार पूर्व में विवाह के समय अत्यधिक खर्च होता था। वर्तमान समय में इनमें काफी कटौती की गई है तथा इनका उल्लंघन करने वालों को सामाजिक दण्ड दिए जाने का प्रावधान है।

यहाँ टी.बी. नायक (1960) द्वारा आदिवासी के सम्बन्ध में कहे गए कथन को उद्धृत करना न्यायसंगत प्रतीत होता है कि कोई भी जनजाति, संस्कृतिकरण (बदलाव में इनकी प्रमुख भूमिका होती है) की प्रक्रिया से अवश्य गुजर रही होती है, किन्तु उच्च स्तरीय संस्कृतिकरण हो जाने पर वह जनजाति का दर्जा खो देती है। (प्रीत, 1993 से उद्धत)

अन्त में यह कहना उचित प्रतीत है कि समय के बदलने हुए प्रवाह ने कंवर जनजाति के पारम्परिक प्रतिमानों में परिवर्तन की नई दिशा निर्धारित की है। जिसके फलस्वरूप वे लोग प्रगति एवं उन्नति की ओर अग्रसर हुए हैं परन्तु ऐसी और उतनी भी नहीं कि कंवर जनजाति अपनी आदिवासी संस्कृति से विमुख हो जाए अथवा अपनी अस्मिता को ही खो दे।

आभार प्रदर्शन

शोधकर्ता अपने निर्देशक डॉ. विजय कुमार श्रीवास्तव, प्राध्यापक एवं विभागाध्यक्ष, राजनीति विज्ञान विभाग, शासकीय टी. सी. एल. महाविद्यालय, जांजगीर की आभारी है जिनके सहयोग एवं मार्गदर्शन के फलस्वरूप ही इस रूप में शोध-पत्र को तैयार करना सम्भव हो सका।

अत्यंत पिछड़े आदिवासी बाहुल्य झाबुआ जिले के अधिवास नामों का स्थानीय भाषा में उद्भव एवं विकास

□ *तेजसिंह किराड़*

मानव भूगोल के अंतर्गत अधिकांश भूगोल में स्थान नामों का, चाहे वे शहरी स्थान नाम हों या ग्रामीण, मौलिक महत्त्व है। स्थान नामों के भौगोलिक विश्लेषण के द्वारा सांस्कृतिक भूदृश्य (Cultural Landscape) की उत्पत्ति एवं विकास का प्रामाणिक विवरण एकत्रित किया जा सकता है। स्थान नामों के मूल तात्पर्य को खोजने से स्थान नामों के अध्ययन की महत्ता एवं उपयोगिता स्वतः सिद्ध हो जाती है।

कतिपय स्थान नाम (Place Name) एक नाम, एक इतिहास, एक विश्वास, एक घटना, एक आस्था, एक श्रद्धा के रूप में मानव मस्तिष्क की उपज के प्रतीक होते हैं, और अपने आप में अनेक भौगोलिक तथ्यों को समेटे हुए अपनी एक विशिष्ट और व्यापक पहचान बनाए रखते हैं।

प्रस्तुत शोध पत्र में अधिवास नामावली का अर्थ, महत्त्व व अन्य सामाजिक विज्ञानों से संबंध, स्थान नामों को प्रभावित करने वाले कारकों को सम्मिलित करते हुए सूक्ष्म रूप से बस्तियों के स्थान नामों के अनुसार उसका वर्गीकरण संकेत पदों और वातावरण से संबद्ध स्थान नामों के आधार पर किया गया है। इस संबंध में झाबुआ जिले के स्थान नामों के क्षेत्रीय वितरण का विश्लेषण प्रस्तुत किया गया है।

अधिवास नामावली

स्थान नाम अपने वातावरण की उपज मात्र हैं। क्षेत्र विशेष में पाए जाने वाले विभिन्न स्थान नामों की सूची को अधिवास नामावली कहते हैं। इस प्रकार अधिवास नामावली किसी भूखण्ड के प्राकृतिक व सांस्कृतिक पर्यावरण के आधार पर नामांकित बस्तियों के नामों की सूची होती है।

स्थान नामों के संदर्भ

भूगोल क्षेत्र वर्णनीय विज्ञान है इसलिए स्थान नामों की उपेक्षा नहीं की जा सकती। स्थान नाम क्षेत्र विशेष के सांस्कृतिक भूदृश्य के दर्पण होते हैं। स्थान नामों का भौगोलिक आधार पर अध्ययन करने से कुछ महत्त्वपूर्ण संदर्भ प्रकट होते हैं।

उद्भवमूलक
विकासमूलक
स्थान नामों के सन्दर्भ
ऐतिहासिक
प्रावैगिक

अधिवास नामावली के अध्ययन का अधिवास भूगोल में विशेष महत्त्व है। स्थान नामों के अध्ययन से ऐतिहासिक विवरण प्राप्त होते हैं। जैसे वन, जीव-जन्तु, मिट्टी, जलवायु या सांस्कृतिक तथ्यों से इनकी स्थिति कैसी और क्या रही होगी आदि इनके अध्ययन से जन स्थानांतरण संबंधी प्रमाण भी ज्ञात हो जाते हैं। स्थान नाम बौद्धिकता के सूचक होते हैं इनका संबंध साक्षरता से भी हो सकता है और नहीं भी। कोई भी स्थान नाम मानव मस्तिष्क में आते ही उसका काल्पनिक भूदृश्य विद्युतगति से कौंध जाता है। और इस प्रकार स्थान नाम अपनी सार्थकता स्वयं सिद्ध कर देते हैं।

अध्ययन क्षेत्र झाबुआ जिला अत्यंत ही पिछड़ा एवं विकास की योजनागत आवश्यकताओं से उपेक्षित रहा है। यहाँ की स्थानीय बोली में परम्परागत रूप से चले आ रहे स्थान नामों के उद्भवपश्चात सार्वजनिक रूप में संबोधित होते रहे हैं जिन्हें ऐतिहासिक मान्यता स्वरूप अमल में लाया जाता रहा है और आज ये ही स्थान नाम हमारे मन-मस्तिष्क को सोचने के लिए विवश कर देते हैं।

अधिवास नामावली और अन्य सामाजिक विज्ञानों से संबद्धता

स्थान नामों को प्रत्येक देश काल व परिस्थिति के संदर्भ में अनदेखा नहीं किया जा सकता। स्थान नामों का अध्ययन अधिवास भूगोल में किया जाता है, इसलिए इसका संबंध मानव

भूगोल के अतिरिक्त भूगोल की अन्य शाखाओं से भी स्थापित होता है।

स्थान नाम और अन्य सामाजिक विज्ञान

मानव भूगोल	ऐतिहासिक भूगोल	जनसंख्या भूगोल	ग्रामीण समाजशास्त्र	सांस्कृतिक भूगोल
बस्ती भूगोल	देशकाल एवं परिस्थिति	सांस्कृतिक विकास	प्रतिरूप	संगठन
ग्रामीण नगरीय	वितरण	प्रतिरूप	भाषा	धर्म जाति

स्थान नामकरण का आधार

स्थान नामों के नामकरण का कोई न कोई आधार अवश्य होता है। इस आधार का विश्लेषणात्मक अध्ययन करने के लिए तीन परिकल्पनाओं के अवलंबन की आवश्यकता अनुभूत होती है–

1. क्या स्थान नामों का कोई आधार होता है?

2. क्या स्थान नामों का भौतिक और सांस्कृतिक वातवरण से कोई संबंध स्थापित होता है?

3. क्या स्थान नाम का कोई स्थानीय प्रतिरूप परिलक्षित होता है?

उपर्युक्त परिकल्पनाओं के आधार पर जब स्थान नामों के नामकरण के आधार खोजने का प्रयत्न करते हैं तो इनके शब्दमूल में अग्रांकित कारक उभर कर सामने आते हैं–

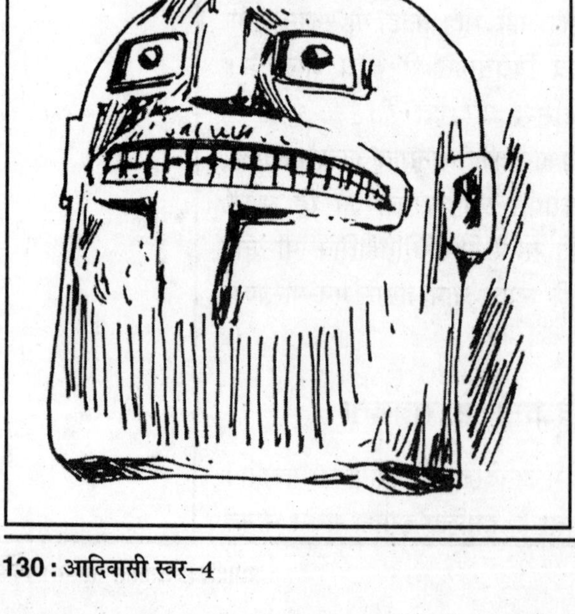

1. भौतिक आधार : जलराशियाँ, वनस्पति, जीव जन्तु, स्थलाकृतियाँ, मिट्टी आदि।

2. सांस्कृतिक आधार : भाषा, बोली, धार्मिक दृष्टि, व्यक्ति, समुदाय की प्रधानता, नैतिक, संख्यात्मक आधार, मानसिक अभिरुचियाँ आदि।

उपर्युक्त तत्त्वों के आधार पर विभिन्न वर्गों में स्थान नामों की उत्पत्ति हो जाती है। जिनकी अपनी एक विशिष्ट पहचान बन जाती है। जो उस क्षेत्र की क्षेत्रीयता को प्रतिबिम्बित करते हैं।

अध्ययन क्षेत्र

प्रस्तुत अध्ययन में झाबुआ जिले की समस्त शहरी व ग्रामीण इकाइयों को सम्मिलित किया गया है। मध्यप्रदेश के दक्षिण-पश्चिम में बसा झाबुआ जिला

राज्य के इंदौर संभाग में 21°55' और 23°15' उत्तरी अक्षांश व 74°21' से 75°12' पूर्वी देशान्तर के मध्य फैला हुआ है। जिले का कुल भौगोलिक क्षेत्रफल 6782 वर्ग कि.मी. है। जो कि मप्र. के कुल भौगोलिक क्षेत्रफल का 1.53 प्रतिशत है। प्रशासनिक दृष्टि से झाबुआ जिले को 7 तहसील तथा 12 विकासखंडों में विभाजित किया गया है। (तालिका क्रमांक 1)

1991 की जनगणना के अनुसार जिले की अधिकतम जनसंख्या 1031639 ग्रामीण है व 97717 जनसंख्या शहरों में निवास करती है। ग्रामीण व नगरीय जनसंख्या का प्रतिशत क्रमशः 91.35 प्रतिशत ग्रामीण और 8.65 प्रतिशत शहरी है। जनसंख्या का औसत घनत्व 166 व्यक्ति प्रति जिले का और 149 व्यक्ति प्रति वर्ग कि.मी. का है। जिले में कुल 1363 ग्राम हैं। जिसमें 1323 आबाद और 40 ग्राम वीरान हैं तथा शहरों की संख्या 6 है।

बस्तियों का स्थान नामों के अनुसार वर्गीकरण

अधिवास नामावली के विभिन्न स्थान नामों का भौगोलिक विश्लेषण करते समय स्थानों के विभिन्न नामों को अनुलग्नकों (Suffixes) और पूर्वलग्नकों (Prefixes) को ध्यान में रखकर उनके साहचर्य को व्याख्यायित किया गया है। संकेतपद या विशेषकों के आधार पर स्थान नामों की बारम्बारता ज्ञात की गई है।

किसी क्षेत्र के स्थान नाम चाहे वे ग्रामीण हों या शहरी दोनों का ही अध्ययन अधिवास नामावली में सम्मिलित किया जाता है। स्थान नामों का विश्लेषण करते समय स्थान नामों के विशेषकों (संकेतपदों) के साथ या बिना विशेषक वाले स्थान नामों के साहचर्य को भौतिक वातावरण और सांस्कृतिक वातावरण के संदर्भ में व्याख्यायित किया जाता है।

स्थान नामों के अध्ययन से स्थानों के उद्भव एवं विकास संबंधी जानकारी भौतिक और सांस्कृतिक तत्त्वों के साहचर्य द्वारा ज्ञात हो सकती है। भौतिक वातावरण में विभिन्न तत्त्वों जैसे—वनस्पति, जीव-जन्तु, जलराशि, उच्चावचन, मिट्टी साहचर्य आदि द्वारा तथा सांस्कृतिक वातावरण के विभिन्न तत्त्वों जैसे—विभिन्न समुदायों या व्यक्ति विशेष से संबंध स्थान नाम, स्थानीय देवस्थान, विविध नामों से संबंधित स्थान नाम, बाजार, घाट, मुस्लिम एवं मराठा संकेत पद या आनुवांशिक तत्त्व आदि के संदर्भ में जानकारी ज्ञात हो सकती है।

अस्तु बस्तियों के स्थान नामों के अनुसार वर्गीकरण के दो आधार हो सकते हैं। एक तो यह कि स्थान नामों का विश्लेषण करते समय संकेत पद वाले स्थान नाम और इनके साथ वातावरण के साहचर्य को स्पष्ट करते हुए क्षेत्र विशेष के स्थान नामों की बारम्बारता के आधार पर अध्ययन होना चाहिए और दूसरा आधार अध्ययन की सूक्ष्मता की दृष्टि से यह हो सकता है कि क्षेत्र विशेष के स्थान नामों की बारम्बारता

अलग-अलग आधारों पर प्रस्तुत की जाए, तत्पश्चात उसका भौगोलिक विश्लेषण किया जाए। इसके अनुसार सर्वप्रथम तो अनुलग्नक-पूर्वलग्नक विश्लेषण वाले स्थान नामों की बारम्बारता ज्ञात कर स्थान नामों का विश्लेषण किया जाए और द्वितीय यह कि स्थान नामों का भौतिक और सांस्कृतिक वातावरण से साहचर्य स्थापित कर उनकी बारम्बारता द्वारा अध्ययन किया जाए। प्रस्तुत शोध प्रबंध में द्वितीय विधि के आधार पर स्थान नामों का विश्लेषण प्रस्तुत किया गया है।

झाबुआ जिले में पूर्णतः यत्र-तत्र-सर्वत्र पहाड़ी और पठारी भागों में अधिवास मिलते हैं। प्राचीन काल से लेकर अब तक इस क्षेत्र में अधिवासों के विविध तरंग उमड़ते रहे हैं। यहाँ स्थान नामों का घनत्व 20 गाँव प्रति 100 वर्ग कि.मी. पाया जाता है जो गंगा-यमुना दोआब के उच्च घनत्व (40 गाँव प्रति 100 वर्ग कि.मी.) से कम है, और पूर्वी निमाड़ (खंडवा) जिले के स्थान नामों के घनत्व से (11 गाँव प्रति 100 वर्ग कि.मी.) अधिक है।

झाबुआ जिले में 1332 अधिवास (ग्रामीण और शहरी) सम्मिलित हैं, जिनमें से 1194 स्थान नामों के उद्‌भव एवं विकास संबंधी जानकारी अनुलग्नक विशेषकों तथा भौतिक और सांस्कृतिक तत्त्वों के साहचर्य द्वारा स्पष्ट होती है। शेष 9.5 प्रतिशत स्थान नामों के उद्‌भव एवं विकास के बारे में कुछ भी उद्‌घाटित नहीं होता है। क्योंकि इनके नाम वर्तमान समय में गलत उच्चारण के शिकार हैं, जिससे इनका विकृत स्वरूप स्पष्ट परिलक्षित होता है।

विभिन्न विशेषकों के आधार पर जिले के सम्पूर्ण स्थान नामों में से 505 स्थान नाम अनुलग्नक विशेषकों के साथ पाए गए व शेष 858 स्थान नाम विशेषक विहीन हैं। इस तरह सम्पूर्ण जिले के विशेषक युक्त 37.05 प्रतिशत स्थान नामों की बारम्बारता विभिन्न अनुलग्नकों के आधार पर तहसीलानुसार ज्ञात की गई। शेष 858 स्थान नामों को 62.95 प्रतिशत संकेत पद होने से सम्मिलित नहीं किया।

वातावरण के भौतिक और सांस्कृतिक तत्त्वों के साहचर्य द्वारा जिन स्थान नामों के उद्‌भव और विकास संबंधी जानकारी स्पष्ट हुई उनकी संख्या 1194 है। शेष 1292

स्थान नामों के संबंध में उनके नामों की विकृति के कारण उनका भौतिक वातावरण के तत्त्वों के साथ साहचर्य स्थापित होना आभासित नहीं हो सका। इस तरह जिले के 90.3 प्रतिशत स्थान नाम वातावरण से संबद्ध स्थान नामों की कोटि में आते हैं, जबकि शेष 9.7 प्रतिशत स्थान नाम इसमें सम्मिलित नहीं किए जा सकते।

उपर्युक्त दोनों पद्धतियों द्वारा बस्तियों का नामों के अनुसार वर्गीकरण करते समय यह पाया गया कि संकेत पद वाले 524 स्थान नाम हैं। 764 स्थान नाम ऐसे हैं जो संकेतपदयुक्त हैं और वातावरण से संबद्ध हैं जबकि 430 स्थान नाम केवल वातावरण के साहचर्य से संबद्ध हैं।

वातावरण के विभिन्न तत्त्वों से संबंधित स्थान नामों की संख्या 1194 है। इनमें से 764 स्थान नाम (56.05 प्रतिशत) भौतिक वातावरण तथा 430 स्थान नाम (31.56 प्रतिशत) सांस्कृतिक वातावरण पर आधारित हैं। इस प्रकार उपर्युक्त विश्लेषण से स्पष्टतः ज्ञात होता है कि दोनों आधारों पर वर्गीकरण करने के बाद जिले के 169 स्थान नामों के उद्‌भव, विकास, इतिहास और स्वरूप आदि के बारे में कुछ भी प्रकाश नहीं पड़ता ऐसे विकृत स्थल नाम 12.39 प्रतिशत हैं। प्रस्तुत अध्ययन में 87.61 प्रतिशत स्थान नामों का विश्लेषण किया गया है।

संकेतपद युक्त स्थान नामों का वर्गीकरण

जिले के 1363 स्थान नामों में से 506 स्थान नाम अनुलग्नक या पूर्वलग्नक विशेषकों से युक्त हैं, 506 स्थान नामों से 18 स्थान ऐसे भी हैं जो अनुलग्नक व पूर्वलग्नक की सम्बद्धता के एक ही रूप में परिलक्षित होते हैं, (जैसे—खेती कल्याणपुरा) तालिका क्रमांक 1 से स्पष्ट पता चलता है कि झाबुआ जिले में, छोटा-बड़ा, गढ़-गढ़ी, पाड़ा, पुरा, पुर, खेड़ा और खेड़ी संकेत पद या विशेषक युक्त स्थान नामों की संख्या 390 है जो 506 संकेत पद युक्त स्थानों की संख्या का 77.05 प्रतिशत है, शेष 22.95 प्रतिशत स्थान नाम अन्य संकेत पदों जैसे—वाट, गाँव, वानी, फल्या, वाड़ा आदि के अंतर्गत आते हैं।

वातावरण से संबद्ध स्थान नामों का वर्गीकरण

जिले के स्थान नामों की विभाज्यता में सूक्ष्म से अध्ययन करने पर यह पाया गया कि स्थान नामों की आधारशिला में कोई न कोई भौतिक या सांस्कृतिक तत्त्व का अपना महत्त्वपूर्ण योगदान होने के साथ ही साथ वातावरण की अमिट छाप भी परिलक्षित होती है। तालिका क्रमांक 2 देखने से स्पष्ट पता चलता है कि जिले के 1363 स्थान नामों में से 169 स्थान नामों के संबंध में कुछ भी तथ्य उद्‌घाटित नहीं होते। शेष 1194 स्थान नामों में से 764 स्थान नाम ऐसे हैं जो भौतिक वातावरण के साहचर्य से संबद्ध हैं। इनमें से शेष 430 सांस्कृतिक

वातावरण से संबद्ध हैं, जिनका प्रतिशत क्रमशः 56.05 और 31.56 है। तालिका में उद्धृत बारम्बारता द्वारा स्पष्ट पता चलता है कि जिले के 365 स्थान नाम वनस्पति पर आधारित हैं। इनका प्रतिशत कुल का 47.77 है, किन्तु भौतिक वातावरण पर आधारित स्थान नामों में कुल का प्रतिशत 56.05 प्रतिशत है। फलतः यह स्पष्टतया व्यक्त किया जा सकता है कि वानस्पतिक साहचर्य पर आधारित स्थान नामों की संख्या जिले में सर्वाधिक है। वनस्पति स्थान की बहुलता से सिद्ध होता है कि प्राचीन समय में जिले यत्र-तत्र-सर्वत्र वनस्पति का आच्छादन था, परंतु अब जिले में ऊबड़-खाबड़ वृक्षविहीन नग्न पहाड़ियाँ व घाटियाँ दृष्टिगोचर होती हैं। उक्त तथ्य से एक महत्त्वपूर्ण निष्कर्ष यह भी निकलता है कि वर्तमान में स्थानीय पिछड़ी आदिवासी जनजातियों को रोजगार सुलभ न होने व कृषि की न्यून उत्पादकता के फलस्वरूप इन लोगों ने वनों को काट-काटकर अपनी आवश्यकता की पूर्ति कर दूर-दूर तक वृक्षविहीन मरुभूमि सदृश्य मैदान बना दिया है। जिसका प्रभाव देश काल व वातावरण पर पड़ा है।

सांस्कृतिक वातावरण से संबद्ध स्थान नामों में 262 स्थान नाम विशेष व्यक्ति या और समुदाय से संबंधित हैं जो कि कुल सांस्कृतिक वातावरण का 60.93 प्रतिशत है शेष 39.07 प्रतिशत स्थान नामों में नैतिक स्थान नाम, स्थानीय देव स्थान, मुस्लिम एवं मराठा संकेत पदों से युक्त स्थान नाम हैं।

स्थान नामों का क्षेत्रीय वितरण

स्थान नामों के वितरण के आधार पर निम्न तथ्य ज्ञात होते हैं—

1. भौतिक और सांस्कृतिक वातावरण से संबद्ध स्थान नाम जिले की जाँवों (5) तहसीलों में पाए गए हैं। तालिका क्रमांक 2 से स्पष्टतया परिलक्षित होता है कि भौतिक वातावरण से संबंधित वानस्पतिक साहचर्य नाम जिले में सर्वाधिक है। तहसीलों में भी अलीराजपुर तहसील में यह विपुल है। वनस्पति और उपजों पर आधारित स्थान नाम उन्हीं क्षेत्रों में स्थित हैं जो या तो वनस्पति की सघनता लिए हुए हैं या किसी विशिष्ट उपज के क्षेत्र हैं। जिनका कि स्थानीय भाषा के आधार पर नामकरण कर दिया गया है।

2. मिट्टी, जलराशियों और उच्चावचन पर आधारित स्थान नामों का प्रतिशत क्रमशः 8.37, 16.09 और

18.19 है जो कि जिले में यत्र-तत्र-सर्वत्र बिखरे हुए हैं।

3. वन्य जीव जन्तुओं पर आधारित स्थानों का संबंध जिले में सीधा प्राकृतिक वनस्पति वाले क्षेत्रों के साथ सहसंबंधित किया जा सकता है क्योंकि इन दोनों स्थान नामों के क्षेत्रों में लगभग मिट्टी व उच्चावचन के समान ही समरूपता है।

4. विभिन्न सांस्कृतिक तत्त्वों के आधार पर स्थान नामों के विवरण को देखने के आधार पर यह अनुभव किया गया कि जिले में प्राचीन काल से लेकर अब तक फारूकी वंश, मुगलकाल, मराठाकाल, ब्रिटिश शासन या स्वतंत्रता के बाद तक के परिप्रेक्ष्य में स्थान नाम प्रभावित हुए और उनकी स्थापना स्थिति इनसे प्रभावित रही। जिले में स्थान नामों का वितरण अत्यंत स्पष्ट है किन्तु प्रतिरूपों को तंत्रात्मक रूप प्रदान नहीं किया जा सकता।

सारांश एवं निष्कर्ष

झाबुआ जिला मध्यप्रदेश के अत्यंत महत्त्वपूर्ण जिलों में से एक है। बस्तर जिले के पश्चात एक मात्र झाबुआ जिला ही ऐसा है जो पश्चिमी दक्षिणी क्षेत्र में आदिवासी जन बाहुल्यता के पिछड़ेपन के कारण केन्द्र/राज्य/और अनेकानेक विद्वानों की सूक्ष्म अनुसंधानात्मक योजना/परियोजनाएँ समय-समय पर जिले की चहुँमुखी सर्वांगीण उन्नति हेतु कार्यरत रहती हैं। जिले रो संवंधित अनेक व्यक्तियों और परिस्थितियों ने जीवन और विचारों पर अपना अमिट प्रभाव डाला है। इसी शृंखला में अधिवास नामावली भी अछूती नहीं रही है।

अधिवास नामावली भूखंड विशेष रूप से स्थान नामों की मात्र दिग्दर्शिका ही नहीं वरन् उस क्षेत्र विशेष में आंचलिक सांस्कृतिक भूदृश्य की झाँकी भी होती है। झाबुआ के सम्पूर्ण अधिवास स्थलों के नामों पर जिले के वातावरण का व्यापक प्रभाव परिलक्षित है। यह चौंका देने वाला तथ्य है कि लगभग 87.60 प्रतिशत (खंडवा के 56 प्रतिशत से अधिक) स्थान नाम भौतिक और सांस्कृतिक वातावरण की देन है। चूँकि झाबुआ जिला पहले कभी यत्र-तत्र-सर्वत्र वनों से आच्छादित था, वर्तमान में बिखरे हुए वनों से ज्ञात होता है कि वनों की कटाई बहुत निर्ममता से की गई है जिसके फलस्वरूप दूर-दूर तक सूखी पथरीली, बंजर अनुपजाऊ भूमि दृष्टिगोचर होती है। वर्तमान में सर्वाधिक वनों का आच्छादन अलिराजपुर तहसील के कट्ठीवाड़ा ब्लाक में है इसलिए वानस्पतिक साहचर्य से संबद्ध स्थान नामों की संख्या पाँचों तहसीलों में सर्वाधिक है। (तालिका क्र. 2 देखें)

अधिवास नामावली के अध्ययन का एक विशेष पक्ष है स्थान नामों में प्रयुक्त संकेतपदों (विशेषकों) का अनुप्रयोग। निष्कर्षात्मक दृष्टि से 506 स्थान नामों में से 107 स्थान नाम छोटा/बड़ा, व द्वितीय व तृतीय स्थान क्रमशः पाड़ा व पुरा विशेषक युक्त स्थान नामों का रहा। शेष अन्य संकेत पदों द्वारा अभिव्यक्त हैं।

निष्कर्ष रूप में यह स्पष्टतया ज्ञात होता है कि स्थान नामों में नामकरण का आधार

भौतिक व सांस्कृतिक वातावरण है। जिले में स्थान नामों का भौगोलिक विश्लेषण करते समय यह तथ्य भी प्रकाश में आया कि बाजार, हाटा, नगरी, टोला, खुर्दी, खुर्दा, गढ़ी, नगला, टोली और आरी आदि संकेत पदों का प्रयोग यहाँ के स्थान नामों में प्रयुक्त नहीं हुआ है। इसका मतलब यह नहीं है कि यहाँ बाजार केंद्र नहीं है। स्थान नामों और साक्षरता में अंतस्संबंध पाया जाता है। इस दृष्टि से जिले के उन स्थानों में जहाँ साक्षारता का प्रतिशत अधिक है वहाँ नैतिक स्थान नामों (Ethical Place Names) की संख्या अधिक है। सम्पूर्ण जिले में 76 स्थान नाम नैतिक आधार पर रखे गए हैं। इन स्थान नामों का आधार जनअभिरुचियाँ होती हैं जिससे निःसंदेह क्षेत्र विशेष की बौद्धिकता का परिचय होता है।

इस तरह जिले में भौतिक, धार्मिक, सांस्कृतिक, मनोवैज्ञानिक, राजनीतिक (व्यक्ति विशेष या समुदाय) आधारों की पृष्ठभूमि में अधिकांश स्थान नामों के नामकरण हुए हैं। भविष्य में आधुनिकता का परिवेश लिए हुए राजनीतिक स्थान नामों की बारम्बारता में वृद्धि होने की पूर्ण संभावना है, यद्यपि इन्हें जिले के संदर्भ में देश, काल व परिस्थितियों के संकुचित दायरे में आबद्ध नहीं किया जा सकता।

तालिका क्रमांक 1

झाबुआ जिले विभिन्न अनुलग्नकों और पूर्वलग्नकों के साथ स्थान नामों की बारम्बारता

	अनुलग्नक/पूर्वलग्नक				झाबुआ जिला/तहसीलें		
क्र.	विवरण	सांउला	पटेलावद	झाबुआ	जोबट	अलि-राजपुर	स्थान नामों की कुल संख्या
1	2	3	4	5	6	7	8
1.	छोटा/बड़ा	15	02	26	40	22	107
2.	पाड़ा	30	44	19	-	-	93
3.	पुरा	24	29	30	03	04	88
4.	पुर/पुरा	06	01	06	08	10	31
5.	खेड़ा/खेड़ी	03	14	20	04	04	50
6.	गढ़/गढ़ी	05	14	01	03	01	24
7.	वाट	-	-	03	04	15	22
8.	गाँव/गावाँ/ग्राम	04	01	02	04	10	21
9.	बाड़ा/बाड़ी	03	02	02	01	05	13

10. फल्या/फली	01	-	04	05	01	11
11. वानी	01	-	02	01	06	07
12. टोड़ा/टोड़ी	03	04	-	-	-	07
13. खुर्द/खुर्दा/खुर्दी	-	02	04	01	-	07
14. साथ	06	-	-	-	-	06
15. चौकी	-	-	-	-	05	05
16. नगर	03	-	-	-	-	03
17. फाटा	-	-	-	02	01	03
18. खास	-	-	01	-	01	02
19. आरा	-	-	-	01	-	01
20. गंज	01	-	-	-	-	01
योग	106	112	122	80	87	506
ऐसे गाँव नाम जो अनुलग्नक व	01	03	03	08	03	18
पूर्वलग्नक दोनों हैं। जैसे—खेड़ी कल्याणपुरा	106	115	125	88	90	524

तालिका क्रमांक 2

झाबुआ जिला : भौतिक और सांस्कृतिक वातावरण से संबद्ध स्थान नामों की बारम्बारता

	भौतिक वातावरण	सांउला	पटेलावद	झाबुआ	जोबट	अलि-राजपुर	स्थान नामों की कुल संख्या
1	2	3	4	5	6	7	8
1.	वनस्पति पर आधारित स्थान नाम	55	64	93	57	96	365
2.	जल राशियों पर आधारित स्थान नाम	18	11	36	26	32	123
3.	जीव जन्तुओं पर आधारित स्थान नाम	08	11	23	03	28	73
4.	मिट्टी पर आधारित स्थान नाम	10	05	13	17	19	64
5.	उच्चावचन पर आधारित						

	स्थान नाम	19	20	41	22	37	139
	योग	110	111	206	125	212	764

	सांस्कृतिक वातावरण	सांउला	पटेलावद	झाबुआ	जोबट	अलि-राजपुर	स्थान नामों की कुल संख्या
1	2	3	4	5	6	7	8
1.	विभिन्न व्यक्ति और समुदाय से संबद्ध स्थान नाम	64	50	71	26	51	262
2.	नैतिक स्थान नाम	11	08	23	05	29	76
3.	स्थानिक देव स्थान से संबद्ध स्थान नाम	07	14	08	02	22	53
4.	मुस्लिम एवं मराठा संकेत पदों से युक्त स्थान नाम	09	06	13	06	05	39
5.	आनुवांशिक तत्त्व से संबद्ध स्थान नाम	-	-	-	-	-	-
	योग	109	123	142	76	149	430

आदिवासी क्षेत्र में साक्षरता अभियान में अवरोधक तत्त्वों का अध्ययन

□ *सुनील वाजपेयी*

शिक्षा मानव जीवन की मूलभूत आवश्यकता है जिसके अभाव में व्यक्ति का जीवन देश और समाज की गतिविधियों से अधूरा रह जाता है, जिसके परिणामस्वरूप वह व्यक्तिगत उन्नति के साथ ही सामाजिक क्षेत्र में अपनी सक्रियता खोकर पिछड़ेपन का शिकार हो जाता है। जीवन पर्यन्त उसे शोषण, उत्पीड़न, निराशा एवं अत्याचारों के कुचक्रों से गुजरना पड़ता है। अतः शिक्षा ही वह सशक्त साधन है जिसका अवलंबन पाकर व्यक्ति अपने व्यक्तिगत जीवन की प्रगति करते हुए सामाजिक व आर्थिक प्रगति के क्षेत्र में भी महत्त्वपूर्ण भूगिका निभा सकता है।

साक्षरता शिक्षा की प्राथमिक सीढ़ी है। शिक्षा किसी भी राष्ट्र की प्रगति के लिए अनिवार्य साधन है। आज सभी जगह शिक्षा के क्षेत्र में विभिन्न प्रकार से जन जागृति अभियान चलाए जा रहे हैं। शिक्षा शास्त्रियों तथा बुद्धिजीवी वर्ग के लिए यह एक शोध का विषय है कि भारत का ग्रामीण हरिजन, आदिवासी एवं पिछड़ी जातियों के व्यक्ति शिक्षा की मुख्य धारा से अलग क्यों हैं। अभी भी देश में शिक्षा के प्रति इन व्यक्तियों की अवचेतना जाग्रत नहीं हो सकी है।

यह निर्विवाद सत्य है कि निरक्षरता बीसवीं शताब्दी के अंत तक हमारे सामने एक ज्वलंत समस्या बनकर खड़ी है। यह कड़वा सत्य है कि विश्व की एक तिहाई जनसंख्या अशिक्षित है। निरक्षरता हमारे देश के लिए अभिशाप है, क्योंकि इससे कई अन्य समस्याओं का जन्म होता है। हमारे जैसे जनतांत्रिक देश के लिए भी साक्षरता का महत्त्व तो और अधिक बढ़ जाता है। निरक्षरता मानव के मानव होने के अधिकारों का हनन है यद्यपि हमारे सामने जनसंख्या, गरीबी, पर्यावरण प्रदूषण जैसी अनेकों बुनियादी समस्याएँ हैं। इन समस्याओं को देखते हुए ऐसा लगता है कि निरक्षरता की समस्या गौण है, परंतु वास्तव में देखा जाए तो उपरोक्त समस्याओं का समाधान साक्षरता से जुड़ा हुआ है। जब तक देश एवं प्रदेश निरक्षरता के दलदल से नहीं निकलता, इन समस्याओं में उत्तरोत्तर वृद्धि होती जाएगी।

यह अध्ययन साक्षरता में उन सभी परिस्थितियों एवं अवरोधक तथ्यों पर आधारित है जो कि प्रदेश के इस निरक्षरता प्रधान क्षेत्र को साक्षर बनाने के प्रयासों में अवरोध उत्पन्न कर रही हैं। अब तक इन परिस्थितियों एवं तत्वों और कारणों का पता नहीं है। मेरे इस अध्ययन का उद्देश्य आदिवासियों में निरक्षरता की समस्याओं के विभिन्न पहलुओं के बारे में समझ विकसित करना और क्षेत्र की साक्षरता एवं शिक्षा प्रसार के प्रयासों को तेज करने में सहयोग प्रदान करना है।

उद्‌देश्य

(1) साक्षरता में आने वाले मुख्य अवरोधक तत्त्वों का पता लगाना।
(2) व्यक्तियों की आर्थिक, सामाजिक, पारिवारिक परिस्थितियों की जानकारी प्राप्त करना।
(3) शैक्षिक विकास एवं साक्षरता को प्रभावित करने वाली परिस्थितियों का अध्ययन करना।

व्यक्तियों में

(1) शिक्षा के प्रति दृष्टिकोण का पता करना।
(2) साक्षरता के प्रति जागरूकता पैदा करना।
(3) साक्षरता अभियान को गति प्रदान करने के लिए शैक्षिक अधिकारियों को उपयुक्त सलाह देना।

परिकल्पना

(1) साक्षरता अभियान पर व्यक्तियों के आवास का प्रभाव पड़ता है।
(2) साक्षरता अभियान पर व्यक्तियों की आर्थिक स्थिति का प्रभाव पड़ता है।
(3) साक्षरता अभियान पर व्यक्तियों को मिलने वाले पोषक आहार का प्रभाव पड़ता है।
(4) व्यक्तियों के शिक्षा के प्रति दृष्टिकोण का साक्षरता अभियान पर प्रभाव पड़ता है।
(5) साक्षरता अभियान पर व्यक्तियों के सामाजिक वातावरण का प्रभाव पड़ता है।
(6) शैक्षिक अधिकारियों का 'साक्षरता अभियान के प्रति दृष्टिकोण' का प्रभाव साक्षरता अभियान पर पड़ता है।

सीमांकन

(1) यह शोध कार्य झाबुआ जिले की 7 तहसीलों के 12 विकास खंडों के प्रौढ़ शिक्षा केंद्रों एवं शैक्षिक अधिकारियों तक सीमित है।

(2) यह अध्ययन 15-35 वर्ष आयु वर्ग की साक्षरता से संबंधित है।

(3) यह अध्ययन औपचारिकोत्तर शिक्षा केंद्रों में अध्ययन करने वालों तक सीमित है।

न्यादर्श

न्यादर्श चयन करने के लिए यादृच्छिक एवं कोटा पद्धति को अपनाया गया है। झाबुआ जिले की सात (7) तहसीलों के बारह (12) विकास खण्डों से (10) दस प्रौढ़ शिक्षा केंद्रों को चयन करने के लिए यादृच्छिक पद्धति को अपनाया है। इन दस (10) प्रौढ़ शिक्षा केंद्रों से 100 का न्यादर्श कोटा पद्धति से चयन किया गया है। इन 12 विकास खंडों से शैक्षिक अधिकारियों का चयन किया गया है।

उपकरण

शोध कार्य को पूरा करने के लिए प्रश्नावली का निर्माण किया गया है। प्रश्नावली में प्रौढ़ शिक्षा केंद्रों के छात्रों के पारिवारिक, सामाजिक एवं आर्थिक जानकारियों को एकत्रित करने के लिए उनसे संबंधित प्रश्नों का शामिल किया गया है। इसी प्रकार शैक्षिक अधिकारियों के दृष्टिकोणों का मापन करने के लिए दूसरी प्रश्नावली का निर्माण किया गया।

शोध प्रक्रिया

विषय के औचित्य को देखते हुए शोधकर्ता ने वर्णनात्मक अनुसंधान की पद्धति को अपनाया है। इस पद्धति के अंतर्गत प्रश्नावली से जानकारियों का संग्रह करके उनका सारणीयन एवं विश्लेषण किया गया। सर्वप्रथम प्रौढ़ शिक्षा केंद्रों पर जा कर प्रश्नावली के द्वारा प्रदत्तों का संकलन किया गया एवं शैक्षिक अधिकारियों के प्रदत्तों के संकलन के लिए उनके पास प्रश्नावली डाक द्वारा भेजी गई तथा इस प्रकार संपूर्ण प्रदत्तों का संकलन किया गया।

विश्लेषण एवं व्याख्या

प्रदत्तों का सारणीयन करके प्रश्नावली से प्राप्त प्रतिक्रियाओं के आधार पर विश्लेषण द्वारा निष्कर्ष निकाला गया, जो निम्नानुसार है–

(1) **प्रौढ़ शिक्षा केंद्र में अध्ययन करने वालों की आवास व्यवस्था–**

सूत्रों से पता चलता है कि न्यादर्श का 18 प्रतिशत आबादी शहरी है एवं 82 प्रतिशत ग्रामीण हैं भवन कैसा है से स्पष्ट है कि 78 प्रतिशत भवन कच्चे गारे के बने हुए है। 22 प्रतिशत भवन ही पक्के हैं, इनमें से अधिकाँश शहरी क्षेत्र में स्थित हैं। इन 78 प्रतिशत भवनों में मूलभूत सुविधाओं का अभाव है। अच्छे आवासीय व्यवस्था वाले परिवार ही अधिकांश रूप से साक्षर हैं। ऐसे परिवार जो गाँव में रहते हैं शाला भवन से दूर हैं। रिहायशी कमरों की सीमितता के कारण साक्षरता पर उसका प्रतिकूल असर पड़ता है। प्रदत्तों को देखने पर पता चलता है कि लगभग 75 प्रतिशत परिवारों में, रसोईघर, शौचालय, स्नानागार, बिजली एवं पानी संबंधी मूलभूत सुविधाएँ नहीं हैं। इससे व्यक्ति की सोच शैक्षणिक गतिविधियों की अपेक्षा इन प्राथमिक सुविधाओं की तरफ अधिक रहती है। अतः आवासीय समस्या साक्षरता अभियान की प्रगति में बाधक है।

(2) **प्रौढ़ शिक्षा केंद्रों में अध्ययन करने वाले परिवार की आर्थिक स्थिति–**

	आमदनी के साधन				खर्च कैसे चलता है	
	कृषि	मजदूरी	नौकरी	व्यवसाय पशुपालन	स्वयं	अन्य सदस्यों के सहयोग से
प्राप्त 88 प्रदत्तों की संख्या	03	06	02	01	88	2
कुल 88 का प्रतिशत	03	06	02	01	88	12

उपर्युक्त तालिका से ज्ञात होता है कि न्यादर्श का लगभग 88 प्रतिशत जनसंख्या खेतिहर में 3 प्रतिशत ऐसे हैं जो दैनिक मजदूरी का कार्य करते हैं। 6 प्रतिशत शासकीय नौकरी में हैं। 2 प्रतिशत व्यवसाय के कार्यों में संलग्न हैं। 88% परिवारों का भरण पोषण का भार मुखिया पर होता है। आंकड़ों से पता चलता है कि इन परिवारों की आर्थिक स्थिति कमजोर है। व्यक्ति की सोच आर्थिक स्थिति को मजबूत करने में रहती है और वह शिक्षा के प्रति उदासीन रहता है। अतः आर्थिक स्थिति की कमजोरी भी साक्षरता अभियान में बाधक तत्त्व है।

(3) इसी प्रकार न्यादर्श का 94 प्रतिशत व्यक्ति दो समय भोजन करते हैं परंतु 6 प्रतिशत व्यक्तियों को एक ही समय भोजन मिलता है। जहाँ तक बालकों का प्रश्न है वहाँ पर 87 प्रतिशत बालकों को सामान्य भोजन एवं 13 प्रतिशत बालकों को ही विशिष्ट भोजन मिल पाता है। इससे यह निष्कर्ष निकलता है कि अधिकांश परिवार गरीबी रेखा के नीचे निवास करते हैं तथा बालक एवं बालिकाएँ कुपोषण के शिकार हैं। विद्याध्ययन के लिए स्वस्थ शरीर एवं स्वस्थ मानसिकता का होना अनिवार्य है। कुपोषण एवं भूखे पेट साक्षरता की बात गौण हो जाती है।

(4) न्यादर्श से प्राप्त प्रदत्तों से ज्ञात होता है कि आदिवासियों का संगठन 95 प्रतिशत हिन्दुओं के रीति-रिवाजों से मिलते-जुलते हैं एवं 5 प्रतिशत ईसाइयों से मिलते-जुलते हैं। अतः आदिवासी समाज पूर्णतः हिन्दू ही है। प्रदत्तों के विश्लेषणों से ज्ञात होता है कि इनमें कई सामाजिक बुराइयाँ, पर्दाप्रथा, बहुपत्नी प्रथा, विवाह एवं धार्मिक अंधविश्वास आदि क्रमशः 98 प्रतिशत, 85 प्रतिशत, 30 प्रतिशत है। उपरोक्त कारण भी साक्षरता शिक्षा में अवरोधक का कार्य करते हैं।

(5) प्रौढ़ शिक्षा केंद्रों में अध्ययन करने वाले छात्रों के परिवार वालों का शिक्षा के प्रति दृष्टिकोण–

उपर्युक्त तालिका से ज्ञात होता है कि न्यादर्श से शिक्षा के प्रति दृष्टिकोण 20 प्रतिशत का सकारात्मक है एवं 80 प्रतिशत व्यक्तियों का दृष्टिकोण नकारात्मक है। न्यादर्श का शिक्षा प्राप्त करने का उद्देश्य जीवन जीने के लिए नौकरी प्राप्त करने के लिए कृषि करने के लिए एवं लेन-देन कोर्ट कचहरी से निपटने के लिए प्रतिशत क्रमशः 6 प्रतिशत, 89 प्रतिशत, 2 प्रतिशत, 3 प्रतिशत है। इससे ज्ञात होता है कि प्रायः 89 प्रतिशत व्यक्ति शिक्षा केवल नौकरी प्राप्त करने के लिए प्राप्त करते हैं। इससे यह भी ज्ञात है कि निरक्षरता के कारण में 66 प्रतिशत पैतृक उदासीनता उत्तरदायी है। उपर्युक्त तथ्यों से व्यक्तियों की शिक्षा के प्रति नकारात्मक दृष्टि का पता चलता है। प्रदत्तों से ज्ञात होता है कि न्यादर्श में साक्षरता के प्रति अवचेतना जाग्रत नहीं है।

(6) उपर्युक्त तालिका के अध्ययन से पता चलता है कि अधिकांश अधिकारियों का मत है कि साक्षरता अभियान सफल हो रहा है। प्रदत्तों से ज्ञात होता है कि 76 प्रतिशत का मत है कि यह अभियान सफल हो रहा है जबकि 16 प्रतिशत ने इसे असफल बताया है तथा 4 प्रतिशत ने बेकार, 2 प्रतिशत ने ग्रामीणों के लिए अनुपयुक्त बताया है एवं 2 प्रतिशत ने इसके बारे में अपना मत नहीं दिया है। उपर्युक्त तथ्यों से साक्षरता अभियान के प्रति उनका दृष्टिकोण ज्ञात होता है। इस दृष्टिकोण का भी साक्षरता अभियान पर प्रभाव पड़ता है।

शैक्षिक अधिकारियों का साक्षरता के प्रति दृष्टिकोण

	सफल हो रही है	असफल हो रही है	बेकार है	ग्रामवासियों	अन्य के लिए उपयुक्त
प्राप्त प्रदत्तों की संख्या	38	08	01	01	01
कुल प्रतिशत	76	16	04	02	02

निष्कर्ष

प्रदत्तों के विश्लेषण से निम्न निष्कर्ष निकलते हैं—

(1) आवासीय सुविधाएँ अनुकूल वातावरण में न होने से साक्षरता के विकास में बाधक हैं।

(2) आर्थिक स्थिति भी साक्षरता के विकास पर प्रभाव डालती है जो आर्थिक रूप से कमजोर हैं वे साक्षरता अभियान में बाधक रहते हैं। या आर्थिक स्थिति के प्रतिकूल होने से साक्षरता पर प्रतिकूल प्रभाव पड़ता है।

(3) पोषक आहार, पूरा या कम मिलना या न मिलने पर साक्षरता अभियान पर प्रतिकूल प्रभाव पड़ता है।

(4) सामाजिक वातावरण, सामाजिक कुरीतियाँ, पर्दाप्रथा, बहुपत्नी, बाल विवाह तथा धार्मिक अंधविश्वास का प्रभाव साक्षरता अभियान पर प्रतिकूल पड़ता है।

(5) शिक्षा के प्रति व्यक्तियों का सकारात्मक दृष्टिकोण का साक्षरता पर अनुकूल एवं नकारात्मक दृष्टिकोण का साक्षरता पर प्रतिकूल प्रभाव पड़ता है।

(6) शैक्षिक अधिकारियों का साक्षरता के प्रति दृष्टिकोण का सकारात्मक होने से अनुकूल प्रभाव पड़ता है।

सुझाव

(1) साक्षरता में बाधक तत्त्वों को दूर करने हेतु जन जागरण शिविरों का आयोजन करना चाहिए।

(2) ग्रामीण क्षेत्र में सर्व सुविधा युक्त आवासीय सुविधाएँ उपलब्ध करवाना चाहिए।

(3) रोजगार के अवसरों को उपलब्ध कराना चाहिए।

(4) जन जागरण द्वारा सामाजिक कुरीतियों को दूर करने का प्रयास करना।

(5) शिक्षा के प्रति सकारात्मक दृष्टिकोण को बढ़ावा देना।

(6) साक्षरता के प्रति समाजसेवी संस्थाओं में गतिशीलता पैदा करना।

(7) 15-35 आयु समूह के व्यक्तियों की शिक्षा की व्यवस्था पृथक से करना।

आगामी शोध के लिए सुझाव

(1) प्रौढ़ साक्षरता के लिए पाठ्यक्रम की उपयोगिता का अध्ययन।

(2) प्रौढ़ साक्षरता में अपनाई गई शिक्षण विधियों पर अध्ययन।

(3) प्रौढ़ शिक्षा के व्यावसायिक पहलुओं का अध्ययन।

(4) सामाजिक कुरीतियों को दूर करने में प्रौढ़ शिक्षा की सहभागिता का अध्ययन।

(5) जीविकोपार्जन में प्रौढ़ शिक्षा की भूमिका का अध्ययन।

संदर्भ ग्रन्थ

(1) बुच, एम.बी., (एजुकेशन) फोर्थ सर्वे ऑफ रिसर्च इन एफ़केशन (1983-89)।

(2) हरीश, प्रधान, प्रौढ़ शिक्षा विविध आयाम, अनुभूति प्रकाशन, उज्जैन (1987)।

(3) समाज कल्याण एवं एफ.एल. विटने, भारतीय शिक्षा और उसकी समस्याएँ, विनोद पुस्तक मंदिर, आगरा।

(4) पी.डी. पाठक एवं एफ.एल. विटने, भारतीय शिक्षा और उसकी समस्याएँ, विनोद पुस्तक मंदिर, आगरा।

(5) चच.के. कपिल, अनुसंधान की विधियाँ, हरप्रसाद भार्गव, आगरा।

मध्यप्रदेश की अनुसूचित जनजाति–'मवासी'

□ *श्रीमती डॉ. पारुल जोशी*

मध्यप्रदेश भारत का सर्वाधिक आदिवासी जनसंख्या वाला प्रदेश है। प्रदेश में 46 वन्य जाति समूह पाए जाते हैं, जो 160 से अधिक उपसमूहों में विभाजित हैं। मवासी मध्यप्रदेश की अनुसूचित जनजाति की सूची में क्रमांक 31 पर उल्लेखित एक जनजाति समाज है, इनका संक्षिप्त इथनोग्राफिक वर्णन निम्नलिखित है–

1. उत्पत्ति संबंधी इतिहास

मवासी जनजाति की उत्पत्ति के संबंध में कोई स्पष्ट अभिलेख नहीं मिलता है। इन्हें कोलारियन जनजाति समूह की एक शाखा माना जाता है। यह कोरकू जनजाति की एक शाखा है, जो मोवास क्षेत्र में निवास करने के कारण कालांतर मवासी के नाम से पहचाने जाने लगे। इस जनजाति के लोग मराठाकाल में कालीभीत और मेलघाट वन्य प्रदेश में निवास करते थे, जिसे मवास कहा जाता था। किंवदंती के अनुसार ये अपनी उत्पत्ति महादेव से मानते हैं। लंका के राजा रावण भगवान शिव को प्रसन्न करके लंका ले जा रहे थे, रास्ते में लघुशंका के कारण भगवान को पचमढ़ी में रख दिए तथा भगवान महादेव वहाँ स्थिर हो गए, उस समय यह क्षेत्र निर्जन था। भगवान महादेव ने एक कौवे को (कागेश्वर) अपना दूत बनाकर लाल मिट्टी लाने के लिए भेजा। सौलिगर तथा भांवनगढ़ (बैतूल जिला) के बीच से मिट्टी लाई गई। भगवान शिव ने इससे एक पुरुष तथा एक स्त्री की आकृति बनायी। भगवान इन्द्र के दो घोड़े उस समय पृथ्वी पर उतरकर उस मूर्ति को नष्ट कर दिए। भगवान महादेव ने अब सर्वप्रथम एक कुत्ते की आकृति का निर्माण किया तथा उसे अपने मंत्र से जीवित किया। कुत्ता दोनों घोड़ों को पकड़कर इन्द्र के पास छोड़ आया। महादेव ने स्त्री तथा पुरुष आकृति का निर्माण कर उसमें जीव डाला तथा इनका नाम मूला तथा मूली रखा गया। इनके साथ ही साथ महादेव ने महुआ, चिरौंजी, साँबों उत्पन्न किया। तब से मूला और मूली के वंशज मवासी और कोरकू जनजाति का प्रिय पशु कुत्ता है। महुए की शराब पीना, चिरौंजी एकत्र करना, इनकी दिनचर्या में शामिल है।

जिलेवार जनसंख्या वितरण

वर्ष 1981 की जनगणना अनुसार मध्यप्रदेश में मवासी जनजाति की कुल जनसंख्या 11013 है, जिसमें पुरुषों की जनसंख्या 5499 तथा स्त्रियों की जनसंख्या 5514 है। कुल जनसंख्या का लगभग 2.43 प्रतिशत भाग शहरी क्षेत्र में तथा 97.57 प्रतिशत भाग ग्रामीण क्षेत्र में निवास करती है। इसकी जिलेवार जनसंख्या वितरण निम्नलिखित सारणी में दर्शाई गई है–

		जिले		शहरी		ग्रामीण		कुल	
		पुरुष	स्त्री	पुरुष	स्त्री	पुरुष	स्त्री	योग	प्रतिशत
1.	पन्ना	-	-	56	42	56	42	98	0.89
2.	सागर	1	-	-	-	1	-	1	0.01
3.	सतना	-	-	677	688	677	688	1365	12.39
4.	शहडोल	38	37	17	18	55	55	110	1.00
5.	सीधी	-	-	-	1	-	1	1	0.01
6.	मदसौर	-	-	1	-	1	-	1	0.01
7.	इंदौर	1	1	-	-	1	1	2	0.02
8.	पश्चिमी तिमाड़	2	2	2	-	4	2	6	0.05
9.	भोपाल	1	1	-	-	1	1	2	0.02
10.	रायसेन	-	-	15	12	15	12	27	0.25
11.	बैतूल	21	25	4	8	25	33	58	0.53
12.	होशंगाबाद	33	19	119	107	152	125	277	2.52
13.	जबलपुर	4	18	119	107	152	125	277	052
14.	मंडला	-	-	-	6	-	6	6	0.05
15.	छिन्दवाड़ा	36	38	4384	4424	4420	4462	8882	80.65
16.	सिवनी	-	-	2	1	2	1	3	0.03
17.	सरगुजा	-	1	30	29	30	30	60	0.55
18.	विलासपुर	-	-	45	41	45	41	86	0.78
19.	रायगढ़	-	1	3	5	3	6	9	0.08
20.	राजनाँदगाँव	-	-	-	1	-	1	1	0.01
21.	दुर्ग	3	2	-	-	3	2	5	0.04
22.	बस्तर	-	-	4	2	4	2	6	0.05
	योग	140	129	5359	5385	5499	5514	11013	100.00

उपरोक्त सारणी से स्पष्ट है कि मवासी जनजाति की लगभग 80 प्रतिशत से अधिक जनसंख्या छिन्दवाड़ा जिले में निवास करती है। इसके अतिरिक्त सतना, शहडोल, होशंगाबाद आदि जिलों में भी इनकी जनसंख्या पाई जाती है।

भौतिक संस्कृति

मवासी जाति गोंड, भारिया आदि जनजाति के साथ ग्राम में निवास करती हैं। ग्राम कई ढानों में विभक्त होता है। इनके घरों की बसाहट टेकरियों में कुछ ऊँचाई पर होती है। कच्चे रास्ते के दोनों ओर मकान कतारों में बने होते हैं। मकान का निर्माण ये स्वयं करते हैं। गुरुवार के दिन अगरबत्ती नारियल आदि चढ़ा कर भूमिपूजन करते हैं तथा नींव खोदकर मिट्टी की दीवाल उठाते हैं। घर के चारों ओर परछी भी बनाते हैं, आगे तथा पीछे दरवाजा होता है, जिसे वे स्वयं बना लेते हैं। घर की छत घास-फूँस या देशी कवेलू की बनी होती हैं। घर के फर्श मिट्टी के बने होते हैं। तथा दीवालों पर सफेद या पीली मिट्टी की पोताई की जाती है। पीछे की परछी में रसोईघर होता है जहाँ एक चूल्हा, बर्तनों में कड़ाही, तवा, चिमटा, घड़ा, थाली, कटोरी, गिलास आदि होता है। पीछे के आँगन में मचान होता है, जिसमें पीने के पानी का घड़ा रखा रहता है। चूल्हे के बाजू में छीका होता है, जिसमें दूध, दही, सब्जी आदि मिट्टी के बर्तन में रखकर रखा जाता है। बीच के कमरे में देवता का स्थान, अनाज रखने की कोठी, कड़े टाँगने का बाँस तथा 'खटिया' आदि होता है। जानवरों का कोठा घर के बाजू में होता है। स्त्रियाँ प्रतिदिन घर में झाड़ू लगाती हैं तथा सप्ताह में एक बार गोबर तथा मिट्टी के घोल से फर्श को लीपती हैं।

शौच के लिए जंगल में जाते हैं, बबूल, हर्रे, रतनजोत आदि की डाली से दाँत साफ करते हैं। तीन-चार दिन के अन्तर से स्नान करते हैं। शरीर से मैल निकालने के लिए पत्थर के टुकड़े या नारियल के 'बूच' से शरीर को रगड़ते हैं। बाल धोने के लिए मिट्टी का उपयोग करते हैं। पुरुष दाढ़ी-मूँछ तथा सिर के बाल कटाते हैं। बालों में मूँगफली, गुल्ली आदि का तेल लगाते हैं। स्त्रियाँ बालों में 'जूड़ा' बनाती हैं। स्त्रियाँ और बच्चे आँखों में काजल लगाते हैं। स्त्रियाँ

हाथों में मेहँदी तथा पैरों में 'महुर' लगाती हैं। स्त्रियाँ गहनों की शौकीन होती हैं। पैरों में 'पैडी', तोड़ा, पैरपट्टी, हाथों में कँगना, गुलेठा, बाँह में बोहटा, गले में हँसली, चंद्रहार, नाक में लौंग व कानों में उमेठा तथा 'टॉप' पहनती हैं। वस्त्रों में पुरुष कुरता, धोती, बंडी आदि पहनते हैं। स्त्रियाँ अंगिया, पोलका, छींट तथा लूगड़ा पहनती हैं। वर्तमान में नवयुवक-नवयुवतियाँ पैंट-शर्ट, साड़ी-ब्लाउज आदि भी पहनने लगे हैं। गुदने के बहुत शौकीन होते हैं। स्त्रियों के हाथ, पैर, चेहरे पर गुदना होता है।

घरेलू उपयोगी वस्तुओं में चकिया, मूसल, सूपा, टोकरा, टोकरी आदि होता है। मछली पकड़ने के लिए 'कूमना' जाल, तथा खेती के औजारों में हल बखर, जुआड़ा, कुल्हाड़ी, गैंती, फावड़ा आदि होता है। वाद्य यंत्रों में ढोल, नगाड़ा, तंबूरा, खंजरी, डमरू, डफली आदि होता है। इनका मुख्य भोजन मक्का तथा ज्वार की रोटी, कोदो, कुटकी का भात, पेजा, उड़द आदि है। मछली, मुर्गी, बकरा, हिरन, खरगोश, चूहा, जंगली सूअर आदि का मांस खाते हैं। मिट्टी की चिलम में तंबाकू भरकर पीते हैं तथा त्यौहार, संस्कारों के अवसर पर महुए की बनी हुई दारू पीते हैं।

आर्थिक जीवन

आर्थिक जनजाति मुख्यतः कृषि, कृषि मजदूरी, जंगल मजदूरी, जंगल उपज संग्रह, पशुपालन, शिकार, मछली पकड़ना आदि कार्य करते हैं। इनकी खेती की जमीन पहाड़ी, पथरीली तथा ढलावदार असिंचित होने के कारण ज्वार, मक्का, कोदो, कुटकी, तुअर, उड़द व जगनी आदि की फसल बोते हैं। जंगली उपज में आंवला, चिरोंजी, हर्रा, तेंदूपत्ता, गोंद, शहद आदि एकत्र कर ठेकेदारों को बेचते हैं। वर्षा ऋतु में मछली पकड़ते हैं। बच्चे हिरण, बटेर, तीतर, कबूतर, पड़की, गिलहरी आदि को मारकर खाते हैं। पशुपालन मुख्यतः कृषि के लिए करते हैं। इनकी आर्थिक स्थिति काफी कमजोर होती है। वर्षा के समय अनाज की कमी के कारण महुआ, बुड़ुदाना आदि को उबालकर खाते हैं।

सामाजिक संरचना

मवासी जनजाति कोरकू जनजाति की ही उपजाति है। यह अंतः विवाही समूह होता है। ये अनेक गोत्रों में बँटे हुए होते हैं। जिनका अलग-अलग टोटेम होता है। एक ही गोत्र के लड़का तथा लड़की में विवाह नहीं हो सकता। इन्हें एक ही पूर्वज की संतान माना जाता है अतः भाई-बहन कहलाते हैं। रिश्तेदारी के संबंधों में रक्त संबंधों को अपेक्षाकृत अधिक नजदीकी माना जाता है। परिहार, परिहास तथा माध्यमिक संबोधन पाया जाता है। सामाजिक स्तरीकरण में मवासी जनजाति अपने को गोंड तथा भरिया से उच्च मानती हैं।

जीवन चक्र

(अ) जन्म–संतानोत्पत्ति को प्राकृतिक कार्य तथा भगवान की इच्छा मानते हैं। रजस्वला स्त्री को अपवित्र माना जाता है। देवी स्थल, रसोई में इनका प्रवेश निषिद्ध होता है। गर्भावस्था में कोई संस्कार नहीं करते। प्रसव, जाति की बुजुर्ग महिलाओं तथा 'सूईन, माईन माई' की उपस्थिति में कराया जाता है। प्रसव में कठिनाई होने पर 'भूमका' को बुलाकर झाड़-फूँक कराते हैं, देवी-देवता को मनौती करते हैं। बच्चे का नाल सुईन-माईन-माई काटती है तथा घर में ही गड्ढे खोदकर नाल को गाड़ते हैं। प्रसूता को सौंठ, पिपर, गुड़, अजवायन आदि से बनी हुई 'सूदक' पिलाते हैं। उड़द की दाल खाने के लिए दिया जाता है। प्रसव के छठे दिन छठी का संस्कार किया जाता है, जिसमें प्रसूता तथा बच्चे को नहलाकर सूरज तथा घर के देवी-देवताओं को प्रणाम कराया जाता है। रिश्तेदारों तथा सुईन-माईन-माई, भूका आदि को खाना खिलाते हैं। इस दिन बच्चे का नाम भी रखते हैं। बच्चे को 8-9 माह की उम्र में कोदो-कुटकी का भात खिलाना प्रारंभ करते हैं।

(ब) विवाह–विवाह की उम्र वर्तमान में लड़कों के लिए 16 से 20 वर्ष तथा लड़कियों के लिए 14 से 16 वर्ष उपयुक्त मानी जाती है। विवाह का प्रस्ताव वर पक्ष की ओर से वधू पक्ष के पास आता है। दोनों पक्षों में तय होने के बाद फलदान की रस्म अदा की जाती है। वरपक्ष की ओर से वधू पक्ष को खर्चा के रूप में अनाज, दाल, गुड़, तेल, नगद रकम आदि देते हैं। निश्चित दिन में दोनों पक्षों के घर 'मंडवा' बनाए जाते हैं। तेल, हल्दी का मिश्रण वर-वधू को लगाते हैं। वर पक्ष से लगभग 30-40 लोग पैदल या बैलगाड़ी में बाजा के साथ बारात जाते हैं। वधू तथा उसकी माँ के लिए लुगड़ा, पोलका आदि ले जाते हैं। दोनों पक्षों में शौर्य प्रदर्शन होता है, जिसे अखाड़ा कहते हैं। बाद में बारात के स्वागत के बाद मंडप पर वर-वधू फेरा लगाते हैं, इसे 'भांवर' फिरना कहते हैं। भोजन आदि कराकर दुल्हन को बारात के साथ विदाई दी जाती है। वर-वधू के आने पर वर के घर में भी कुछ रस्म की जाती है। एक-दो वर्ष के बाद गौना किया जाता है। तत्पश्चात नव दंपति का दाम्पत्य जीवन प्रारंभ हो जाता है।

(स) मृत्यु–मृत्यु के समय पुत्र रिश्तेदार आदि उपस्थित होते हैं। नर्मदा का जल मृतक के मुँह में डाला जाता है। मृत्यु से पूर्व जमीन को गोबर से लीपकर नीचे जमीन

पर लिटाया जाता है। मृत्यु उपरांत बाँस की उठरी बनाकर उसमें मृतक को लिटाते हैं, तथा नया सफ़ेद कपड़ा ओढ़ाते हैं। पुत्र-पौत्र आदि रिश्तेदार उठरी को कंधे पर रखकर श्मशान ले जाते हैं। मृतक को प्रायः दफनाया जाता है। कुछ व्यक्ति जो प्रतिष्ठित हों या सम्पन्न हों उन्हें जलाया जाता है। तथा इनकी अस्थियाँ विसर्जित करने हेतु नर्मदा ले जाते हैं। दाह-संस्कार के बाद लोग कतार बनाकर वापस घर आते हैं। तीसरे दिन मृतक के नाम से गाँव में 'बुन्ना' (कुटकी का भात) 'चिवां' (मुर्गी का बच्चा), खारेक आदि चढ़ाते हैं। तत्पश्चात रिश्तेदार तथा पुत्र-पौत्रादि सर के बाल कटाते हैं और रिश्तेदारों को भोजन कराते हैं। इस दिन देवी-देवताओं की पूजा की जाती है तथा मृत आत्माओं को पूर्वजों के साथ शामिल करने की विधि 'भूमिका' बुलाकर करायी जाती है। प्रति वर्ष पितृपक्ष में पूर्वजों को पानी देते हैं, तथा उनके नाम से दाल-भात आदि कौवे को खिलाते हैं।

राजनीतिक संगठन

इस जनजाति की अपनी परंपरागत जाति पंचायत पाई जाती है, जिसमें विभिन्न पदाधिकारी होते हैं। यह पद प्रायः अनुवांशिक होता है। जाति पंचायत जाति के देवी-देवताओं की पूजा व्यवस्था करना, जाति से बाहर विवाह को रोकना, निकटाभिगमन, अनैतिक संबंधों को रोकने तथा छूटा आदि के झगड़े को निपटाने का कार्य करती है, दोषी व्यक्ति को प्रायश्चित्त कराते हैं, तथा उससे नगद रकम तथा जाति भोज के रूप में दंड वसूल किया जाता है। जाति-पंचायत के निर्णय का उल्लंघन करने पर जाति के सामाजिक संबंधों से उसे अलग कर दिया जाता है। इस समय दोषी व्यक्ति के साथ रोटी-बेटी का संबंध कोई भी नहीं रखता।

धार्मिक जीवन

मवासी जनजाति बहुदेववाद में विश्वास करती है। इनके मुख्य देव पचमढ़ी के महादेव हैं। इनके अतिरिक्त नदी, पर्वत, वृक्ष, सूरज, चाँद, अग्नि, पवन आदि प्राकृतिक तथा राम, कृष्ण, हनुमान, गणेश, दुर्गा, लक्ष्मी आदि हिन्दू देवी-देवताओं की भी पूजा करते हैं। स्थानीय ग्राम्य देवी-देवताओं के रूप में मुठवा, हरदुल लाला, भैसासुर, धुरलापाट, भीमसेन जोगनी बागदानी आदि की पूजा करते हैं। इनके मुख्य त्यौहार बिदरी, अखाड़ी, जीवती, पंचमी, आठे, पोला, तीजा, गणेश चतुर्थी, पितरपाक, दशहरा, दीवाली, महाशिवरात्रि, होली आदि हैं। देवी-देवताओं की पूजा के समय नारियल, मुर्गा, बकरा आदि की बलि दी जाती है। दाल-भात, पूड़ी-भजिया आदि बनाते हैं। त्यौहार के अवसर पर दारू भी पीते हैं। भूत-प्रेत, जादू-टोना, आदि में विश्वास करते हैं। प्रत्येक ग्राम में मंत्र-तंत्र

करने वाला एक भूमका तथा दो-तीन 'पड़ीहार' होते हैं। ये बीमारी के समय मंत्र-तंत्र, जड़ी-बूटी द्वारा इलाज भी करते हैं।

लोक कलाएँ

यह जनजाति संगीत, नृत्य की शौकीन होती है। दीवाली के समय शैला तथा होली के समय रहस नाचते हैं। स्त्री तथा पुरुष विवाह के समय विहाव नाच नाचते हैं। पड़की नाच भी स्त्रियाँ नाचती हैं। लोकगीतों में विहाव गीत, पड़की गीत, भोजलिया गीत, भजन, फाग आदि हैं। घरों की दीवालों पर मिट्टी से मूर्तियाँ भी बनाते हैं, जिनमें मोर, शेर तथा घड़ा, फूल, बेल-बूटा आदि मुख्य हैं।

शिक्षण

शिक्षण का प्रतिशत इनमें काफी कम है। वर्ष 1981 की जनगणना के अनुसार शिक्षण का प्रतिशत 4.09 था। पुरुषों में शिक्षण 7.22 प्रतिशत तथा स्त्रियों में शिक्षण 0.96 प्रतिशत था जो कि मध्यप्रदेश के कुल शिक्षा स्तर से काफी कम था।

परिवर्तन

बाह्य सम्पर्क, शिक्षण, संचार तथा यातायात के साधनों के कारण बाह्य दुनिया के प्रभाव में धीरे-धीरे आ रहे हैं, इनमें परिवर्तन आता जा रहा है। इनके रहन-सहन, वस्त्र विन्यास, खान-पान, शिक्षण, कृषि आदि के क्षेत्रों में महत्त्वपूर्ण परिवर्तन आया है। परंपरागत लोककलाएँ धीरे-धीरे लुप्त हो रही हैं।

समस्याएँ

इनकी मुख्य समस्याएँ आर्थिक हैं, जिनमें सिंचाई का अभाव, परंपरात पद्धति से कृषि, अर्थाभाव, रोजगार की कमी, शिक्षण की कमी, अंधविश्वास आदि मुख्य हैं। अस्वच्छता, कुपोषण, टीकाकरण की कमी तथा चिकित्सकीय सुविधाओं का अभाव, रोगोत्पत्ति संबंधी अंधविश्वास भी बहुत बड़ी समस्या है।

अनुसूचित जाति, अनुसूचित जनजाति एवं अन्य वर्ग के किशोरों की समस्याएँ : एक मनोवैज्ञानिक अध्ययन

भारतीय समाज में अनेक संस्कृतियों का समावेश है। भारत एक ऐसा देश है जिसमें विभिन्न प्रकार के धर्म, जातियाँ, जनजातियाँ, संस्कृति और सभ्यता का प्रतिनिधित्व है। हमारी सभ्यता व संस्कृति किशोरावस्था को अधिक जटिल, तनावपूर्ण एवं संकटपूर्ण बनाती है। 1947 में भारत अंग्रेजी साम्राज्य के हाथों से मुक्त हुआ। तत्पश्चात, भारत का संविधान तैयार किया गया। उसमें सार्वभौमिक अधिकारों की घोषणा की गई कि किसी भी नागरिक के साथ जाति, धर्म, आयु, व्यवसाय, लिंग भेद आदि के आधार पर पक्षपात नहीं किया जाएगा। स्वतंत्रता प्राप्ति के इतने वर्ष बीत जाने के बाद भी अनुसूचित जाति, अनुसूचित जनजाति के लोगों की अनेक सामाजिक एवं आर्थिक समस्याओं का समाधान नहीं हो पाया है। यद्यपि इस संबंध में जनमत काफी सीमा तक प्रेरित हुआ है फिर भी विशेष परिणाम दृष्टिगोचर नहीं होते।

आधुनिक तथा मध्यमवर्गीय समाज संस्कृति में किशोरावस्था के विकास पर पड़ने वाले प्रभावों पर पर्याप्त अध्ययन हो चुके हैं, किन्तु अनुसूचित जाति जनजाति पर जो कि भारतीय संदर्भ में अपनी विशिष्ट सामाजिक, सांस्कृतिक संरचना के आधार पर अलग पहचान रखते हैं, अभी तक गहन दृष्टि नहीं डाली गई है।

किशोरावस्था के संबंध में यह परंपरागत विश्वास रहा है कि यह विकास की एक क्रान्तिकारी अवस्था है। इस अवस्था के बालक को न बालक कह सकते हैं और न ही प्रौढ़ कह सकते हैं। उसे सरलता से वयस्क का दर्जा नहीं दिया जाता है। अतः किशोर की समाज में द्वन्द्वपूर्ण स्थिति बन जाती है। फलस्वरूप उसका माता-पिता, अध्यापक व अन्य प्रौढ़ों से टकराव होता है। स्वतंत्रता के लिए किशोर को संघर्ष करना पड़ता है। समाज में पाए जाने वाले दोहरे मापदंड भी किशोर के लिए कठिनाई उत्पन्न करते हैं। अतः यदि कहा जाए कि हमारी व्यवस्था किशोरावस्था को जटिल एवं संकटपूर्ण बनाती है तो कोई आश्चर्य नहीं है। इस अवस्था में किशोरों के शारीरिक एवं मनोवैज्ञानिक गुणों में परिवर्तन प्रौढ़ावस्था की दिशा में होते हैं। यह 11 वर्ष से लेकर 21 वर्ष की अवस्था होती है।

उद्देश्य

अनुसूचित जाति, अनुसूचित जनजाति व अन्य किशोर-किशोरियों के स्वास्थ्य तथा शारीरिक विकास, रहन-सहन तथा रोजगार, सामाजिक और मनोरंजनात्मक समस्याएँ, कोर्टशिप लैंगिक और विवाह संबंधी समस्याएँ, सामाजिक-मनोवैज्ञानिक संबंधों, व्यक्तिगत-मनोवैज्ञानिक संबंधों, नैतिक एवं धर्म से संबंधित समस्याओं, शिक्षा एवं व्यवसाय से संबंधित समस्याओं, स्कूल में समायोजन से संबंधित तथा समय चक्र व शिक्षा से संबंधित समस्याओं को ज्ञात करना।

उपकल्पना

अनुसूचित जाति, अनुसूचित जनजाति व अन्य किशोर-किशोरियों की उपरोक्त समस्याओं में सार्थक अंतर नहीं है।

तकनीक एवं सामग्री—तथ्यों के संकलन के लिए एक मानकीकृत 'समस्या जाँच सूची' का प्रयोग किया गया है। इस सूची में कुल 330 प्रश्न हैं, जो कि किशोरावस्था की 11 समस्याओं पर आधारित हैं। प्रत्येक समस्या से संबंधित कुल 30 प्रश्न हैं।

अध्ययन क्षेत्र

झाबुआ तहसील में कुल 132 गाँव हैं, उनमें से समूह निदर्शन विधि द्वारा क्षेत्र में से 18 आदिवासी गाँवों का चयन किया गया। तहसील के 90 प्रतिशत आदिवासी छोटे-छोटे फलियों में बँटे हुए हैं, ये फलिए मिलकर एक गाँव का निर्माण करते हैं। इसलिए किशोर आदिवासियों की संख्या अनुसूचित जाति व अन्य वर्ग से अधिक है। अध्ययन के लिए भी 63 लड़के व 63 लड़कियाँ अनुसूचित जनजाति के व 25-25 अनुसूचित जनजाति के व 25-25 अन्य किशोर व किशोरियों को चुना गया है।

परिणाम एवं विश्लेषण

अनुसूचित जाति के किशोर व जनजाति की किशोरियों में ज्यादा देखी गई है। माध्यम से विचलन में नकारात्मकता यह दर्शाती है कि तीनों ही समूह के किशोर अपने स्वास्थ्य के प्रति लापरवाह हैं। स्वास्थ्य व पोषण संबंधित समस्याएँ किशोरों में नहीं हैं।

वित्तीय रहन-सहन की स्थिति तथा रोजगार से संबंधित समस्याएँ

अनुसूचित जाति व अन्य वर्ग की तुलना में अनुसूचित जनजाति में ज्यादा देखी गई है। साथ ही विचलनात्मक तथ्यों से स्पष्ट होता है कि यह समस्या किशोरों की प्रमुख समस्या है। किशोरों को हमेशा लगता है कि उन्हें अपने साथियों की अपेक्षा कम धन

मिलता है, उनके पास थोड़े कपड़े हैं, जीविका चलाने के लिए काम करना, इस कारण इस पक्ष में किशोर एवं किशोरी की समस्याएँ तीनों समूहों में साहचर्य रूप से अत्यधिक देखी गई हैं।

सामाजिक एवं मनोरंजनात्मक क्रियाओं से संबंधित समस्याएँ किशोरों की समस्याएँ हैं परंतु अनुसूचित जाति व अन्य वर्ग की किशोरियों में अधिक हैं। अनुसूचित जनजाति में मनोरंजनातमक क्रियाएँ सामूहिक होती हैं।

कोर्टशिप-लैंगिक और विवाह

यह झाबुआ के किशोरों की प्रमुख समस्याएँ नहीं हैं। अनुसूचित जाति के किशोरों में देखी गईं, लेकिन वह भी नहीं के समान हैं। भारतीय संस्कृति में विवाह माता-पिता का उत्तरदायित्व होता है अतः किशोरों ने यह स्वीकार भी किया है। अध्ययन क्षेत्र के किशोर-किशोरियों में वैवाहिक प्रक्रम एक सामाजिक समस्या नहीं है।

सामाजिक, मनोवैज्ञानिक संबंधों से संबंधित समस्याएँ

अनुसूचित जनजाति के किशोरों में सर्वाधिक देखी गई हैं। उनमें सामाजिकता कम देखी गई है। क्योंकि वे वातावरण के कारण संकट में पड़ जाते हैं। जिससे बिना सोचे-समझे बहस को तूल देकर मरने-मारने के लिए तैयार हो जाते हैं। यदि उन्हें ज्यादा रोका टोका जाए तो भड़क उठते हैं। जबकि व्यक्तिगत मनोवैज्ञानिक समस्या अन्य वर्ग के किशोरों में देखी गई है। अनुसूचित जाति की किशोरियों में व जनजाति के किशोरों में लगभग समान है। किशोर स्वयं की पहचान न बना पाने से उत्पन्न हीन भावना और जीवन की व्यर्थता अनुभव करने जैसे मनोवैज्ञानिक दबाव महसूस करते हैं, अतः यह समस्या अन्य वर्ग के किशोरों पर अधिक हावी है।

नैतिकता एवं धर्म से संबंधित समस्याएँ

अनुसूचित जनजाति के किशोरों में अधिक देखी गई हैं परंतु अनुसूचित जनजाति में नैतिकता का अर्थ है ऐसे कार्य करना, जो कि स्वयं के साथ-साथ दूसरों के लिए भी कल्याणकारी हों। अनुसूचित जाति व अन्य वर्ग में अभिभावक, विद्यालय व शिक्षक व प्रौढ़ इस बात के लिए चिंतित रहते हैं कि किशोर इनको प्राप्त करें क्योंकि किशोरावस्था में सीखे गए ये व्यवहार ही जीवन पर्यन्त चलते हैं। अतः इन दोनों वर्गों में समस्याएँ कम देखी गईं।

धार्मिक प्रक्रिया में लड़के-लड़कियों की समान रूप से भागीदारी होती है, वे रूढ़ियों को भी मानते हैं, अतः रूढ़ियों से उत्पन्न समस्याएँ किशोरों में होती हैं। वे झगड़ों में पड़ जाते हैं तथा सोच-समझकर काम नहीं करते, साथ ही वे बहकावे में जल्दी

आ जाते हैं। अनजाने में झगड़ा करना, मारपीट करना जैसी समस्याएँ उनमें सामान्य हैं। अतः किशोर अनुसूचित जनजाति का अस्तित्व खतरे में है।

घर एवं परिवार से संबंधित समस्याएँ

अनुसूचित जाति की किशोर व जनजाति के किशोर एवं किशोरी दोनों में अन्य वर्ग की तुलना में अधिक पाई जाती हैं। अनुसूचित जाति व अनुसूचित जनजाति के किशोरों में घरेलू विद्रोह तथा सामाजिक एवं भावनात्मक विस्फोट होते ही रहते हैं जिससे समस्याएँ और भी जटिल हो जाती हैं। आज उन्हें द्वन्द्वपूर्ण सामाजिक दबावों का सामना करना पड़ रहा है।

शिक्षा व व्यवसाय से संबंधित समस्याएँ

अनुसूचित जाति व अन्य वर्ग में अनुसूचित जनजाति की अपेक्षा ज्यादा देखी गई हैं। जिन व्यवसायों में अनुसूचित जाति के व्यक्ति संलग्न हैं, इनमें बहुत कम आय होती है तथा ये व्यक्ति अपना शारीरिक श्रम बेचकर ही धन, सुविधा प्राप्त करते हैं। इन व्यवसायों द्वारा जो आय होती है उस आय द्वारा जीविकोपार्जन करना भी कठिन होता है। अनुसूचित जातियों में शिक्षा का सर्वसुलभीकरण न होने के कारण संविधान द्वारा प्रदत्त अनेक सहूलियतों से ये जातियाँ वंचित रह जाती हैं। उदाहरणार्थ अगर शिक्षा नहीं है तो नौकरियों में आरक्षण बेमानी हो जाता है। इसलिए किशोरों में यह समस्या प्रमुख रूप से देखी गई है। अनुसूचित जनजाति में पुश्तैनी व्यवसाय को प्राथमिकता देने से नौकरी संबंधी समस्याएँ कम होती हैं।

स्कूल में समायोजन संबंधित समस्याएँ अनुसूचित जाति व अन्य वर्ग की किशोरियों में अधिक देखी गई हैं। किशोरियों में यौवन के चिह्न प्रकट होने के पहले ही प्रायः माता-पिता बालिकाओं को विद्यालय से निकाल लेते हैं तथा सामाजिक आलोचनाओं से बचने के लिए ये किशोरियों को जल्दी, कम उम्र में वैवाहिक प्रक्रम में डाल देते हैं। पारिवारिक समस्याओं के कारण शैक्षणिक अभियान के प्रति इनकी अभिरुचि कम होने से वे शिक्षात्मक पहलुओं से समायोजन नहीं कर पाती हैं। जिसके दुष्परिणाम यह होते हैं कि वे अपने कर्त्तव्यों से वंचित रहकर परिवार एवं समाज की किशोरियों का सही एवं उचित मार्ग दर्शन नहीं कर पाते हैं।

समय चक्र एवं शिक्षा से संबंधित अभिरुचि केवल अन्य वर्ग के किशोरों में ही

देखी गई हैं क्योंकि वर्तमान परिवेश में आधुनिकीकरण पूर्णतः हावी हो चुका है इसलिए शिक्षा के प्रति बदलते समय चक्र के साथ प्रतिस्पर्धा होने से ये शिक्षा के प्रति अत्यधिक जागरूक दिखाई देते हैं यहाँ तक कि शिक्षा प्राप्त करना इनका महज मकसद ही नहीं वरन् अपने शैक्षणिक ज्ञान के आधार पर रोजगार प्राप्त करने एवं व्यवसाय के प्रति भी रुझान बढ़ा है। अनुसूचित जाति एवं जनजाति में शिक्षा के प्रति जागरूकता कम है इसलिए किशोरों में समस्याएँ भी कम हैं जबकि अन्य वर्ग में जागरूकता अधिक होने के कारण वे समझने लगे हैं कि शिक्षा कैसी व क्यों होनी चाहिए।

निष्कर्ष

अनुसूचित जाति, जनजाति व अन्य तीनों समूहों में वित्तीय रहन-सहन, स्थिति एवं रोजगार से संबंधित समस्याएँ सर्वाधिक हैं। किशोरों के सामाजिक-सांस्कृतिक संबंधों के विश्व में मारप्रेड मीड (1928) के अध्ययनों में काफी स्पष्ट अलग तरह के संकेत मिलते हैं। उन्होंने अमेरिकी मनोवैज्ञानिकों को चुनौती देते हुए बताया कि समोआ जनजाति में किशोरावस्था तनावों और समस्याओं की अवस्था न होकर आनंदपूर्ण अवस्था होती है, लेकिन प्रस्तुत अध्ययन के अनुसार अनुसूचित जाति में किशोरावस्था में समस्याएँ पाई तो जाती हैं किन्तु सामान्य व अनुसूचित जाति के किशोरों की तुलना में ये समस्याएँ सर्वाधिक हैं। अनुसूचित जाति के किशोरों, जनजाति व अन्य की किशोरियों में समस्याएँ बराबर हैं। इससे यह निष्कर्ष निकलता है कि तीनों समूहों में किशोरावस्था में समस्याएँ पाई जाती हैं।

अगरिया : द्रविड़ परिवार की असुर समझी जाने वाली एक पिछड़ी जनजाति

मध्यप्रदेश राज्य की विंध्य एवं सतपुड़ा पर्वतमाला तथा प्रदेश के पूर्वी अंचल छत्तीसगढ़ में निवासरत 'अगरिया' जनजाति मध्यप्रदेश के लिए मान्य 46 अनुसूचित जनजातियों में एक है। यह द्रविड़ मूल की जनजाति है, जिसे गोंड जनजाति की उपजाति माना जाता है। परंतु अपने जन्म की पृथक किंवदंतियों एवं व्यावसायिक विशेषज्ञता लिए इस जनजाति की पृथक पहचान कायम है। मध्यप्रदेश राज्य के लिए घोषित अनुसूचित जनजाति की सूची में पृथक से सूचीबद्ध होने के साथ-साथ गोंड जनजाति के साथ भी इसे सूचीबद्ध किया गया है। इस स्थिति से कहीं-कहीं इनकी गणना पृथक अगरिया समुदाय के रूप में की गई है, परंतु अधिकांशतः गोंड जनजाति के साथ गणना में जुड़ जाने से पृथक पहचान के रूप में इनकी संख्या भ्रामक सी हो गई है।

उपलब्ध आँकड़ों के आधार पर अगरिया जनजाति की जनसंख्या मध्यप्रदेश राज्य में 1961 की जनगणना में 11793 एवं 1971 की जनगणना में 17548 आँकी गई है। 1981 की जनगणना के आँकड़े समूहवार उपलब्ध नहीं हैं पर पूर्व की जनगणना में उल्लिखित जिलों में पृथक से दर्शायी संख्या के आधार पर अनुमान है कि इस जनजाति की संख्या 26000 के लगभग है। जनगणना में जिन जिलों में यह संख्या दर्शायी गई है वे हैं, शहडोल, सीधी, छतरपुर, सतना, पन्ना, एवं रीवा। परन्तु मंडला, बालाघाट, बिलासपुर, रायपुर, दुर्ग, रायगढ़, सरगुजा जिलों में अगरिया जनजाति की एक अच्छी-खासी जनसंख्या है। इस स्थिति के निर्मित होने का कारण इनकी गणना वृहद् गोंड जनजातीय समुदाय के साथ हो जाना है।

इस जनजाति का नामकरण 'अगरिया' आग से कार्य करने के कारण पड़ा माना जाता है। इस जनजाति के लोग विभिन्न पर्वत श्रेणियों से भूरे-लाल रंग के पत्थरों को काटकर कोयले की आग बनाकर उसमें पत्थर गला लोहा निकालने में सिद्धहस्त रहे हैं। इस प्रकार से पत्थर को लोहे का रूप देकर यह जनजाति स्थानीय कृषि व्यवस्था में अपना महत्त्वपूर्ण योगदान करती रही है। आज भी दूरस्थ अंचलों में पत्थर गलाकर लोहा निकालते

अगरिया परिवार देखे जा सकते हैं। समुदाय का परम्परागत कौशल जो है। लोहा बनाने की पुरानी विधि उनकी जातीय धरोहर है आज की लौह युग से आगे निकल गई दुनिया का उन्हें भान है, पर परंपरागत विरासत से जुड़ा अगरिया अपनी लीक पर कायम है। बाहरी प्रभाव का असर उन पर न हो, ऐसा नहीं है। लोहा, खरीदकर भी, कृषि उपकरण अगरिया द्वारा गलाकर निकाला गया लोहा कुछ स्थानीय लोगों की दृष्टि में कच्चा लोहा कहलाता है।

इस जनजाति के सदस्य अपने आपको गोंड जनजाति का अंग मानते हैं। परंतु अपने को 'लोहासुर' से संबंधित कर उसकी संतान होने का दावा करते हैं। लोहासुर एवं सूर्य देवता के संघर्ष के पश्चात् जंगलों में छुपना, गोंड जनजाति के यहाँ शरण लेना, विभिन्न क्षेत्रों में फैलना इनकी किंवदंतियों के अंग हैं। सरगुजा ज़िले के आदिवासी अंचलों में 'बारह भाई असुर, तेरह भाई लोहार' की किंवदंती प्रचलित है, जिससे अगरिया जनजाति की उत्पत्ति की मूल अवधारणा पर कुछ प्रकाश पड़ता है। किंवदंती के अनुसार असुर एवं लोधा आपस में भाई थे। लोधा की संतान कालान्तर में विश्वकर्मा (लोहार) के नाम से जानी जाकर वृहद् हिन्दू समाज का अंग बनी, जबकि असुर की संतान पहाड़ी एवं जंगली क्षेत्रों में गई, जहाँ बहुसंख्यक गोंड जनजाति का निवास स्थल था। बहुसंख्यक गोंड जनजाति की सहवर्ती होने से कालांतर में यह जनजाति गोंड जनजाति का एक अंग बन गई। परंतु गोंडों की सामाजिक नियंत्रण की व्यवस्था में राजपूत राजतंत्रों की भाँति ग्राम से लेकर गोंड राजधानी स्थल तक नियंत्रण की एक प्रणाली विकसित होने के फलस्वरूप व्यावसायिक विभाजन की एक रूपरेखा तैयार होने से हिंदू समाज-रचना की तरह अर्थ तंत्र की व्यवस्था के रूप में विकसित समूहों का स्वरूप भी जजमानी व्यवस्था की भाँति ही गोंड जनजातीय व्यवस्था का अंग तो है, पर पृथक-पृथक व्यावसायिक दायित्व का भार वहन करने के कारण आज पृथक जातीय समुदाय के रूप में प्रतिष्ठित हो चुकी है। पत्थर पिघलाकर निकले लोहे से कृषि कार्य में प्रयुक्त होने वाले औजार बनाने में पारंगत अगरिया भी गोंड जजमानी प्रणाली का एक अंग हैं।

प्रदेश में अगरिया का फैलाव

1911 की जनगणना में इस जनजाति का फैलाव मैकल पर्वत श्रेणी के विस्तृत अंचलों के बीच मंडला, रायपुर एवं बिलासपुर जिलों में पाया गया है। वैरयर एलविन के मत में 'अगरिया' जनजाति का निवास स्थल मंडला जिले में डिंडोरी तहसील, बिलासपुर जिले के पूर्वी भाग के भीतर में स्थित जमींदारियाँ, रायपुर, सम्पूर्ण जिला तथा पूर्ववर्ती रीवा

राज्य (वर्तमान के रीवा, शहडोल, सीधी एवं सतना जिले), सरगुजा जिला, उदयपुर एवं जशपुर राज्य (वर्तमान में रायगढ़ जिला का हिस्सा) है। एलविन अगरिया का फैलाव मंडला से प्रारंभ कर बिहार राज्य के नेतरहाट तक मानते हैं। जिसकी उत्तरी सीमा उत्तरप्रदेश के मिर्जापुर जिले तक जाती है। श्री आर.बी. रसेल एवं हीरालाल अगरिया का निवास स्थल मंडला रायपुर एवं बिलासपुर जिलों में मानते हैं। 1961 की जनगणना में अगरिया जनजाति का फैलाव शहडोल, सीधी, छतरपुर, सतना एवं रीवा में दर्शाया गया है, 1971 की जनगणना में 1961 के फैलाव के साथ-साथ पन्ना जिलों में एक अच्छी-खासी जनसंख्या इस जनजाति की पाई गई है। यद्यपि छतरपुर, सतना एवं रीवा में इनकी संख्या नगण्य सी दिखती है, पर जनगणना में दर्शित फैलाव अगरिया जनजाति के विकास के संबंध में सही स्थिति स्पष्ट नहीं करते। इसका प्रमुख कारण इस जनजाति के प्रमुख फैलाव की जगहों पर इनकी गोंड जनजाति के अंग के रूप में हो जाना है। जैसाकि पूर्व में उल्लेख किया गया है, राज्य के लिए शोषित अनुसूचित जनजाति की सूची में इस जनजाति का पृथक अस्तित्व होते हुए भी गोंड जनजाति के साथ भी नाम अंकित है।

जनसंख्या

1911 की जनगणना में मैकल पर्वत श्रेणी में 9500 अगरिया निवासरत बताए गए हैं। 1961 एवं 1971 की जनगणना के अगरिया जनजाति से संबंधित आंकड़े यद्यपि प्रदेश में इस जनजाति के फैलाव का सही स्वरूप प्रस्ततु नहीं करते, फिर भी दोनों ही जनगणना की स्थिति निम्नानुसार है–

अगरिया जनजाति की जिलेवार जनसंख्या (जनगणना पर आधारित)

क्रमांक	जिले का नाम	जनसंख्या	(जनगणना)
		1961	1971
1.	शहडोल	6799	8672
2.	सीधी	4979	6286
3.	छतरपुर	8	14
4.	सतना	5	7
5.	रीवा	2	4
6.	पन्ना	-	2565
	कुल	11793	17548

उपर्युक्त आंकड़े मंडला, सरगुजा, बिलासपुर, रायगढ़, दुर्ग, बालाघाट, रायपुर में बसे अगरिया जनजाति के नहीं हैं। इन जिलों में इस जनजाति की गणना पृथक से न होकर गोंड जनजाति में हो गई लगती है, क्योंकि अनुसूचित जनजाति की सूची में पृथक से अगरिया नाम होने के बावजूद यह गोंड जनजाति के साथ सम्मलित है। यहाँ के अगरिया भी अपने आपको गोंड समुदाय का एक अंग मानते हैं। रायपुर जिले में अगरिया एवं रावण वंशम् गोंड जनजाति में आपसी वैवाहिक संबंध भी होते हैं।

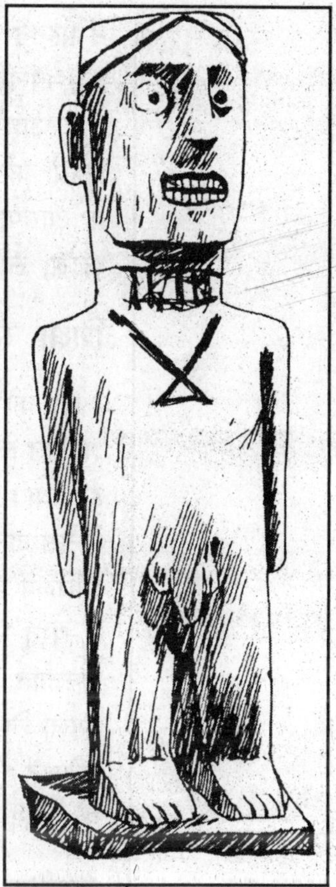

शारीरिक बनावट एवं वेशभूषा

सामान्यतः अगरिया काले रंग एवं छोटे कद के होते हैं। वर्गाकार गोल सिर, मोटे ओंठ, चौड़ी भारी नाक, लंबे बाल अगरिया की पहचान हैं। उन्हें सीधा सुस्त एवं आलसी के रूप में जाना जाता है। कभी भी अगरिया चुस्त दुरुस्त दिखाई नहीं देते। इनकी औरतें यदा कदा ही आकर्षक दिखती हैं। पत्थर गलाने, आग का काम करने के कारण भी शारीरिक सौंदर्य प्रभावित होता है।

पुरुषों का पहनावा धोती एवं 'वक्खी' बंडी है। अधिकतर पुरुष सिर पर साफा बाँधते हैं। स्त्रियाँ जनानी (साड़ी) पहनती हैं। परन्तु केवल सफेद रंग की साड़ी ही पहनी जाती है। इनका विश्वास है कि अन्य रंग की साड़ी पहनने से चुड़ैल पीछा करती है। जनानी साड़ी के अतिरिक्त सफेद रंग का 'पोलका' पहनने का रिवाज भी है। बच्चे लंगोटी, कमीज एवं लड़कियाँ फ्रॉक पहने दीखती हैं। प्रायः यह देखा गया है कि अगरिया जनजाति की वेशभूषा को पृथक स्वरूप नहीं दिया जा सकता। इसका कारण यह है कि अगरिया कहीं गोंड जनजाति के बीच वह निवासरत हैं, उनके पहनावे, आचार-व्यवहार का स्पष्ट प्रभाव अगरिया पर है। दूसरे शब्दों में अगरिया संस्कृति पर मिलीजुली जनजातीय संस्कृति का असर है। कपड़ों के अतिरिक्त स्त्री एवं पुरुष दोनों ही आभूषणों का प्रयोग करते हैं। पुरुष वर्ग चूड़ा (लोहे के गिलट की चूड़ी जैसा बाँह में पहनने का), उतरना (चाँदी या गिलट का कान के ऊपरी हिस्से में पहनने का), फूला (सोने या चाँदी का कान में पहनने का), लुरकी (कान में पहनने की पीतल की), मुंदरी (पीतल की अँगूठी) पहनते हैं। बच्चों को मोहर (लाल धागे में बँधे चाँदी के सिक्के) प्रायः पहने हुए देखा जा सकता है। स्त्रियाँ चुटकी (चाँदी या गिलट पैरों की अँगुलियों में पहनने हेतु), चुटका (चाँदी या गिलट का पैरों की अँगुलियों के लिए), करडोरा (कमर की करधनी चाँदी या गिलट की), बखुरा (नागगुरी हाथ की कोहनी के ऊपर पहनने का), चाँदी की बिंदिया, फून्दराख (सूत, ऊन, प्लास्टिक के बने फूल), चिन मुंदरी (बाते की अँगूठी), पाता (चाँदी का कड़ा), बारी (कान

में पहनने का चाँदी का छल्ला), फूला (कान के नीचे), तोड़र (पैरों में पहनने का चाँदी का), बखुरी (हाथों में), हवाल (सिद्धों की माला) आदि उल्लेखनीय हैं।

आभूषणों के अतिरिक्त स्त्रियों का सबसे बड़ा आभूषण गोदना है। यह प्रायः स्त्रियों को पाँच-छः वर्ष की आयु में ही गोदवा दिया जाता है। मस्तक, चेहरा, स्तनों के आसपास तथा पैरों में घुटने के नीचे गोदवाने का रिवाज है। शारीरिक श्रृंगार हेतु फंदरा, स्नो, पाउडर, फीते (रिबन) आदि का रिवाज भी किशोरियों में बढ़ रहा है।

शिक्षा स्तर

1961 की जनगणना में सीधी जिले में जनजाति में शिक्षा का स्तर 1.010 प्रतिशत एवं शहडोल जिले में 2.37 प्रतिशत था, जो 1970 में क्रमशः 4.49 प्रतिशत एवं 6.23 प्रतिशत हो गया। यह प्रतिशत दोनों ही जिलों के जनजातीय प्रतिशत से कम था। अन्य जिलों में इस जनजाति की शिक्षा का स्तर गोंड जनजाति के साथ प्रतिशत से कम था। अन्य जिलों में इस जनजाति की शिक्षा का स्तर गोंड जनजाति के साथ होने से उपलब्ध नहीं है, परंतु मंडला जिले के मबई विकास खंड में 1990 में किए गए एक सर्वेक्षण में इस जनजाति की शिक्षा का स्तर 8.47 प्रतिशत आँका गया। यदि हम इस प्रतिशत को मंडला जिल की जनजातीय प्रतिशत (14.59%) एवं राज्य अनुसूचित जनजाति साक्षरता प्रतिशत (10.69%) से तुलना कर देखते हैं तो ऐसा स्पष्ट है कि अगरिया साक्षरता में काफी पीछे हैं।

अगरिया जनजाति की भौतिक संस्कृति

अगरिया जनजाति की कोई बसाहट नहीं, वह तो गोंड, बैगा व अन्य जनजातीय ग्रामों में एक या दो परिवार के साथ बसता है। कहीं तो 2-3 ग्रामों में एक अगरिया परिवार निवासरत मिलता है। इसलिए बसाहट का कोई प्रतिमान नहीं। इनका घर अन्य स्थानीय जनजातियों की तरह ही होता है। पत्थर गलाने, लोहा निकालने एवं कृषि उपकरण बनाने हेतु स्थान अवश्य पृथक रहता है।

इस जनजाति के घर मुख्यतः बाँस तथा मिट्टी के बने होते हैं। मंडला, बालाघाट में इनके घरों में खपरैल दीखती है जिन्हें अगरिया स्वयं बनाते हैं। कहीं-कहीं छाजन में घास का प्रयोग भी होता है। इनके घरों को मुख्य रूप से तीन भागों में बाँटा जा सकता है।

1. मुख्य घर—बड़ा कमरा सोने का व रसोईघर होता है। रसोईघर के कोने में इनकी कुल देवी 'महामाय हिमलान जी' का स्थान होता है। सोने एवं रसोई घर की दीवालों में 'फलिया' अलमारीनुमा एवं खदेरा (गोला छेद) होता है, जिसे सामान रखने के उपयोग में लाया जाता है।

2. दुकान घर–घर के सामने ही एक कमरा बना होता है, जिसमें एक तरफ भट्ठी होती है। चमड़े की धोंकनी से पैर चलाकर कोयले (लकड़ी का) की आग में हवा कर पत्थर पिघलाया जाता है। गाँव के कृषकों को छोटे-मोटे औजार ठीक कराने आने पर बैठने अथवा खड़े होने के स्थान लायक यह कमरा होता है।

3. कोठा–बाँसों के घेरे के खंभे के ऊपर खपरैल की छजन की गई रहती है। यह जानवरों के उपयोग में लाया जाता है।

घर बनाने के समय 'पुजारी' से जगह 'शोध' कराने का स्थानीय रिवाज इनमें भी प्रचलित है। अगरिया घरों में लकड़ी की बनी हुई माची, लकड़ी का पीछा, खाट (बाँस अथवा रस्सी से बुनी) के अतिरिक्त 'झावी' (बाँस का बनी चौकोर टोकरीनुमा बक्स जिसमें कपड़े, गहने, रुपए पैसे रखे जाते हैं), चनगी (बाँस की चौकोर टोकरी, मुख्यतः महुआ फूल एकत्र करने के लिए), 'ठूठी' (बाँस की त्रिकोणीय टोकरी घरेलू मिर्च मसाले रखने के लिए), डलिया (बाँस की), कोठी (मिट्टी एवं भूसे से बनी), सींका (बर्तन रखने हेतु लटकती हुई रस्सी का ढलगी कोयला रखने के लिए), कुठलिया (बाँस की बनी कोदो, कुटकी रखने हेतु), चनगी (भाजी सब्जी रखने हेतु), मुदंलिया (बाँस की मिट्टी के घड़े के आकार का), पोरसी (मिट्टी का बर्तन–मुर्गी के अंडे देने के लिए), जाँता, सिलबट्टा, सोढ़ी (तेल निकालने का उपकरण), बहरी, धिनौची, खपड़े बनाने का साँचा, गिरी, पायली (नाप का बर्तन) रहती है। भोजन पकाने एवं खाने के बर्तनों के नाम पर मिट्टी की हाँडी (चावल पकाने के लिए), तलैया (मिट्टी की छोटी हाँडी दाल पकाने हेतु), तवा, तूमा (लौकी का सूखा खोखला पानी एवं दारू रखने का), थाली (काँसा, पीतल की), चटवा (लकड़ी की करछुल), करइया (कड़ाही लोहे की), दरतनी (दाल मथने की पीतल या लोहे की) का उपयोग किया जाता है।

कृषि उपकरणों में नगर (हल), जुआरी (लकड़ी का बैलों के कंधों पर रखा जाना), पैनारी (बाँस का हण्डा), हंसिया, कुदाली, बक्खर, खलुआ (लोहे का चपटा धारदार जिसकी एक ओर लकड़ी या बाँस की मूठ लगी होती है खरपतवार निकालने के कार्य हेतु) एवं सूपा प्रमुख उल्लेखनीय वस्तुएँ हैं। शिकार संबंधी उपकरण स्वयं बनाते हैं, जिनमें पलना (मछली पकड़ने का जाल), फत्ता (बड़े आकार की लकड़ी में रबड़ लगा हुआ–पक्षियों को मारने हेतु), सांग (लोहे का नुकीला, धारदार फल–लोहे की लंबी छड़ के साथ–आत्मरक्षा एवं शिकार हेतु उपयोगी), छुरी (हंसिया की तरह उल्टी, मुर्गी काटने हेतु उपयोगी) प्रमुख हैं।

अगरिया जनजाति के व्यवसाय हेतु उपयोगी उपकरण हैं–बसूला, संसी, धन एवं कठुतिया। बसूला, संसी एवं धन तो आमतौर से लोहार के हथियार हैं, परंतु 'कठुतिया' द्वारा अगरिया की लोहे जलाने की भट्ठी गरम की जाती है। यह 'वी' आकार की होती

है। जिसमें लकड़ी की दो गोल खोखली चौकियाँ होती हैं, जिन पर गाय, बैल, अथवा कहीं-कहीं साँभर का चमड़ा मढ़ा होता है। प्रत्येक चौकी के चमड़े में एक छिद्र होता है, जिसमें एक रस्सी बँधी होती है। छिद्रों के द्वारा हवा अंदर प्रवेश करती है। दोनों चौकियों में दो खोखले बाँस जुड़े होते हैं। जो जाकर एक साथ एक मिट्टी के खोखले गोले में मिल जाते हैं। अगरिया लोग इस गोत्र को नरिया कहते हैं। जब भट्ठी को गरम करना होता है तो 'नरिया' को भट्ठी में रखते हैं, फिर एक आदमी दोनों पैरों को एक-एक चौकी पर रखकर खड़ा हो जाता है, तथा दोनों रस्सियों को हाथ से पकड़ता है फिर एक के बाद एक बारी-बारी दोनों चौकियों के अंदर हवा भर जाती है तथा खोखले बाँसों में से होकर नरिया द्वारा भट्ठी में जाती है। अगरिया भौतिक संस्कृति की यह अनुपम वस्तु है, जिससे जुड़ा अगरिया अपने जीवन की आर्थिक यात्रा पूरी करता है।

अगरिया जनजाति के भोज्य पदार्थ कोंदो एवं कुथ्की हैं। प्रातः के भोजन में पेज (द्रव के रूप में कोंदो-कुटकी) एवं सायं भात आम तौर से पकाया जाता है। यह सभी कुछ स्थानीय उपलब्धता एवं पैदावार पर निर्भर है। मक्का, राई, गेहूँ, धान, मुर्गी एवं सूअर के मांस का उपयोग में आते हैं। भट्ठी की आग एवं घन पीटने के बाद दारू ही शारीरिक बेचैनी दूर करती है, जिसे वे नित्य पीना चाहते हैं। तंबाकू को तेंदू के पते की चोंगी में भरकर चोंगी पीने का रिवाज भी है। सुख की वेला में भी दारू का सेवन आवश्यक समझा जाता है। स्थानीय रूप से उपलब्ध महुए की शराब इस जनजाति के लोग स्वयं भी निर्मित कर लेते हैं।

अगरिया आर्थिक जीवन

अगरिया जनजाति की आर्थिकी मूल रूप में कृषि पर आधारित अर्थव्यवस्था का ही एक अंग है, जिसका विश्लेषण आत्मनिर्भर अर्थ तंत्र के रूप में कर सकना संभव नहीं। मूल रूप में गरिया गोंड, बैगा, कँवर आदि जनजातियों के कृषकों के लिए लोहे के उपकरण हल, बक्खर, हंसिया आदि तैयार करता है, जिसके बदले में उसे प्रति परिवार अनाज प्राप्त होता है। वह स्थानीय बाजार में कुछ कृषि उपकरण बेचता भी है। इसके साथ ही पत्थर की स्वयं की बनाई वस्तुएँ सिल, लोढ़ा, ओखली, चक्की आदि से भी कुछ आय अर्जित करता है। प्रत्येक परिवार के हिस्से में थोड़ी बहुत कृषि भूमि भी है, जिसमें कुछ पैदा कर लेते हैं।

पत्थर गलाकर लोहा निकालना इस जनजाति का परंपरागत व्यवसाय है, पर वनों के राष्ट्रीयकरण के पश्चात् जंगलों में स्थित खदानों से लौह अयस्क प्राप्त कर उन्हें गलाकर लोहा निकालने में कठिनाई आती है। इसलिए अधिकतर बाजार से खरीदकर कच्चे लोहे का औजार बनाने हेतु यह जनजाति बाध्य होती जा रही है। इस जनजाति

के लोगों के मत में लोहा खरीदकर औजार बनाने वाली व्यवस्था उन्हें महँगी पड़ती है। इसका कारण किसान द्वारा हाल बक्खर के मान से निर्धारित अनाज की मात्रा ही प्राप्त होना है।

मंडला जिले में अगरिया को उसके उपकरण के बदले में प्राप्त होने वाले अनाज की 'व्रत' कहा जाता है। इसका निर्धारण कृषक द्वारा रखे जाने वाले हल (नागर) की संख्या पर निर्भर करता है। वर्तमान में प्रति नागर 5 कुड़े (लगभग 25 किलो) अनाज अगरिया प्राप्त करता है। 'व्रत' का चुकारा वर्ष में 3 बार में किया जाता है।

1. अषाढ़ी–अषाढ़ी कृषक द्वारा बोने हेतु बीज निकालने के समय दी जाती है। इसकी मात्रा प्रति नागर एक कुड़े अनाज होती है।

2. हरियाली–हरियाली त्यौहार के अवसर पर अगरिया जनजाति के लोग कृषकों के घर जाकर उनकी खाट, चौखट अथवा देहरी पर छोटी से कील लगा देते हैं। इस अवसर पर एक कुड़े अनाज तथा सीधा मिलता है। सीधे में एक परिवार के एक दिन के भोजन के लिए पूर्ण भोजन सामग्री दी जाती है।

3. दशहरा–इस अवसर पर भी अगरिया लोग कृषकों के घरों में जाकर कील लगाते हैं। इस अवसर पर उन्हें 1½ से 2 कुड़े अनाज प्राप्त होता है।

'व्रत' अगरिया जनजाति की आय का प्रमुख स्रोत है।

परंपरागत कौशल से जुड़े कृषि उपकरण स्थानीय बाजारों में बेचकर कुछ आय अगरिया प्राप्त करता है पर यह ब्रिकी नाम मात्र की होती है क्योंकि स्थानीय बाजारों में आने वाले कृषक परिवार अगरिया से गोद में ही इन औजारों को परंपरागत तरीके से प्राप्त कर लेते हैं।

पत्थर के सामानों की बिक्री में चक्की, सिल, लोढ़ा, उखली आदि हैं, जिसे बनाने में मेहनत अधिक एवं प्राप्ति कम है। इसे बनाने का कौशल तो उन्हें प्राप्त हैं पर इन्हें बनाने का समय उनके पास नहीं। कम आय की प्राप्ति ने भी इस ओर इन्हें विशेष आकर्षित नहीं किया है।

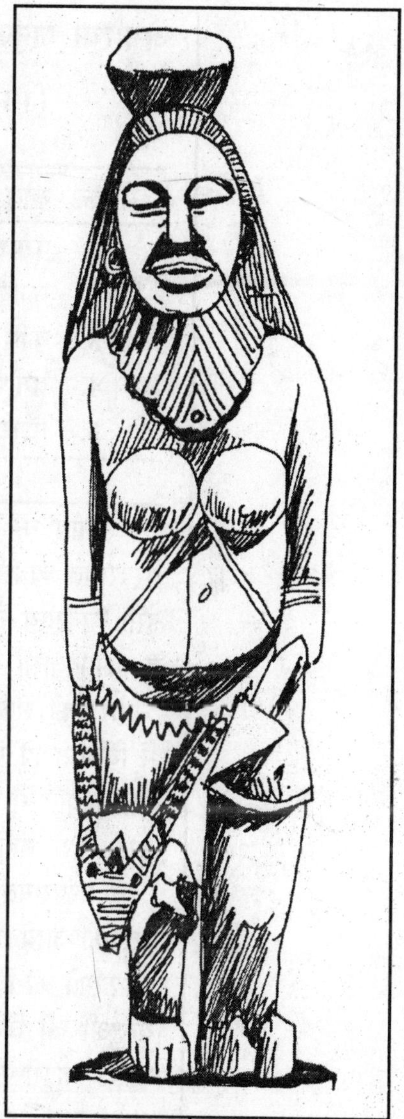

वनोपज एकत्र करना तथा मजदूरी इनकी आय का एक अतिरिक्त साधन है। कृषि, वन, सड़क की मजदूरी इन्हें मिलती है, जो परिवार की सहायक आवश्यकताओं की पूर्ति में अगरिया परिवारों की सहायता करती है।

मंडला जिले के मबई विकासखंड अंतर्गत कुल 13 परिवारों की आय का अध्ययन निम्नानुसार है, जो इनकी आर्थिकी के स्वरूप को उजागर करता है।

अगरिया जनजाति की आय के स्रोत
(13 अगरिया परिवारों के आय व्यय पर आधारित)

क्र.	स्रोत का नाम	वार्षिक औसत आय	प्रति परिवार औसत	प्रतिशत
1.	परंपरागत व्यवसाय	13900.00	1069.23	35.50
2.	मजदूरी	9320.00	717.00	23.80
3.	कृषि	8267.00	636.00	21.11
4.	वनोपज	7042.00	541.69	17.98
5.	पशुधन	631.00	48.53	1.61
		3,91,60.00	3012.45	100.00

आय के आंकड़ों का उपरोक्त विश्लेषण यह दर्शाता है कि इस जनजाति की परंपरागत व्यवसाय पर पूर्ण निर्भरता समाप्त हो रही है। जबकि पूर्व में अगरिया केवल इसी व्यवसाय से जुड़ा था। इसका कारण अगरिया परिवारों की संख्या में वृद्धि होना है। आदिवासी क्षेत्रों में कृषकों के परिवारों की संख्या तो बढ़ी परंतु उसी अनुपात में 'नागर' की संख्या नहीं बढ़ी। दूसरी ओर एक अगरिया परिवार कई अगरिया परिवारों में विभक्त हो गया, जिसके साथ-साथ कृषक भी विभक्त होकर इन परिवारों से जुड़े। ऐसी स्थिति में अगरिया जनजाति के लिए आय के अन्य स्रोत ढूँढ़ने के अलावा अन्य कोई चारा नहीं रहा।

परंपरागत कौशल से अर्जित जिन 13 परिवारों की आय 13900 दर्शाई गई है उनमें व्रत की आय 12150.00 रुपए अर्थात प्रति परिवार औसत रुपए 928.00, बाजार में उपकरणों की बिक्री से रुपए 1480.00 प्रति परिवार रुपए 119.00 एवं पत्थरों से निर्मित वस्तुओं की बिक्री से प्राप्त रुपए 270.00 प्रति परिवार रुपए 20.00 आंकी गई है।

मजदूरी से प्राप्त आय रुपए 9320/- में कृषि मजदूरी से 13 परिवारों की औसत आय रुपए 6220.00 प्रति परिवार रुपए 478/-, वन मजदूरी से 2205.00 प्रति परिवार रुपए 169.00 सड़क मजदूरी से रुपए 625.00 प्रति परिवार रुपए 48.00 एवं अन्य छिटपुट मजदूरी से रुपए 270.00 प्रति परिवार रुपए 20.00 आय आंकी गई है। इन क्षेत्रों में कृषि एवं वन मजदूरी के अवसरों के अतिरिक्त अन्य अवसर अत्यंत क्षीण हैं। औसत अगरिया परिवार मजदूरी से रुपए 717.00 वर्ष भर में अर्जित कर पाता है।

सर्वेक्षित 13 परिवारों की कृषि आय रुपए 8267.00 दर्शाई गई है। सभी 13 परिवारों में 34 एकड़ कृषि भूमि पाई गई, जिसका औसत 2.61 एकड़ प्रति परिवार होता है। भूमि की किस्म अच्छी नहीं है। जो फसलें उत्पादित की गईं उनमें सर्वाधिक कृषि भूमि

10 एकड़ में मक्का, 6 एकड़ में धान, 6 एकड़ में कोदों, 5/2 एकड़ में राई, 2/2 एकड़ में जगनी, 2 एकड़ में गेहूँ, एवं 1/2 एकड़ में चना बोया गया। इस प्रकार क्रमशः 17.69% भाग में बोया गया। इन परिवारों में जो उपज प्राप्त की उसकी कीमत कुल 8267.00 निम्नानुसार आंकी गई।

कृषि आय का विवरण

क्र.	नाम फसल	उपज की मात्रा (1 कुड़े 5 किग्रा)	स्थानीय दर (प्रति क्विं.)	उत्पादन कीमत
1.	गेहूँ	40 कुड़े	225.00	450.00
2.	चना	22 कुड़े	295.00	375.00
3.	धान	50 कुड़े	135.00	1012.00
4.	कोंदो	200 कुड़े	130.00	1300.00
5.	जगनी	60 कुड़े	400.00	1200.00
6.	राई	70 कुड़े	500.00	1750.00
7.	मक्का	218 कुड़े	118.00	2180.00

यह अनुमान लगाया गया है कि कुल उपज 760 कुड़ों में 450 कुड़ों का निजी उपयोग किया गया। यह उपयोग कृषकों द्वारा प्राप्त अनाज के अतिरिक्त है। बेची गई उपज नमक, तेल, कपड़े की खरीद हेतु बेची गई है।

वनोपज से कुल आय 13 परिवारों की 7042 रुपए दर्शायी गई है। इसका विश्लेषण इस स्रोत से आय की निम्न स्थिति स्पष्ट करता है।

क्रमांक	नाम वस्तु	एकत्रित की गई	कीमत रुपयों में मात्रा
1.	महुआ	2350 कि.ग्रा.	2350.00
2.	हर्रा	1350	742.00
3.	सालबीज	2265	2180.00
4.	तीखुर	55	330.00
5.	आंवला	75	37.50
6.	तेंदूपता	18900 गड्डी	1352.00
7.	जलाऊ लकड़ी	125 बंडल	250.00
		कुल	7241.50

उपरोक्त तालिका से स्पष्ट है कि महुआ, साल बीज एवं तेंदू पत्ता ही वनोपजों में आय के सर्वश्रेष्ठ साधन हैं।

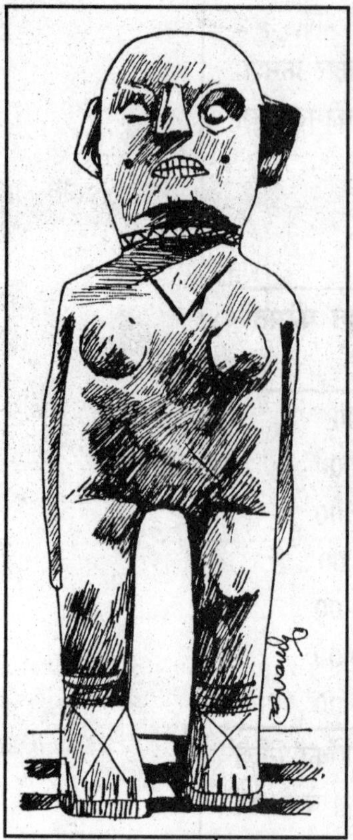

पशुधन से आय नगण्य पाई गई है जो आय के स्रोत में विशेष उल्लेखनीय नहीं है। अगरिया आर्थिकी का उपरोक्त विश्लेषण यह दर्शाता है कि परंपरागत कार्यों से जुड़े परिवारों के लिए परंपरागत कार्यों से जुड़ा रहना आर्थिक रूप से लाभजनक नहीं रहा। वनों में निवास के कारण वनोपजों की उपलब्धता एवं आकस्मिक मजदूरी की प्राप्ति ही इनका जीवन क्रम चला पा रही है, अन्यथा परंपरागत कौशल में निपुण अगरिया जनजाति के लिए दो वक्त का भोजन जुटा पाना भी कठिन कार्य होता।

अगरिया सामाजिक संगठन

अगरिया जनजाति में गोंड, बैगा, कँवर, परधान, सरीखी जनजातियों की भाँति पितृसत्तात्मक व्यवस्था प्रचलित है। परंतु प्रत्येक धार्मिक एवं सामाजिक कार्यों में महिलओं को उचित स्थान प्राप्त है। परिवार का स्वरूप पितृसत्तात्मक, पितृ-स्थानीय एवं संयुक्त है पर एकाकी परिवार व्यवस्था का उदय बाहरी प्रभावों के कारण हो रहा है। बच्चों की शादी के पश्चात् पृथक घर बसाते अधिकांश अगरिया परिवार देखे जा सकते हैं। सम्पत्ति पर पुत्रों का अधिकार है, पर पुत्रियों को भी देने का प्रचलन है, जिसमें निकट रक्त संबंधी को प्राथमिकता दी जाती है। गोद लेने की व्यवस्था जनजाति की पंचायत के समक्ष सम्पन्न होती है ताकि गोद लिए जाने वाले बच्चों का उत्तराधिकार सुनिश्चित किया जा सके।

अगरिया जनजाति व्यावसायिक दृष्टि से प्रत्येक ग्रामों में फैली होने के कारण कहीं भी इनका जमाव नहीं है। पृथक-पृथक बसे अगरिया विभिन्न नामों से जाने जाते हैं। इनके रहन-सहन, आचार-व्यवहार में भिन्नता देखी जा सकती है। प्रचलित जाति नामों की विभिन्नता एवं विभिन्न क्षेत्रों में निवास के आधार पर अगरिया जनजाति के निम्नानुसार भाग किए जा सकते हैं–

1. पथरिया अगरिया–ये मंडला जिले के डिंडोरी, पूर्ववर्ती, रीवा राज्य एवं कवर्धा में पाए जाते हैं, जिन्हें मुखी अथवा मुंत्री वंशी भी कहा जाता है। इनकी स्त्रियाँ नाक का आभूषण नहीं पहनतीं। माथे पर सिंदूर नहीं लगातीं, काँच की चूड़ी नहीं पहनतीं। मासिक धर्म की स्थिति में कड़ाई से छुआछूत का पालन करती हैं। रंगीन कपड़ा नहीं पहनतीं, क्योंकि लाल एवं पीले रंग का इनमें निषेध (Taboo) है, केवल सफेद वस्त्र पहने जाते हैं। सूअर का मांस खाने का रिवाज है।

2. कल्हा अगरिया (कोल्हारी)–मुख्यतः इनका निवास छतीसगढ़ अंचल में है, इनकी स्त्रियाँ नाक का आभूषण पहनती हैं। सिंदूर एवं टिकली लगाती हैं काँच की चूड़ी पहनती

हैं। मासिक धर्म में विशेष कठोरता नहीं बरती जाती। सूअर का मांस खाना बंद कर दिया है। पथरिया अगरिया से न इनका खान-पान संबंध है न ही वैवाहिक संबंध। ये अपने आपको अन्य अगरिया से ऊँचा एवं सभ्य मानते हैं।

पथरिया अगरिया बैगा के हाथ का बना खाना लेते हैं, परंतु पथरिया अगरिया का नहीं लेते।

3. खुँटिया चोख–ये अधिकतर बिलासपुर की पूर्व की जमींदारियों में कँवर पंडों, धनवार एवं गोंड जनजातियों के बीच निवास करते हैं, इनकी स्त्रियाँ चोली नहीं पहनतीं (छतीसगढ़ प्रभाव) चूड़ी पहनने का रिवाज है। नाक के आभूषण हेतु स्त्रियाँ नाक में छिद्र नहीं करातीं। इनके बीच भी लाल-पीले वस्त्र पहनने का रिवाज नहीं है। स्त्रियाँ किसी अन्य जाति के हाथ भोजन ग्रहण नहीं करतीं पर पुरुष वर्ग गोंड एवं जनजाति के भोजन ग्रहण कर लेते हैं। इनके घर सुंदर होते हैं, क्योंकि इनके घरों में सूअर नहीं पाले जाते। इनकी भट्ठियाँ धूप में खुले स्थान में लगी होती हैं।

4. महाली असुर अथवा असुर अगरिया–ये बिलासपुर जिले में पाए जाते हैं अत्यधिक गरीब एवं अत्यधिक पुरातन रहन-सहन का जीवन जीते हैं। इनके संबंध पलामू (बिहार) तक फैले हैं। डिंडौरी के पथरिया अगरिया की भाँति इनकी प्रथाएँ भी हैं।

इनका विश्वास है कि ये समुद्र के उस पार लोहरीपुर से आए एवं सरगुजा के जंगलों में छिप गए। कालांतर में पूरे संसार में फैले। जो पेंड्रा में गए वे पथरिया हो गए, जो कौलहारी गए, वे कल्हा सूअर का मांस खाते हैं, लोहासुर की पूजा काली गाय से करते हैं। स्त्रियाँ काँच की चूड़ी नहीं पहनती हैं। अत्यधिक गोदना गोदवाने में इस उपविभाग की स्त्रियाँ विश्वास करती हैं। गोदना प्रत्येक अंग, प्रत्यंग पर होने के कारण यह काला कपड़े पहनने सरीखे दीखता है। असुर अगरिया में ममेरे-फुफेरे भाई-बहन का वैवाहिक संबंध पाप समझा जाता है जबकि अन्य अगरिया में इस प्रकार के संबंधों का निषेध नहीं है।

5. देव ढुंका पथरिया–इनके रहन-सहन व्यवसाय एवं प्रथाएँ आदि सभी बिलासपुर एवं मंडला के अगरिया की तरह ही हैं। ये रायगढ़ जिले के सारंगढ़, रायपुर के पूर्ववर्ती फुलझार राज्य, बिन्द्रानवागढ़ आदि में निवासरत हैं। सामाजिक जीवन में ऊँचा स्थान पाने के लिए ये अपने आपको लोहार कहते हैं, पर रहन-सहन, व्यवसाय अन्य जिलों के अगरिया जनजाति से भी पुरातन हैं।

6. चोख अगरिया–बिलासपुर जिले की पूर्ववर्ती कोरबा जमींदारी एवं जिले के पूर्ववर्ती उदयपुरा एवं जशपुर राज्य में चोख अगरिया जनजाति फैली हुई है इनमें चोख अगरिया, महाली अगरिया, चोख असुर महाली, लोहार, देव ढुका-महाली लोहार, चोख-लोहार, झरिया लोहार पाए जाते हैं। ये सभी अगरिया जनजाति के ही हैं एवं पत्थर गलाकर लोहा निकालने के पुरातन व्यवसाय से ही जुड़े हैं। ये सूर्य की रोशनी में अर्थात् बाहर

ही भट्ठी बनाकर कार्य करते हैं, सूअर की बलि देते हैं।

इसके साथ लगे बिहार राज्य के छोटा नागपुर इलाके में भी इस जनजाति के लोग बसे हैं। अगरिया जनजाति को तीन भागों में विभक्त करते है।

1. सोइका असुर—जंगल में रहते एवं पत्थर से लोहा निकालते हैं।

2. विरझिया—स्थानान्तरित कृषि करते हैं एवं साथ-साथ लोहे का कार्य भी करते हैं।

3. जैत असुर—ये भी अगरिया की तरह ही लोहे गलाने का कार्य करते हैं।

उपरोक्त विश्लेषित अगरिया के प्रकारों में दिखलाई देने वाला अंतर विभिन्न स्थानों के वृहद् समुदाय के साथ में निवास करने के कारण है।

इस जनजाति में बहिर्विवाही गोत्र हैं, जिन्हें ये (गोती) कहते हैं। सभी गोत्र नाम प्रतीकात्मक हैं एवं पशु-पक्षी, जानवर, पेड़-पौधे, आदि नामों से संबंधित हैं। अन्य नामों में अंतर एक ही जिले में निवास की भिन्नता में भी है।

डिंडोरी तहसील के करंजिया में पथरिया अगरिया के गोत्र धुर्का, खसरों, मरावी, मरकाम में भी पाए जाते हैं, मंडला जिले के ही मबई विकासखण्ड में इस जनजाति के गोत्र नाम हैं, धन चिरई, कोरम, मरकाम, पोटा, खुसरो, मराई, सेयाम, परतेती एवं टेकान। चोख अघरिया के गोत्र नाम वाध, नाग, परसा, रान चिरई, सोनकली, सुरी, सेवा-चिरई एवं टेकाम हैं, ये नाम गोंड जनजाति के साथ ही कँवर एवं जनजाति बैगा में भी प्रचलित हैं। असुर या महाली अगरिया निम्न गोत्रों में अपने को पहचानते हैं—बाँस, बिहों, मिछली, गोरकू, जमात, जाल, कारी केंवची, कोसमीहा, कुकरा, मरकाम, मराई नाम, नेताम, पोरे, सोरी। सरगुजा जिले में उत्तरप्रदेश से लगे अंचलों में वाँझ वकवार (मेढक), वरगवार (एक पेड़), गोइसर (पेड़ नाम), मरकाम, परसवान, (पलास पेड़), सोमवानी गोख नाम हैं। दुर्ग जिले के अगरिया कान्यकुब्ज ब्राह्मणों की भाँति कई देवों में विभक्त हैं, जिनके विभाजन को संकुल अथवा बिदा (फ्रेटरी) कहा जा सकता है। आत्याम उड़का (6 देव अगरिया), कोवा (3 देव), कुमार (5 देव), मराई (7 देव), नेताम (4 देव), सेयाम (7 देव), रायगढ़ जिले के पूर्व उदयपुर राज्य के महाली लोहार आइन्द वाघ, वाँछिन, बरावा, भरेवा का कोदा, काइन्त (चिंगा मछली), कछुआ, करकेंटा, कौवा (कौवा), मुजरी, कुसुरा (मछली), मुधनी (फल), मुंजना, सोनवानी, हिरखोई (चिड़िया) एवं जशपुर के महाली लोहार आइन्द, बघेला, वार, वसरा, भरेवा भावनार, विनिया, गाइन्थ, गोलिया, गिना, हान्थी, हर्दी, हुंडकेरा, इन्दवार, कछुआ, कड़ाकू, कैतवार, करवा, कायस्त, करकटा, खीलखो, कोरो, कुवरा, कुसमा, लातू, मगही, मधिया, कुंड, नांग, प्रधानी, टिग्गा, टिटकवार, टोप्पो में विभाजित हैं।

यदि उपरोक्त गोत्र नामों का विश्लेषण किया जाए तो यह स्पष्ट होता है किं

जिन जनजातियों के बीच यह जनजाति निवासरत एवं कार्यरत है उनके गोत्र नामों को इनने अपना लिया है उदाहरण के लिए मंडला जिले की करंजिया एवं मबई इलाके तथा पूर्ववर्ती रीवा राज्य में गोंड, बैगा, प्रधान जनजाति के ओराँव क्षेत्र में ओराँव के गोत्रनाम, कंवर क्षेत्र में कँवर के गोत्र नाम आदि।

अन्य जनजातियों के गोत्र नाम अपनाने की प्रक्रिया में इस जनजाति ने अपने मूल गोत्र नाम को भी बरकरार रखा है। यह स्थिति उनके बीच प्रचलित किंवदंतियों से स्पष्ट होती है।

किंवदंतियों के अनुसार इस जनजाति के पूर्व पुरुष 'लोगुंडी राजा' का सूर्यदेव के साथ संघर्ष हुआ, जिसमें लोगुंडी राजा की पत्नी ने एक गोंड जनजाति के घर शरण ली। इस दरम्यान वह गर्भवती थी। गोंड धर में ही उसने 24 लड़कों को जन्म दिया, उनके मत में 6 बार की प्रसव पीड़ा में 4-4 बच्चे एक साथ जन्म लिए। पहली बार लड़कों का जन्म एक बड़े पकाने के बर्तन में हुआ, जिसका नाम मरका था। ये सभी जन्म लेने वाले मरकाम गोत्र के हैं। दूसरे समूह ने परछी (वरण्डा) में जन्म लिया इसलिए वे परतेती कहलाए। तृतीय समूह ने सोना में जन्म लिया, जिससे वे सोनकनी कहलाए। चौथा समूह माँ द्वारा मिट्टी के बर्तन धोते समय पैदा हुआ इसलिए वह टेका अथवा टेकाम कहलाया। पाँचवाँ समूह फूल में उत्पन्न होने से धुर्वा, छठे सूर्यास्त (शाम) के समय पैदा होने से 'स्याम'। लोहासुर ने जब 24 बच्चे जिनमें 12 पुत्र एवं 1 पुत्री थे, देखा तो उनके वैवाहिक संबंधों की सोच पृथक गोत्र बना दिए ताकि आपस में पृथक-पृथक होकर उनके वैवाहिक संबंध स्थापित हो सकें।

एक अन्य किंवदंती अगरिया जनजाति के उद्भव स्थल लोहरीपुर का भीमसेन द्वारा किए गए विध्वंस से संबंधित है, जिसके अनुसार विध्वंस के बाद कई अगरिया निकल भागे अथवा एक अगरिया स्त्री निकल भागी जिसने कई बच्चों को जंगलों में जन्म दिया। किसी ने पलाश पेड़ में शरण पाकर परतेती गोत्र नाम पाया। किसी ने खुसरो चिड़िया के घोंसले में शरण लिया वह खुसरो गोत्र का हुआ। महुआ पेड़ में

शरण लेने वाला मरकाम, तिलाई झाड़ वाला टेकाम, खैर पेड़ वाला करेम, धनवहार झाड़ वाला धान चिरई आदि आदि। इसी प्रकार स्थान-स्थान के अगरिया अपने गोत्रों के जन्म की कहानियाँ संजोये हैं पर सभी की सभी लोहासुर से जुड़ी हैं, जिसका सूर्य के साथ संग्राम हुआ। यही कारण है कि आज भी कई स्थानों पर अगरिया की भट्ठी खुले में मिलती है। वे तमाम लोहे का कार्य भी खुली धूप में ही करते हैं।

इस प्रकार गोत्र अगरिया सामाजिक संगठन की महत्त्वपूर्ण इकाई है। ये विवाह को नियंत्रित करने एवं रक्त संबंधों की भिन्नता को स्पष्ट करते हैं। इस जनजाति में वैवाहिक संबंधों का विनियम एक रूढ़ि के रूप में प्रचलित है। विवाह अधिकतर वर्षा ऋतु में सम्पन्न किए जाते हैं, क्योंकि इस समय लोहे गलाने की प्रक्रिया सम्पन्न नहीं की जाती। प्रायः 14 वर्ष से अधिक उम्र में ही विवाह सम्पन्न किए जाते हैं। विवाह की प्रचलित पद्धतियों में लमसेना-विवाह, चोरी विवाह, विधवा विवाह, पैठू विवाह उल्लेखनीय हैं। विवाह लड़के एवं लड़की के पिता द्वारा तय किया जाता है, इसकी भी दो पद्धतियाँ हैं। (1) चढ़ बारात (2) उठवा बारात। चढ़ बारात में तीन भाँवर लड़की वाले के यहाँ एवं चार भाँवरें लड़के वाले के यहाँ पड़ती हैं। जबकि लड़की पक्ष की आर्थिक स्थिति दयनीय होने पर सारी भाँवरें लड़के वालों के पड़ना उठवा बारात कहलाता है।

वधू मूल्य अदायगी जनजातियों के विवाह की विशेषता है। अगरिया जनजाति में लड़का पक्ष लड़की के पिता के पास जाते हैं। उसे दारू की दो बोतल देते हुए वह कहता है, 'ले समधी—मोरा प्यास लगी, तोरा पानी की जगह आए है' (अर्थात् समधी मुझे प्यास लगी इसलिए तुम्हारे पास पानी पीने आए हैं) लड़की का पिता लड़की से उस शराब को पीने की अनुमति माँगता है। यदि लड़की अनुमति देती है तो ही रिश्ता तय माना जाता है। कभी-कभी लड़के का पिता स्वयं न जाकर संदेशवाहक भेजता है। अमुक गाँव का अमुक व्यक्ति आपकी दुकान से सामान खरीदना चाहते हैं। यदि वह कहता है कि आकर खरीद ले जाव तो दूसरे दिन लड़के का पिता पान, सुपारी, कपड़ा, चूड़ी तथा शराब की बोतल लेकर आता है। शादी पक्की करता है। इसे वे फलदान कहते हैं। तत्पश्चात् वधू मूल्य निश्चित किया जाता है इसे ये 'खर्ची या देवी' कहते हैं। सामान्यतः चावल, दाल, पाँच कुड़ो चावल या कोदो, 1 किग्रा तेल, 1 किग्रा राई तथा 1 दिन दारू अवश्य देना होता है। लड़की की माँ एवं लड़की के लिए कपड़े भी लाने पड़ते हैं। यदि लड़की वाला नकद माँगता है तो वह भी देना पड़ता है। फिर सगाई, विवाह टीका एवं चढ़ बारात की रस्में होती हैं। हल्दी, तेल के बाद भाँवर के दिन बाड़ी में लड़के लड़की में 'चिन मूंदरी' की रस्म होती है जिसमें लड़की लड़के को सोने की अँगूठी पहनाती है। लमसेना विवाह वधू मूल्य न चुकाने की स्थिति में सम्पन्न होता है, जिसमें वर एक निश्चित अवधि तक लड़की के घर सारे कार्य करता है। अवधि बीतने पर शादी की रस्में सम्पन्न

होती हैं। चोरी विवाह में लड़के-लड़की भाग जाते हैं। पंचायत द्वारा उनके वैवाहिक संबंधों को मान्यता दी जाती है। विधवा विवाह में विधवा को चूड़ी पहनाने का रिवाज है, जिसे पाट लगाना कहते हैं, यह चूड़ी गिलट की पहनाई जाती है। पैठ विवाह विवाहित स्त्री द्वारा पति का घर छोड़कर अन्य के घर पैठू जाने को कहते हैं। ऐसी स्थिति में पूर्व पति को हरजाने का भुगतान करने के पश्चात विवाह की मान्यता मिल जाती है। कुँवारी लड़की के घर में घुसने पर उठवा विवाह पद्धति अपनाई जाती है। अविवाहित स्थिति में माता बन जाने पर लोहासुर की शपथ दिलाकर व्यक्ति का नाम पूछा जाता है, सामूहिक भोज के पश्चात् जाति का होने पर विवाह की मान्यता दी जाती है।

यदि पत्नी से कोई सुखी नहीं रह पाता तो उसे दूसरी शादी की राय भी इस जनजाति में पति ही देता है। नए पति की स्थिति में पहले द्वारा पगड़ी, कमीज, धोती दी जाती है। यह स्त्रियों को स्वेच्छा से जीने का अधिकार देने में सहायक होता है।

जन्म को इस जनजाति में ऊपर वाले की कृपा समझा जाता है। गर्भधारण में देरी की स्थिति में 'गुनिया' को बुलाकर झाड़-फूँक, दवा, दारू कराने का भी प्रचलन है। 'सुइन माईन' (प्रसव कराने में निपुण महिला) द्वारा प्रसव पीड़ा के समय ऊखत नामक जड़ी बूटी मिलाकर प्रसव कराया जाता है। छठी के दिन नामकरण, हफ्ते-पन्द्रह दिनों में मुंडन, बड़ी छठी में बच्चों को बिठाकर पैर धोने एवं निछावर देने की रस्में अदा होती हैं। बच्चे अथवा बच्ची का जन्म खुशी का परिचायक होता है। यह अगरिया जनजाति में प्रचलित दंदरिया गीत से स्पष्ट है—

'दाना पानी रहतिस,
    गरीब गहुरबा को लैतों और दैतों,
सोना चाँदी रहतिस
    भांचां ला दान दैतों,
गईया भईसिया रहतिस,
    बाम्हन ला पुन करतों

मृत्यु को इस जनजाति में शक्तियों का प्रेरक समझा जाता है। असामान्य मृत्यु

को प्रेतात्माओं का प्रकोप समझकर 'गुनिया' से निराकरण भी करवाया जाता है। जलाने व दफनाने–दोनों ही रिवाज प्रचलित हैं। कम आयु के बालक, युवती, जवान स्त्री, सर्पदंश की स्थिति तथा गर्भवती आदि को दफनाया जाता है। वृद्ध पुरुष एवं औरतों को जलाया जाता है। मृतक के पूरे गोती शोक मनाने के साथ ही अशुद्ध स्थिति में आ जाते हैं। अंतिम संस्कार के बाद घर वापस आकर मृतक के संबंधी सभी व्यक्ति के हाथों में थोड़ी-थोड़ी शराब डालते हैं, जिसे ये लोग हाथ पैरों में मलते हैं। घर-आँगन हल्दी-पानी से शुद्ध किया जाता है। तीजरा एवं अंतिम क्रिया कर्म सामर्थ्यानुसार किया जाता है जिसमें पिंडदान (मांदी) भी किया जाता है, भोजन-शराब का सेवन प्रमुख रूप से होता है। इस जनजाति के लोग पुनर्जन्म में भी विश्वास करते हैं।

सामाजिक नियंत्रण

गोंड अथवा अन्य जनजातीय क्षेत्रों में बसे अगरिया आपसी विवाहों के लिए ग्राम की अन्य जनजातियों पर निर्भर रहे हैं, परंतु जातीय मामलों में 8 पंचायतें हैं, जो जातीय मामलों का निपटारा करती हैं। इस पंचायत में वृद्ध पुरुष बुलाए जाते हैं। 110 ग्रामों के अगरिया परिवारों की अपनी पंचायत को ये बैठू कहते हैं पर आज्ञा वृद्ध एवं सियाने की ही चलती है, उसकी मृत्यु के बाद अन्य वृद्ध फैसला करता है। सामान्यतया विवाह पूर्व संतान उत्पत्ति, लड़की भगाना, पत्नी छोड़ देना, किसी अन्य की पत्नी को अपनी पत्नी बनाना आदि मामले तय किए जाते हैं। सियाने की अनुपस्थिति में कोई फैसला नहीं किया जा सकता। चलने-फिरने में असमर्थ को 'बहिके' उठाकर लाया जाता है। सब कुछ मौखिक रूप से निपटाया जाता है। दण्ड मामले की गंभीरता को देखकर दिया जाता है। सामान्यतः समाज को भोज देना (बकरा-शराब) ही दंड है, न मानने पर 22 वर्ष का 'बंजर' (सामाजिक बहिष्कार) सहना पड़ता है। साधारण मामलों में रुपये 100 अर्थदंड के वसूले जाते हैं, जिसे निर्णयानुसार उपयोग में लाया जाता है।

आस्था एवं विश्वास

'लोहासुर' इस जनजाति के प्रमुख देवता हैं। नारायण देव, महामाई हिमलाजी, दूल्हादेव, रातमाई, इनके अन्य देव हैं। मुर्गा, सूअर की बलि देने का प्रचलन है। लोहासुर एवं नारायण देव की कोई मूर्ति नहीं है पर महामाई हिमलाजी का स्थान रसोई में खित्रूल गाड़कर मोरपंख लगाकर बना होता है। इन्हें भी काले सूअर की बलि दी जाती है। बीमारी से बचने के लिए हिमलाजी के कोप से बचना होता है। खेती-बाड़ी, घर-द्वार की कुशलता के लिए दूल्हा देव की पूजा हर तीसरे वर्ष की जाती है। इन्हें सरई के गोंद का हवन देकर मुर्गे अथवा सूअर की बलि दी जाती है। इनका निवास रसोईघर

में माना जाता है। पर कोई मूर्ति अथवा स्थान नहीं बना होता। रात-माई भूत-प्रेत, जादू-टोने व हिंसक पशुओं से रक्षा करती हैं, जिनका स्थान पानी के बर्तन में होता है, इनकी पूजा रात्रि के तीसरे पहर घर में गड्ढा खोदकर काली मुर्गी का सिर काटकर उस रक्त को उस गड्ढे में बहाकर की जाती है। इस पूजा में कोई बाहरी भाग नहीं लेता। केवल घर के सदस्य उपस्थित रहते हैं।

प्रत्येक पूजा में शराब छिड़ककर पवित्र करने का प्रचलन है। प्रत्येक गोत्रों की अलग-अलग पूजा की विधियाँ है। झाड़-फूँक तंत्र-मंत्र में अंधविश्वास बहुत है। जनजाति के स्वयं के देव के अतिरिक्त अन्य प्रचलित त्यौहार भी मनाए जाते हैं। नवाखानी (कृषि से संबंधित त्यौहार) हरेरी (नई साग भाजी खाने के पूर्व मनाया जाता है) बिना पूजा के खा लेने पर भूत-प्रेत का डर, आठे (चैत्र माह) में दूसरे के दरवो खीला ठोंकते हैं, मान्यता है इससे उन परिवारों में आर्थिक समृद्धि आएगी आदि त्योहार उल्लेखनीय हैं। आषाढ़, दशहरा, दीवाली, फाग आदि त्यौहार वृहद् ग्रामीण समुदाय के साथ मनाया जाता है।

पुरातन अर्थ रचना से जुड़े इस समुदाय के विकास हेतु प्रदेश सरकार सजग है। राज्य आदिवासी उपयोजना कार्यक्रम के तहत इस जनजाति के विकास के प्रयास किए जा रहे हैं। लोहा निकालने की इनकी प्रक्रिया यद्यपि आज के संदर्भ में आर्थिक दृष्टि से उतनी महत्त्वपूर्ण नहीं रही, पर विशेषीकृत कौशल की धनी इस जनजाति का योगदान जनजातीय कृषि अर्थ रचना में महत्त्वपूर्ण रहा है। आज भी ये पुरातन लोहा निकालने की तकनीक सँजोए आदिवासी क्षेत्रों में देखे जा सकते हैं। दुर्भाग्य से राज्य के लिए विशेष पिछड़ी जनजाति समूह की सूची में इनका नाम नहीं जुड़ पाया है।

खैरवार जनजाति का आर्थिक विश्लेषण

□ *कु. आशा डोरले, डॉ. काशी कैलाशनाथ शर्मा एवं प्रो.बी.एम. मुखर्जी*

भारत जैसे विकासशील देश की लगभग 80% जनसंख्या गाँवों में निवास करती है। इस जनसंख्या में विभिन्न प्रकार की जाति/अनुसूचित जनजाति का सम्मिश्रण देखने को मिलता है जिसमें वर्तमान में 426 प्रकार की विभिन्न जनजातियाँ (भारत के लोग, 1990) विभिन्न निर्गम-दुर्गम पर्वतीय स्थानों पर आवास कर रही हैं जो समस्त भारतीय जनसंख्या का 7.76% भाग है। मध्यप्रदेश में लगभग 46 प्रकार की जनजातियाँ जो कि समस्त आदिवासी जनसंख्या का 23.22% है, निवास कर रही हैं (जनगणना 1981)। प्रमुख जनजातियाँ उराँव, कोरवा, बिरहोर, नगेशिया, खैरवार इत्यादि हैं। खैरवार जनजाति जिसकी जनसंख्या 6,173 (जनगणना 1981) है। यह प्रमुख रूप से सरगुजा जिले में प्रतापपुर, वाड्रफनगर, सूरजपुर, मनेन्द्रगढ़ और बैकुंठपुर तहसील में बहुमत से निवास कर रही है। खैरवार जनजाति खरवार, खैरा, खरवा नामों से भी ज्ञात है। खैरवार जनजाति चार उपसमूहों में विभक्त है—सूर्यवंशी, नागवंशी, पाटबंधी तथा द्वालबंधी। प्रतापपुर विकास खंड (सरगुजा जिला) में प्रमुख रूप से पाटबंधी निवास कर रहे हैं जिसके अंतर्गत महतो, माझी, राउत तथा भोगता आते हैं। खैरवार जनजाति पितृसत्तात्मक जनजाति है, जिनका आर्थिक जीवन मुख्य रूप से कृषि और वनोपज पर आधारित है (शर्मा, 1990)। यह वर्तमान में संस्कृति ग्रहण की अवस्था से गुजर रहे हैं जो कि विकास की ओर उन्मुख कही जा सकती हैं परन्तु शासकीय विकास कार्यक्रमों के बाद भी अभी भी इनमें विकासशील स्थिति संतोषजनक नहीं कही जा सकती। जनजातियों के उन्मुखी विकास हेतु उनकी अर्थव्यवस्था तथा उसे प्रभावित करने वाले प्रत्यक्ष तथा अप्रत्यक्ष कारणों को समझने हेतु, आर्थिक अध्ययन की आवश्यकता होती है ताकि उनके उन्मुखी विकास हेतु उनके आर्थिक स्रोतों तथा परंपराओं के अनुरूप बहुमुखी विकासशील नीति का निर्धारण किया जा सके। अतः आवश्यकता इस बात की है कि इनके वास्तविक विकास हेतु मानव शास्त्रियों की सहायता से आर्थिक अध्ययन कर इनके विकास में वास्तविक रूप से कारगर पहल की जाए।

अध्ययन प्रविधि तथा क्षेत्र

उपरोक्त तथ्यों को ध्यान में रखते हुए सरगुजा जिले में निवासित खैरवार जनजाति का आर्थिक विश्लेषण-अध्ययन के अंतर्गत प्रतापपुर विकासखंड के अंतर्गत इनमें प्रमुखता से आबादित गाँव डाडकरवाँ, पहाड़करवाँ तथा धुमाँडाड से 42 परिवारों का चयन किया गया। इनकी अर्थव्यवस्था के अंतर्गत प्रौद्यौगिक, श्रम विभाजन, उत्पादक इकाइयों की संरचना, विनिमय व्यवस्था, कृषि कार्य, प्रमुख फसल, सम्पत्ति, पशुधन, पारिवारिक संरचना, वनोपज, कृषि चक्र इत्यादि की जानकारी हेतु अनुसूची तथा अवलोकन तथा साक्षात्कार पद्धति की मदद ली गई।

अध्ययन परिणाम

इसके परिणामों को निम्नलिखित बिंदुओं पर स्पष्ट किया गया है–

आवास व्यवस्था

खपरैल और मिट्टी निर्मित कच्चे घरों में 2-3 कमरों की व्यवस्था पाई गई है जिसमें प्रकाश का समुचित अभाव है। घरों की स्वच्छता संतोषजनक कही जा सकती है।

पारिवारिक संरचना

पारिवारिक संरचना के अंतर्गत केंद्रीय परिवार (88.09%) और संयुक्त परिवार (11.9%) दोनों ही प्रकार की पारिवारिक संरचना देखने को मिली है। इनमें केंद्रीय तथा संयुक्त परिवार की संख्या क्रमशः 38.5 है।

उत्पादक इकाई : उत्पादक इकाई परिवार है। आवश्यकता पड़ने पर समुदाय से ही व्यक्तियों को पारस्परिक सहायता प्राप्त होती है। रिश्तेदारी का इसमें प्रमुख स्थान है।

जमीन : इनमें 7.14% व्यक्तियों के पास 1-2 एकड़, 9.52% व्यक्तियों के पास 2-3 एकड़, 9.52% व्यक्तियों के पास 3-4 एकड़, 14.28% के पास 4-5 एकड़ तथा 42.23% व्यक्तियों के पास 5 एकड़ से ऊपर की जमीन दर्ज की गई है जिनमें सिंचाई के साधन का अभाव होने के कारण कृषि हेतु मुख्यतः वर्षा पर निर्भर रहते हैं। इस कारण इन्हें पर्याप्त फसल प्राप्त नहीं हो पाती।

प्रमुख फसल

इनकी प्रमुख फसल धान, कोदो, कुल्थी, अरहर, सरसों इत्यादि है।

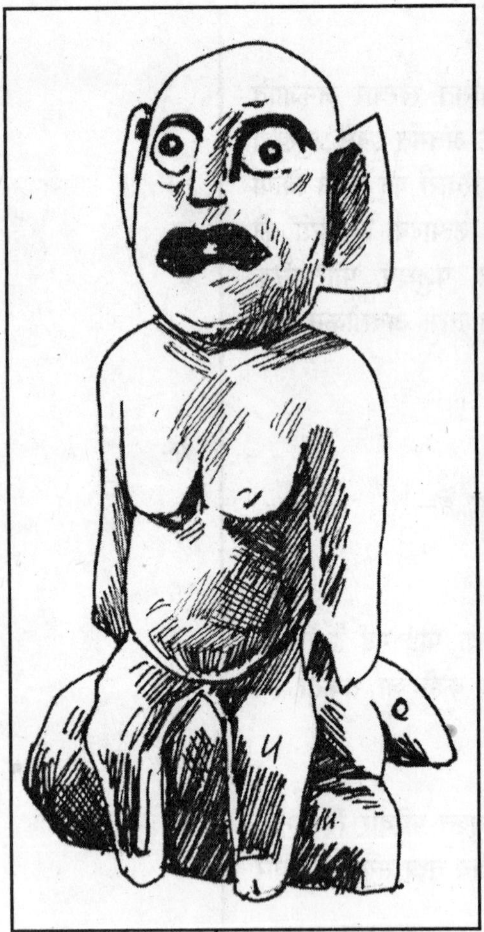

कृषि उत्पादन

इनमें 1-2 एकड़ भूमि पर धान 400 कि.ग्रा., जटकी 80 कि. ग्रा, कुल्थीदाल 40 कि.ग्रा., कोदो 100 कि.ग्रा., अरहर 60 कि. ग्रा., मेडो 80 कि.ग्रा., 2-3 एकड़ भूमि पर धान 400 कि.ग्रा., सरसों 5 कि. ग्रा., कोदो 3090 कि.ग्रा., मिझरी 40 कि. ग्रा., 3-4 एकड़ भूमि पर धान 12090 कि.ग्रा., उड़द 40 कि.ग्रा., मक्का 3 कि.ग्रा., कोदो 300 कि.ग्रा., तिसा 50 कि. ग्रा., कुल्थी 15 कि.ग्रा., उड़द 10 कि.ग्रा., मक्का 80 कि. ग्रा., कोदो 50 कि.ग्रा. अरहर दाल 16 कि.ग्रा., तथा 5 एकड़ से ऊपर की भूमि पर धान 24980 कि.ग्रा., सरसों 262 कि.ग्रा., कोदो 1680 कि.ग्रा., झिझरी 240 कि.ग्रा., कुटकी 120 कि.ग्रा. तथा गेहूँ 208 कि.ग्रा. का उत्पादन पाया गया है।

वनोपज

वनोपज के अंतर्गत जंगल से ये लोग जलाऊ लकड़ी लघु वनोपज जैसे महुआ, हर्रा, बहेरा, आंवला, धवई फूल, लोध्र (जड़ी-बूटी) और तेंदूपत्ता एकत्रित करते हैं। जिनमें हर्रा, बहेरा, धवई फूल, महुआ फूल तथा लोध्र को बिचौलियों (मध्यस्थों) को नमक के बदले बदल देते हैं।

श्रम विभाजन

कृषि कार्य और जंगल से संबंधित आर्थिक क्रियाकलापों में स्त्री-पुरुषों और बच्चों के बीच श्रम का विभाजन देखने को मिलता है। जिसके अंतर्गत स्त्रियाँ पत्ता तोड़ने, महुआ बीनने का कार्य करती हैं तथा पुरुष जंगल में लकड़ी काटने का कार्य करते हैं और इनके बच्चे महुआ फूल एकत्रित करने का कार्य करते हैं। महुआ के बीज (डोरी) से तेल निकालकर उसे खाने में उपयोग करते हैं।

श्रम की अवधि

ज्यादातर स्त्रियाँ 6-7 घंटे, पुरुष 6-7 घंटे तथा बच्चे 3-4 घंटे के बीच विभिन्न प्रकार का कार्य करते हैं।

कृषि कार्य : इस हेतु स्त्रियाँ खेतों में रोपाई, कटाई का कार्य करती हैं एवं पुरुष खेतों में जोताई, मिझाई तथा कटाई का कार्य करते हैं।

अन्य श्रम

अधिकांशतः पुरुष सरकारी कार्यों में दैनिक मजदूरी आधार पर कार्य करते हैं। कुछ लोगों को (2 व्यक्तियों को) सरकारी नौकरी में पदस्थ पाया गया है। इनमें स्त्रियों का मजदूरों के रूप में कार्य करना उचित नहीं माना जाता है।

आर्थिक चक्र

जनवरी से मार्च महीने तक जंगल में मजदूरी करते हैं। अप्रैल से दिसंबर माह इनका कृषि चक्र होता है। इसमें ये लोग जोताई, रोपाई, मिझाई, कटाई आदि कार्य करते हैं। अप्रैल, मई महीने में जोताई, जून-जुलाई में बोवाई, अगस्त, सितंबर में कटाई, अक्टूबर में हल चलाना, नवंबर में धान कटाई, बोवाई दिसंबर में भी बोवाई-कटाई करते हैं।

कृषि उपकरण : कृषि कार्य हेतु हल, गैंती, टाँगा-टाँगी कुदाली, नागर, हँसुआ आदि का प्रयोग किया जाता है।

प्रविधि

कृषि कार्य हेतु प्राचीन पद्धति ही प्रयोग में लाई जा रही है। जिनसे समुचित फसल प्राप्त नहीं हो पाती।

कृषि कार्य से संबंधित सामाजिक-धार्मिक क्रियाकलाप

कृषि कार्य में अर्थव्यवस्था से संबंधित धार्मिक क्रियाकलापों के अन्तर्गत खेत में बोवाई के समय टोमजाँग (नारियल, अगरबत्ती द्वारा पूजा) किया जाता है। रोपाई के समय बैंगा (स्थानीय धार्मिक व्यक्ति) द्वारा खेत में बनाछुवाई (बैगा खेत में जाकर बान छूता है) होती है। मिझाई के समय खेती मिझ लेने के पश्चात खलिहान में पशुओं (बकरा, मुर्गा आदि) की बलि दी जाती है। बलि में दिए गए पशु को खेत में उपस्थित सभी व्यक्तियों में दक्षिणा (खरूवन) के रूप में बाँट दिया जाता है। अगस्त के महीने में सोनी (नवाखई) त्यौहार मनाया जाता है। इस पर्व में नई फसल (चावल को) दूध के साथ पकाकर घर में स्थित देवस्थल पर चढ़ाया जाता है। और यह प्रसाद एक ही चूल्हे अर्थात् एक ही परिवार के सदस्यगण ग्रहण करते हैं। बूटी देवी की पूजा का प्रमुखता से प्रचलन है।

क्रय तथा विक्रय व्यवस्था

क्रय तथा विक्रय की व्यवस्था के अंतर्गत क्षेत्र में साप्ताहिक बाजारों की व्यवस्था देखने को मिली है। ग्राम गोविंदपुर में सोमवार और रेवटी में मंगलवार को बाजार लगता है जहाँ से ये व्यक्ति तंबाकू, वस्त्र, मिट्टी के बर्तन, बाँस से निर्मित वस्तुएँ, सब्जियाँ, चावल और

अन्य दैनिक उपयोग की वस्तुएँ खरीदते हैं। सरसों, तिली, कुल्थी, महुआ आदि वस्तुओं को बेचकर अपनी आवश्यकताओं से संबंधित वस्तुएँ खरीदते हैं। इस समय व्यापारियों द्वारा धवई फूल (जंगली दवाइयाँ), हर्रा, आँवला, बहेरा तथा गोंद को नमक के बदले बदलते देखा जा सकता है। 1 कि.ग्रा. आँवला के बदले में 2 कि.ग्रा. नमक प्राप्त करते हैं और अन्य वस्तुओं में बराबर की मात्रा में विनिमय होता है।

आय का स्रोत

जंगल से एकत्रित वस्तुओं जैसे तेंदू पत्ता से 25 रुपये प्रति सैकड़ा मिलता है। खेती में उत्पादित फसलों में से सरसों से 8 रुपए प्रतिकिलो तथा जटकी से 9 रुपये प्रति किलो की दर से राशि प्राप्त होती है। मजदूरी के अंतर्गत सरकारी (दैनिक मजदूरी) में 20-25 रुपए और गैरसरकारी मजदूरी में (दैनिक मजदूरी) 16-20 रुपए प्राप्त होते हैं प्रति परिवार औसत आय 4864.70 पैसे प्रतिवर्ष पाई गई है। पशुपालन भी आय का स्रोत है।

पशुपालन

पशुपालन के मुख्य रूप से तीन उद्देश्य पाए गए हैं (1) कृषि कार्य हेतु (2) स्वयं उपभोग हेतु (3) विक्रय हेतु। इसके अतिरिक्त पशुओं का सामाजिक-धार्मिक मूल्य भी पाया गया है जैसे—गाय को ये लोग माता मानते हैं।

व्यय

आय का अधिकांश भाग भोजन और अन्य दैनिक आवश्यकता की वस्तुओं पर व्यय किया जाता है। इसके पश्चात स्वास्थ्य एवं शिक्षा पर व्यय किया जाता है। जन्म, विवाह, मृतक संस्कार आदि अवसरों पर अपनी आर्थिक स्थिति के अनुरूप व्यय किया जाता है। गाँव के सभी व्यक्तियों को जन्म, विवाह, आदि अवसरों पर सामूहिक भोज दिया जाता है।

संपत्ति

भूमि और मानवीय श्रम को संपत्ति के रूप में स्वीकार किया जाता है।

भूमि वितरण प्रारूप

पितृसत्तात्मक परिवार होने के कारण पैतृक संपत्ति सभी भाइयों में समान रूप से वितरित की जाती है। अधिया (प्राप्त फसल का बराबर बँटवारा) पर कृषि हेतु इस समय जमीन अन्य व्यक्तियों को दी जाती है।

साहूकार ब्याज विवरण

जंगल से प्राप्त वस्तुओं पर 20 रुपए की राशि प्रतिवर्ष कर के रूप में दी जाती है। विद्युत कर 150 रुपए प्रतिवर्ष दिया जाता है। महाजनी 10 फुट भूमि की 10 रुपए ली जाती है। लगान के रूप में दी जाने वाली राशि 20 रुपए प्रतिवर्ष है।

कृषि उत्पादन संग्रहण और दैनिक उपयोगी वस्तुएँ

लोटना–उत्पादित वस्तुओं के संग्रहण हेतु। जाता–मक्का दाल और अन्य वस्तुएँ पीसने हेतु। ढेकी–धान कूटने हेतु। पिटला–डोरी से तेल निकालने हेतु। डोली–धान रखने का बाँस, या लकड़ी द्वारा निर्मित पात्र। मछली रखने हेतु बाँस द्वारा निर्मित घुटी, और इसके अलावा दैनिक उपयोग की धातु और मिट्टी द्वारा निर्मित वस्तुओं में थाली, लोटा-देगची, कटोरी, गिलास, चम्मच, कड़ाही, घड़ा, बाल्टी, चारपाई, मचिया, सायकिल, टेबिल, कुर्सी, वस्त्र, घड़ी आदि वस्तुएँ उपयोग में लाई जाती हैं।

आभूषण

कनफूल, हँसली, तरकी आदि चाँदी द्वारा निर्मित आभूषण धारण किया जाता है।

मनोरंजन के साधन

मनोरंजन के साधन के अंतर्गत ढोल, मंजिरा, रेडियो, टेपरिकार्डर आदि प्रयोग में लाए जाते हैं।

सिंचाई हेतु निजी कुएँ-डोरी और मुख्य रूप से प्राकृतिक संसाधनों पर निर्भरता पाई गई है, जैसे वर्षा।

वधू मूल्य

वधू मूल्य के रूप में पशु-धान आदि दिए जाते हैं।

उपरोक्त अध्ययन से यह बात स्पष्ट होती है कि खैरवार जनजाति निम्नतम आर्थिक स्तर पर है क्योंकि उनके पास समुचित सिंचित भूमि का व नवीन तकनीक का अभाव है तथा ये लोग शासकीय विकासीय कार्यक्रमों से अपरिचित हैं। कृषि चक्र के अंतर्गत एक ही बार फसल के उत्पादन में सक्षम हो पाते हैं इस कारण इन्हें पर्याप्त फसल प्राप्त नहीं हो पाती है। जिससे विशेषकर बच्चों में कुपोषण की समस्या देखने को मिली है विकासीय कार्यक्रमों के अभाव के कारण इनका आर्थिक स्तर उन्नत नहीं हो पाया है। दूसरी ओर नमक के बदले जंगली उत्पादन या वनोपज का महत्त्व न मालूम होने की स्थिति को स्पष्ट करती है। इनके आर्थिक स्तर में सुधार हेतु इन्हें सिंचित भूमि तथा विकासीय कार्यक्रमों की जानकारी प्रदान की जानी चाहिए। इस संदर्भ में उचित मार्ग दर्शक और निःस्वार्थ भाव से कार्य करने वाले मानवशास्त्रियों, स्वयंसेवी संगठनों और ऐसे व्यक्तियों की जो इस कार्य में रुचि रखते हों आवश्यकता है। विकास कार्यक्रमों की और विशेष रूप से इनका ध्यान केंद्रित किया जाए ताकि ये बहुमुखी विकास की ओर उन्मुख होकर मुख्य धारा से जुड़ सकें।

सधन्यवाद प्रपत्र

क्षेत्रीय शोध कार्य के दौरान हम संबंधित क्षेत्र के शिक्षकों तथा खैरवार जनजाति परिवारों के आवश्यक सहयोग हेतु आभार व्यक्त करते हैं।

संदर्भ

1. सेन्सस आफ इंडिया (1981) : स्पेशल टेबल्स फार शिड्यूल्ड ट्राइब्स एंड कास्ट्स् सीरीज-2, पार्ट 9, गवर्नमेंट ऑफ इंडिया, नई दिल्ली।
2. भारत के लोग (1990) : भारतीय मानव सर्वेक्षण विभाग (शोध रिपोर्ट), नई दिल्ली।
3. शर्मा, के.के.एन. (1990) : दी इफेक्ट ऑफ मेटरनल फीडल ए.बी.ओ. ब्लड ग्रुप। इनकाम्पेटिबिलिटी ऑन द पोस्टनेटल ग्रोथ एंड डेवलपमेंट ऑफ दी खैरवार ट्राइब्स चिल्ड्रेन ऑफ मध्यप्रदेश पी-एच.डी. शोध, डॉ. हरिसिंह गौर विश्वविद्यालय सागर, म.प्र. (अप्रकाशित)।

आदिवासी क्षेत्र विकास योजना एवं ग्रामीण विद्युतीकरण : मध्यप्रदेश के संदर्भ में

□ *अमरकांत पांडेय*, राधा पांडेय*, नीलम गुप्ता****

भारतवर्ष को गाँवों का देश कहा जाता है। देश की लगभग 80 प्रतिशत जनसंख्या गाँवों में निवास करती है। महात्मा गाँधी के शब्दों में 'वास्तविक भारत गाँवों में बसा है'। स्वतंत्रता प्राप्ति के पूर्व विकास के अभाव में ग्रामीण जनों को अनेक सुविधाओं से वंचित रहना पड़ता था। स्वतंत्रता प्राप्ति के पश्चात ग्रामीण विकास की ओर ध्यान दिया गया। गाँवों में रहने वाले लोगों के लिए अनेक योजनाएँ प्रारंभ की गईं। किसानों को कृषि के आधुनिक तरीके सिखाए गए। आधुनिक भारत निर्माता पंडित जवाहरलाल नेहरू के प्रयासों से कृषि में यंत्रीकरण की क्रांति आई। इसके अतिरिक्त विभिन्न सहायक उद्योगों के माध्यम से ग्रामवासियों को रोजगार देने के प्रयास किए गए।

ग्रामीण क्षेत्रों में बसने वालों का जीवन स्तर ऊँचा उठाने तथा कृषि यंत्रीकरण को तीव्र गति से लागू करने के लिए विद्युत सुविधा उपलब्ध कराने के उद्देश्य से 1969 में 'ग्रामीण विद्युतीकरण निगम' की स्थापना की गई। निगम ने अपनी स्थापना के समय से ही सम्पूर्ण भारत के गाँवों में विद्युत पहुँचाने हेतु प्रयास तीव्र गति से प्रारभ कर दिया था। 1971 की जनगणना के आधार पर देश के 25 राज्यों एवं केंद्र शासित क्षेत्रों में कुल 5,76, 126 गाँव हैं जिसमें से जनवरी 1988 तक 74% गाँवों को विद्युतीकृत किया जा चुका है। वर्ष 1969 में जबकि 'ग्रामीण विद्युतीकरण निगम' की स्थापना की गई थी, उस समय देश में मात्र 73739 ग्राम एवं 10.88 लाख पंपों को विद्युतीकृत किया गया

* डॉ. अमरकांत पांडेय, व्याख्याता, अर्थशास्त्र अध्ययनशाला, रविशंकर विश्वविद्यालय, रायपुर (म.प्र.)।

** श्रीमती राधा पांडेय, सहायक प्राध्यापक (अर्थशास्त्र), शासकीय संस्कृति महाविद्यालय, रायपुर (म.प्र.)।

*** नीलम गुप्ता, शोधछात्रा, रविशंकर विश्वविद्यालय, रायपुर।

था। इनकी संख्या जनवरी 1988 में बढ़कर 4,26,323 ग्राम एवं 70.46 लाख पंप हो गई है।

ग्रामीण विद्युतीकरण से आशय ग्रामों में विद्युत पहुँचाने एवं कृषि हेतु सिंचाई पंपों के माध्यम से पानी पहुँचाकर कृषि उत्पादन में वृद्धि करने से है। यह एक ऐसी प्रक्रिया है जिसके अंतर्गत ग्रामों में महत्त्वपूर्ण उत्पादन परिवर्तनों की एक श्रृंखला का आविर्भाव होता है। इस प्रक्रिया के अंतर्गत वे समस्त परिवर्तन शामिल होते हैं, जो किसी उपक्रम के मशीनीकरण, किसी नवीन उद्योग की स्थापना इत्यादि के फलस्वरूप घटित होते हैं। इस प्रकार यह वह प्रक्रिया है जो ग्रामीण क्षेत्र के समुचित विकास को गति प्रदान करती है।

ग्रामीण विद्युतीकरण के लाभ उस समय तक पूर्ण एवं पुष्ट प्रतीत नहीं होते जब तक वह समाज के अविकसित एवं पिछड़े वर्गों के हितों को सुरक्षित रखने में सहायक न हों। प्रदेश की कुल जनसंख्या में अनुसूचित जाति तथा अनुसूचित जनजाति का अनुपात क्रमशः 14 प्रतिशत तथा 23 प्रतिशत है। जिनका आर्थिक विकास नितांत आवश्यक है। प्रदेश में ऐसे 5 जिले हैं जहाँ की कुल जनसंख्या में इन पिछड़ी जातियों का अनुपात 50 प्रतिशत से भी अधिक है। यहाँ तक कि झाबुआ जिले की जनसंख्या का 83.5 प्रतिशत इसी वर्ग में निहित है। प्रदेश के 13 जिलों में अनुसूचित जाति तथा जनजाति की जनसंख्या का अनुपात 20 प्रतिशत से कुछ कम है। वस्तुतः ये वर्ग समाज के गरीब व कमजोर वर्ग हैं जो सामान्य जन-जीवन से कटे हुए हैं, तथा दूरस्थ व बीहड़ एवं अविकसित क्षेत्रों में निवारा करते हैं। अतः इन्हें आर्थिक विकास से जोड़ना निस्संदेह दुष्कर एवं देश के कर्णधारों, जन-प्रतिनिधियों तथा संचेतकों के लिए एक चुनौती है।

मध्यप्रदेश में ग्रामोत्थान की दिशा में ग्रामीण विद्युतीकरण निस्संदेह एक सराहनीय कदम है, किंतु ग्रामीण विद्युतीकरण के लाभ को इन आदिवासियों एवं पिछड़े वर्गों तक पहुँचाना जितना आवश्यक है, उतना ही जटिल एवं व्यवधानों से परिपूर्ण है। संभवतः यह प्रदेश के समक्ष सबसे गहन चुनौती है, फिर भी इन चुनौतियों को स्वीकार किया गया है तथा इस समस्या के निदान हेतु दो प्रकार की योजनाओं का सहारा लिया गया है। ये योजनाएँ क्रमशः 'आदिवासी क्षेत्र विकास योजना' तथा 'अनुसूचित जाति विकास योजना' के रूप में चलाई जा रही हैं। इन योजनाओं के अंतर्गत ग्रामीण विकास का प्रयत्न किया जा रहा है।

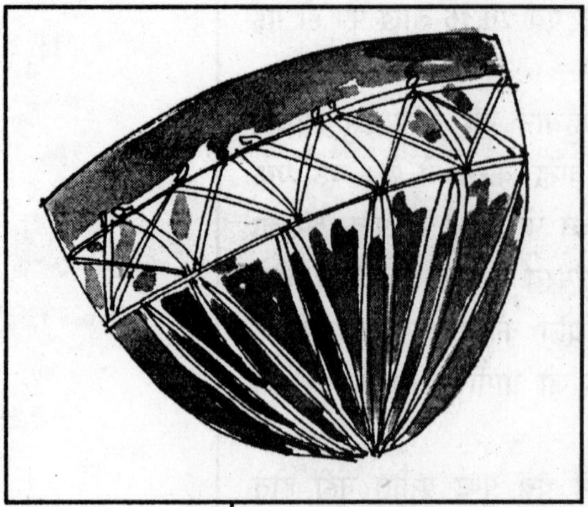

(1) आदिवासी क्षेत्र विकास योजना एवं ग्रामीण विद्युतीकरण

'आदिवासी क्षेत्रविकास योजना' के अंतर्गत एक ओर आदिवासी बस्तियों में विद्युतीकरण के विस्तार का कार्य किया जाता है, वहीं दूसरी ओर इनकी उत्पादकता के संवर्धन हेतु सिंचाई पंपों को विद्युत ऊर्जा प्रदान की जाती है। प्रदेश में इस योजना के अंतर्गत विद्युतीकरण क्रियाओं को जो गति प्रदान की गई है वह तालिका से स्पष्ट है—

तालिका : मध्यप्रदेश में पिछड़े वर्ग को विद्युत सुविधा की पूर्ति

वर्ष	आदिवासी क्षेत्र विकास योजनांतर्गत		अनुसूचित जाति विकास योजनांतर्गत	
	विद्युतीकृत ग्राम (संख्या)	पंप सुविधा (संख्या)	विद्युतीकृत ग्राम (संख्या)	पंप सुविधा (संख्या)
1979-80	4726	26137	716	5337
1980-81	5806	34589	738	9077
1981-82	7170	39996	1182	12388
1982-83	8284	46877	1356	15265
1983-84	9546	52277	1596	18029
1984-85	11026	58273	1839	22584
1985-86	12260	64776	2362	24817
1986-87	13874	74493	2976	28627
1987-88	15796	84711	3747	31170
1988-89	17643	93660	4462	34738
वृद्धि का प्रतिशत	273.32	232.87	523.18	550.89

स्पष्ट है कि आदिवासी क्षेत्र विकास योजना के अंतर्गत प्रदेश में विद्युतीकृत ग्रामों की संख्या वर्ष 1979-80 में 4726 थी जो वर्ष 1988-89 में बढ़कर 17643 हो गई। इस प्रकार एक दशक में विद्युतीकृत ग्रामों की संख्या में 273.32 प्रतिशत की वृद्धि हुई। इसी प्रकार इस योजना में विद्युतीकृत पंपों की संख्या वर्ष 1979-80 में 28137 थी

जो 1988-89 में बढ़कर 93660 हो गई तथा इस एक दशक में वृद्धि का प्रतिशत 232.87 रहा।

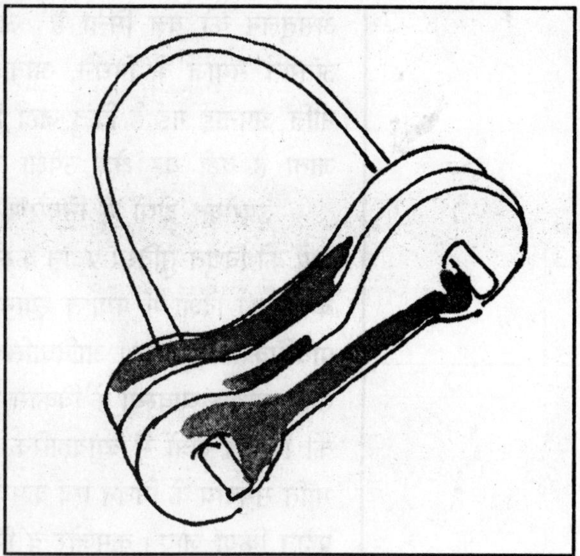

अनुसूचित जाति विकास योजना एवं ग्रामीण विद्युतीकरण

आदिवासी क्षेत्र विकास योजना की भाँति प्रदेश में अनुसूचित जाति के विकास तथा आर्थिक उन्नयन हेतु 'अनुसूचित जाति विकास योजना' क्रियान्वित की गई है। प्रदेश के अनुसूचित जाति बहुल क्षेत्रों में एतदर्थ उपभोग्य विद्युत सुविधा के अतिरिक्त कृषि तथा अन्य उत्पादक व्यवसायों के लिए भी विद्युत ऊर्जा की सुविधा दी गई है। प्रदेश के ग्रामीण क्षेत्रों में आजीविका का मुख्य साधन कृषि है, तथा वह मानसून पर निर्भर है। मानसून की अनिश्चितता से कृषि क्षेत्र को सुरक्षित करने के लिए 'अनु.जाति विकास योजना' के अंतर्गत भी सिंचाई पंपों को विद्युत की सुविधा प्रदान की गई है।

प्रदेश में 'अनु. जाति विकास योजना' की प्रगति भी तालिका में प्रदर्शित है। स्पष्ट है कि इस योजना के अंतर्गत विद्युतीकृत ग्रामों की संख्या वर्ष 1979-80 में 716 थी जो 1988-89 में बढ़कर 4462 हो गई। इस प्रकार एक दशक में वृद्धि का प्रतिशत 532.18 रहा। इसी प्रकार विद्युतीकृत पंपों की संख्या वर्ष 1979-80 में 5337 थी जो 1980-89 के अंत तक बढ़कर 34738 हो गई। इस प्रकार इनमें वृद्धि 550.89 प्रतिशत रही।

गिनी का संकेंद्रण गुणांक

'आदिवासी क्षेत्र विकास योजना' एवं 'अनुसूचित जाति विकास योजना' में गिनी के संकेंद्रण गुणांक की गणना की गई जिससे निम्न परिणाम प्राप्त हुए हैं–

आदिवासी ग्रामों में विद्युतीकरण का गिनी गुणांक	0.247
अनु. जाति ग्रामों में विद्युतीकरण का गिनी गुणांक	0.344
आदिवासी विद्युतीकरण पंप का गिनी गुणांक	0.226
अनु. जाति विद्युतीकृत पंप का गिनी गुणांक	0.295

आदिवासी वर्ग की अपेक्षा अनुसूचित जाति वर्ग में गिनी गुणांक (असमानता) अधिक है। दूसरी बात यह है कि अभी भी कई पिछड़े क्षेत्रों व वर्गों की उपेक्षा की जा रही है जिससे इनका समुचित विकास असंभव बना हुआ है। फलस्वरूप प्रदेश में क्षेत्रीय

असंतुलन को बल मिला है। अनु. जाति विकास एवं आदिवासी विकास योजना के अंतर्गत समाज के निर्धन, अविकसित व कमजोर वर्गों को सुविधाएँ प्रदान करने की नीति अपनाई गई है किंतु जहाँ विकास क्रम में प्राथमिकताओं का निर्धारण नहीं किया जाता है वहीं यह क्षेत्र उपेक्षा का शिकार प्रतीत होता है।

उपरोक्त दोषों के निवारण हेतु यह आवश्यक है कि समाज के निर्धन व कमजोर वर्गों को विद्युत सुविधा प्रदान करने तथा उन्हें समाज के अन्य वर्गों के समकक्ष प्रगतिशील बनाने की दिशा में पर्याप्त ध्यान दिया जाए। कृषि क्षेत्रों को विद्युतीकरण की दिशा में प्राथमिकता दी जाए। आदिवासियों को स्थिर जीवन-यापन के अवसर प्रदान करने तथा उन्हें आर्थिक व्यवस्था के विकास के साथ जोड़ने के लिए 'आदिवासी क्षेत्र विकास योजना' को विस्तृत क्षेत्रों में व्यावहारिक बनाया जाए। अनुसूचित जातियों व आदिवासियों की भाँति समुदाय के निर्धन एवं कमजोर वर्गों को लाभ देने हेतु योजनाओं को अधिक विस्तार प्रदान किया जाए। कमजोर व पिछड़े वर्गों के विकास हेतु ग्रामों में लघु विद्युत इकाइयों की स्थापना की जाए ताकि इनके माध्यम से ग्रामीण औद्योगीकरण को प्रोत्साहन दिया जा सके।

यदि उपरोक्त सुझावों को पूर्ण मनोयोग के साथ क्रियान्वित किया जाए तो यह निश्चित है कि प्रदेश में ग्रामीण विकास विशेषकर, ग्रामीण पिछड़े व कमजोर वर्ग के विकास को गति प्रदान की जा सकेगी।

जनजातियों की समस्याएँ व समाधान

□ *श्रीमती अनुपमा सक्सेना*

जनजाति अर्थव्यवस्था-समस्याएँ

जनजातियों का हित और उनकी समस्याओं का समाधान वर्तमान समय में एक प्रचलित पद हित हेतु चिंता है या नहीं। प्रत्यक्ष दिखाई देने वाली बात यह है कि जहाँ एक ओर राजनीतिज्ञ जनजातियों के मसीहा बनना चाहते हैं तो बुद्धिजीवी वर्ग इनसे संबंधित विषयों के अतिरिक्त अन्य किसी विषय के अध्ययन में अपनी रुचि प्रगट ही नहीं करता है। प्रशासक वर्ग के लिए तो जनजातियों के हित और विकास से संबंधित आंकड़े पदोन्नति के सोपान हैं तो पत्रकारों के लिए जनजाति समस्याओं से संबंधित खबरें पत्र की बिक्री बढ़ाने का सबसे बड़ा माध्यम है। जनजातियों की समस्याओं के वास्तविक स्वरूप और व्यावहारिक समाधानों की ओर किसी का ध्यान नहीं जाता है। जनजातियों की समस्याओं की बात करते हुए जिस समस्या को सर्वप्रथम लिया जाना चाहिए, वह है—उनकी समस्याओं के वास्तविक स्वरूप को समझना। स्वतंत्रता के लगभग 45 वर्षों के बाद आज भी जनजातियों को प्रायः उन्हीं समस्याओं से ग्रस्त समझा जाता है जिनसे वे स्वतंत्रता के समय या उसके पूर्व ग्रसित थे। किंतु पिछले 45 वर्षों में परिस्थितियाँ परिवर्तित हो चुकी हैं। स्वतंत्रता के समय जनजातियों से संबंधित बड़ी समस्या उनकी पृथकता, उनका अलगाव और उन्हें भारतीय राष्ट्र और समाज की मुख्य धारा के समीप लाने की चुनौती थी किंतु अब समस्या उन्हें समीप लाने की नहीं रह गई, वे अब मुख्य धारा के सम्पर्क में आ चुके हैं। जनजातियों की वर्तमान सबसे बड़ी समस्या यह है कि उन्हें मुख्य धारा के साथ इस तरह किस प्रकार मिलाया जाए कि वे अपने मूल अस्तित्व को संरक्षित करके भारत अंग बन सकें। वर्तमान समय में आदिवासियों की स्थिति 'त्रिशंकु' के समान है वे न तो पूर्णतः दूसरी संस्कृति के साथ समावेशित हो सके हैं और उन अपनी संस्कृति को छोड़ सके हैं। बीच की यह स्थिति असमंजस की है। यह संक्रमण काल स्वयं जनजातियों की नई और पुरानी पीढ़ी के बीच संघर्ष को जन्म दे रहा है। एक वर्ग जीवन के प्रत्येक पक्ष में परिवर्तन और सुधारों का पक्षधर है तो दूसरा वर्ग पुरानी परंपराओं से ही चिपका रहना चाहता है। समस्या यह है कि आदिवासियों का निर्देशन इस प्रकार से कैसे किया जाए कि वे उपयोगी नवीन परिवर्तनों को अपना लें और अनुपयोगी पुरातन व्यवस्थाओं और परंपराओं को त्याग दें। जनजातियों से संबंधित किसी भी समस्या का वर्णन और विश्लेषण उपर्युक्त परिप्रेक्ष्य में ही किया जाना चाहिए।

(1) **आर्थिक समस्याएँ**–अर्थव्यवस्था सम्पूर्ण सामाजिक व्यवस्था का आधार होती है। जनजाति से संबंधित समस्याओं में उनकी आर्थिक समस्याओं का अध्ययन अत्यधिक महत्त्वपूर्ण है। वर्तमान समय में जनजातीय अर्थव्यवस्था किस प्रकार की आर्थिक समस्याओं से ग्रसित है इसको, उनमें विभिन्न जीविकोपार्जन के साधनों की वर्तमान स्थिति की समीक्षा करके स्पष्ट किया जा सकता है।

कृषि

जनजातीय अर्थव्यवस्था में जीविकोपार्जन के साधनों में कृषि का महत्त्वपूर्ण स्थान है। कृषि पर निर्भर जनजातियों को दो वर्गों में बाँटा जा सकता है। प्रथम वे जो अभी भी स्थानांतरित खेती करती हैं और द्वितीय वे जो इस परंपरागत तरीके को छोड़कर के कृषि के आधुनिक तरीकों का उपयोग करने लगी हैं। स्थानांतरित खेती करने वाली जनजातियों की कुल जनसंख्या भारतवर्ष में लगभग 53 लाख है। क्रमशः सरकार पर्यावरणीय तथा आवासीय कारणों से वन क्षेत्रों को हस्तगत करती जा रही है। अतः कुछ वर्षों के बाद इन 53 लाख जनजातियों के समक्ष जीविकोपार्जन के साधन की समस्या खड़ी हो जाएगी। स्थानांतरित खेती में उपज कम भी होती है और गुणवत्ता की दृष्टि से निम्नस्तरीय भी। वह जनजातीय अर्थव्यवस्था, जो स्थानांतरित खेती को त्याग चुकी है, समस्याओं से मुक्त नहीं है। गरीबी और अज्ञानता के कारण वे कृषि के आधुनिक तरीकों जैसे कृत्रिम खाद, उन्नत बीज, सिंचाई, ट्रेक्टर आदि का प्रयोग कृषि हेतु नहीं करते हैं। इन जनजातियों के पास भूमि के टुकड़े बहुत छोटे-छोटे हैं संयुक्त परिवारों का विघटन होने के साथ-साथ भूमि पर निर्भर व्यक्तियों की संख्या बढ़ती जाती है और भूमि उनके लिए पर्याप्त पैदावार देने में अक्षम हो जाती है। उपर्युक्त समस्याओं के साथ-साथ भूमि से संबंधित एक अन्य समस्या यह है कि जनजातियों के पास भूमि ही एकमात्र अचल सम्पत्ति होती है। धन की आवश्यकता होने पर वे उसे बेच देते हैं या गिरवी रख देते हैं। दोनों ही स्थितियों में वे अपनी अज्ञानता के कारण प्रायः घाटे में रहते हैं। भूमि के दलाल भूमि को कम दाम में खरीद लेते हैं अथवा गिरवी रख लेते हैं। भूमि छुड़ाने की स्थिति ही नहीं आती और अंत में वह साहूकार के पास चली जाती है।

वन

जनजातीय अर्थव्यवस्था में जीविकोपार्जन का दूसरा प्रमुख साधन वन है। अभी भी लगभग 40% जनजाति वनों या वनों से संबंधित रोजगारों पर निर्भर है। किंतु वनों की अंधाधुंध कटाई के कारण, चाहे यह कटाई व्यक्तिगत हितों के लिए की जाए या उद्योग, आवास स्थलों का निर्माण, बाँध आदि बनाने जैसे सार्वजनिक हितों की पूर्ति के लिए की जाए। वन क्षेत्र कम होते जा रहे हैं जबकि उस अनुपात में जनजातीय जनसंख्या बढ़ती ही जा रही है। वनोपज संग्रहण, जिनमें हर्रा, बहेरा, लाख, तेंदूपत्ता आदि प्रमुख हैं, जनजातियों के जीविका के प्रमुख साधन हैं, किंतु स्वतंत्रता के बाद सरकार द्वारा वनों को अपने संरक्षण में लेने की नीति के कारण अब जनजातियाँ अधिक

मात्रा में वनोपज संग्रहण नहीं कर सकती हैं। जो कुछ वनोपज संग्रहण करते हैं उन्हें अज्ञानता के कारण उसका सही मूल्य नहीं प्राप्त हो पाता है। वनोपज की बिक्री से प्राप्त होने वाला अधिकांश लाभ या तो निजी ठेकेदारों के हिस्से में या मध्यस्थ सरकारी अधिकारियों के हिस्से में चला जाता है। वनोपज को उपयोगी बनाने की आधुनिक तकनीक का जनजातियों को ज्ञान नहीं है, यही कारण है कि वे कच्चा माल कम दामों पर बेच देते हैं जबकि उसी कच्चे माल से नए माल का उत्पादन कर दूसरे लोग अधिक लाभांश प्राप्त करते हैं। वन क्षेत्रों में पाए जाने वाले जानवरों को शिकार और उनसे प्राप्त होने वाली वस्तुएँ शेर की खाल, हिरण के सींग, बाघ के नाखून आदि जनजातियों की जीविका के प्रमुख साधन थे किंतु अब सरकार की वन एवं वन्य प्राणी संरक्षण की नीति के अंतर्गत अधिकांश क्षेत्रों को संरक्षित घोषित कर वहाँ शिकार करने की मनाही कर दी गई है इसके अतिरिक्त वनों के लुप्त होने के साथ-साथ वन्य प्राणी भी लुप्त होते चले जा रहे हैं।

श्रम

जनजातीय अर्थव्यवस्था का तीसरा प्रमुख साधन श्रम है, इसे हम दो भागों में विभाजित कर सकते हैं–

(1) सरकारी नौकरियों में कार्य करना (2) निजी मालिकों के पास नौकरी करना।

यद्यपि भारतीय संविधान में सरकारी नौकरी प्राप्त करने के लिए प्रत्येक व्यक्ति को समान अवसर प्रदान करने का अधिकार दिया है तथापि निम्नांकित कारणों से जनजाति प्रायः सरकारी नौकरी प्राप्त नहीं कर पाते या चतुर्थ वर्ग की नौकरी ही प्राप्त कर पाते हैं– (1) सरकारी नौकरियों से संबंधित जानकारियों का जनजातियों में अभाव होता है क्योंकि वे प्रायः अशिक्षित हैं और प्रायः विकसित शहरों से दूर रहते हैं। अतः निकलने वाली सरकारी नौकरियों की रिक्तियों से संबंधित जानकारी उन तक नहीं पहुँच पाती है। (2) वर्तमान समय में बढ़ती हुई जनसंख्या और रोजगार के अवसरों की कमी के कारण छोटी से छोटी नौकरी के लिए भी रिश्वत, सिफारिश आदि चलने लगी है, इन दोनों ही साधनों का आदिवासियों के पास पूर्णतः अभाव होता है। (3) आदिवासी स्वभाव से सीधे-सादे होते हैं, छोटी से छोटी सरकारी नौकरी प्राप्त करने के लिए एक लंबी प्रक्रिया को पूरा करना पड़ता है जो प्रायः आदिवासियों के लिए संभव नहीं होता। (4) प्रायः जनजातियों की मानसिकता संकोची होती है। वे अपने परिवार के साथ अभावों का जीवन व्यतीत करना अधिक उपयुक्त समझते हैं किंतु कहीं बाहर जाना नहीं चाहते। यह मानसिकता भी जनजातियों को सरकारी नौकरियां प्राप्त करने में बाधक है। (5) सरकारी नौकरियों के बाद जनजातियाँ अपनी जीविका के लिए धनी व्यक्तियों के घर में घरेलू या मिलों, कारखानों आदि में श्रमिक या बड़े-बड़े भूमिपतियों के खेतों में कृषक मजदूर के रूप में भी कार्य करते हैं।

किंतु उपर्युक्त रोजगारों में जनजाति शिक्षा के निम्न स्तर के कारण प्रायः निम्नस्तरीय रोजगार ही प्राप्त कर पाते हैं, साथ ही यद्यपि, सरकार ने संविधान में उचित मूल्य का

तथा शोषण के विरुद्ध अधिकार प्रदान किए हैं तथापि अज्ञानतावश प्रायः जनजाति अपने श्रम का उचित मूल्य प्राप्त नहीं कर पाते हैं और शोषण का शिकार होते हैं। वर्तमान समय में कुछ जनजातियाँ जीविकोपार्जन के लिए अन्य साधनों की ओर उन्मुख हैं किंतु कोई बड़ा उद्योग तो जनजाति स्थापित नहीं कर सकते क्योंकि उनके पास उतनी पूँजी नहीं होती। लघु अथवा कुटीर उद्योगों या छोटे स्तर पर व्यापार करने में जनजातियों को निम्नांकित कठिनाइयों का सामना करना पड़ता है।

(1) पूँजी का अभाव (2) बैंकों से ऋण लेने संबंधी ज्ञान का अभाव (3) किसी भी स्तर पर व्यापार या उद्योग चलाने के लिए अनेक नियमों का ज्ञान आवश्यक है। उदाहरणार्थ कर देने के नियम, लाइसेंस आदि से संबंधित नियम आदि। साथ ही आदिवासियों को इस बात का ज्ञान नहीं होता कि व्यवसाय के लिए जिस धूर्तता या चालाकी की आवश्यकता होती है वह उनके पास नहीं होती।

(2) आवश्यक वस्तुओं की अभावग्रस्तता–पूर्व में जनजाति रोटी, कपड़ा और मकान की अपनी मूलभूत आवश्यकताओं की पर्याप्त पूर्ति कृषि या वन से कर लेते थे किंतु जैसाकि उपर्युक्त वर्णन से स्पष्ट है वन और कृषि अब जनजातियों की मूलभूत आवश्यकताओं की भी पूर्ति नहीं कर सकते हैं। इन आवश्यकताओं की पूर्ति के लिए अब आदिवासियों को बाजार जाना पड़ता है और मुद्रा विनिमय करना पड़ता है। प्रारंभ से ही आदिवासियों में संग्रहण की प्रवृत्ति नहीं रही है जिसके कारण वे जितना कमाते हैं उतना तुरंत खर्च कर देते हैं। बीमारी आदि की स्थिति में तथा रोजगार उपलब्ध न होने की स्थिति में वे या तो भूख का सामना करते हैं या असामाजिक कृत्यों की ओर अग्रसर हो जाते हैं।

(3) ऋणग्रस्तता की समस्या–जनजातीय अर्थव्यवस्था में ऋणग्रस्तता अधिक पाई जाती है इसके निम्नांकित कारण हैं–(1) जीवन की अनिवार्य आवश्यकताओं की पूर्ति करने के साधनों की अनुपलब्धता। (2) आधुनिक सभ्यता के सम्पर्क में आने के कारण अधिकाधिक भौतिक सुख-सुविधाएँ प्राप्त करने की इच्छा। (3) संचयी प्रवृत्ति न होने के कारण किसी धार्मिक या सामाजिक उत्सव या अनुष्ठान, संकटकालीन स्थिति जैसे बीमारी, फसल नष्ट हो जाना, बैल मर जाना, आदि किसी सामाजिक अपराध के परिणामस्वरूप पंचायत द्वारा दंड दिया जाना, आदि के समय धन की आवश्यकता होने पर ऋण लेने के अतिरिक्त और कोई उपाय नहीं होता है।

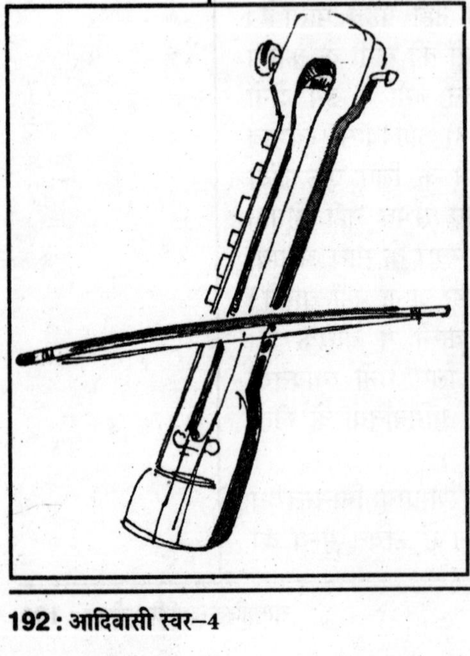

जनजातियाँ निम्नांकित कारणों से सरकारी प्रतिष्ठानों और संस्थानों से ऋण नहीं लेती हैं– (1) जनजातीय क्षेत्रों में ऋण देने वाली सरकारी संस्थाओं का अभाव। (2) आदिवासियों को सरकारी संस्थाओं से ऋण लेने की प्रक्रिया की जानकारी नहीं होती। (3) किसी भी सरकारी संस्था से ऋण लेने की प्रक्रिया जटिल व लंबी होती है जबकि साहूकारों से ऋण तुरंत मिल जाता है।

किंतु साहूकारों से ऋण लेकर आदिवासी निम्नांकित समस्याओं

से ग्रस्त हो जाते हैं–(1) ब्याज दर बहुत अधिक होती है कभी-कभी तो ब्याज मूलधन से भी अधिक हो जाता है। (2) जनजाति चूँकि अशिक्षित होते हैं अतः प्रायः वे साहूकारों की धूर्तता के शिकार बन जाते हैं प्रायः साहूकार ऋण देने के पहले कोई वस्तु गिरवी रखवाते हैं यह वस्तु प्रायः भूमि या पशु होते हैं। अपनी दरिद्रता के कारण आदिवासी कभी भी पूरा ऋण नहीं चुका पाते और अंत में उन्हें अपनी वस्तुओं से हाथ धोना पड़ता है जिससे उनकी आर्थिक समस्याओं में और भी अधिक वृद्धि हो जाती है।

(4) **बंधुआ मजदूरी की समस्या**–जनजातीय अर्थव्यवस्था में कभी-कभी जब जनजातियों के पास लिए गए ऋण को चुकाने की व्यवस्था नहीं हो पाती है तथा उनके पास भूमि, पशु या अन्य कोई इस प्रकार की वस्तु नहीं बचती जिसे बेचकर वे ऋण मुक्त हो सकें ऐसी स्थिति में वे अपने श्रम को लिए गए ऋण के बदले में प्रदान करते हैं यदि एक व्यक्ति अपने जीवन में अपना श्रम देकर भी ऋण मुक्त नहीं हो पाता तो उसका बेटा और तत्पश्चात उसके बेटे का बेटा और इस प्रकार कई पीढ़ियों तक उस व्यक्ति के लिए गए ऋण के बदले श्रम देते रहते हैं यह बंधुआ मजदूरी कहलाती है इसमें व्यक्ति श्रम तो करता है किंतु उसका कोई मूल्य नहीं मिलता है।

(5) **बेगारी की समस्या**–जनजाति प्रायः भूमिपतियों या धनी व्यक्तियों के घरों में बेगार करने पर भी मजबूर किए जाते हैं।

जनजातियों से संबंधित योजनाओं और नीतियों के निर्माता तथा आर्थिक समस्याओं से संबंधित सुझाव देने वाले व्यक्ति प्रायः जनजातियों की आर्थिक परिस्थिति से अनभिज्ञ रहते हैं। योजनाओं और नीतियों के क्रियान्वयन का दायित्व जिन प्रशासकीय अधिकारियों पर रहता है वे नियुक्ति नहीं चाहते। प्रशासन में व्याप्त भ्रष्टाचार के कारण जनजातियों के आर्थिक उत्थान हेतु प्रदत्त राशि का बहुत कम भाग ही जनजातियों तक पहुँच पाता है। अपने आर्थिक पिछड़ेपन के लिए, स्वयं जनजातियाँ भी कम उत्तरदायी नहीं हैं। पूर्व में तो वे सरकारी प्रयत्नों के प्रति रुचि ही प्रदर्शित नहीं करते थे और अब प्रायः जनजातियों में यह मानसिकता आती जा रही है "हम कुछ करें न करें सरकार को हमारे लिए सब कुछ करना चाहिए।" यह भावना जनजातियों के विकास के मार्ग में एक बड़ी बाधा है। उपर्युक्त समस्याओं के समाधान हेतु निम्नांकित सुझाव दिए जा सकते हैं। (1) जनजातीय अर्थव्यवस्था से संबंधित शोधों और अध्ययनों को बढ़ावा दिया जाए जिससे कि नीति निर्माता उनकी वास्तविक परिस्थितियों तथा समस्याओं से परिचित हो सकें। (2) जन सामान्य में जनजातियों के प्रति लगाव उत्पन्न किया जाना चाहिए। जिसके कि अधिकाधिक व्यक्ति जनजाति क्षेत्र में काम कर सकें। (3) जनजाति क्षेत्रों में नियुक्ति के पूर्व प्रत्येक अधिकारी और कर्मचारी को जनजातियों से संबंधित एक विशिष्ट प्रशिक्षण कार्यक्रम को पूरा करना अनिवार्य कर दिया जाना चाहिए। (4) जनजाति क्षेत्रों में नियुक्त अधिकारियों और कर्मचारियों को अतिरिक्त भत्ते, बच्चों की शिक्षा की व्यवस्था, आदि की जानी चाहिए। (5) भ्रष्ट अधिकारियों के विरुद्ध कठोर अनुशासनात्मक कार्यवाही की जानी चाहिए। (6) जनजाति क्षेत्रों में शिक्षा के प्रयास पर जोर दिया जाना चाहिए जिससे जनजाति अर्थव्यवस्था सरकार द्वारा निर्मित अनेक योजनाओं से लाभान्वित हो सके।

मध्यप्रदेश की खैरवार जनजाति में पोषणात्मक स्थिति

□ *कु. ज्योत्स्ना मिश्रा, काशी कैलाशनाथ शर्मा एवं बी.एम. मुखर्जी*

स्वस्थ स्थिति का निर्धारण करने वाले कारकों में पोषण का महत्त्वपूर्ण स्थान है। उचित पोषण तत्त्वों के अभाव से शारीरिक तथा मानसिक विकास अवरुद्ध हो जाता है। जिससे कुपोषण जैसी गंभीर समस्या उत्पन्न हो जाती है। जिसका सामना करने हेतु यदि आवश्यक उपाय नहीं किए गए, तो स्थिति और भी खराब हो सकती है। यदि हम वास्तव में 2020 तक सभी को स्वास्थ्य का लक्ष्य प्राप्त करना चाहते हैं, तो कुपोषण की समस्या से निपटने हेतु गंभीरतापूर्वक विचार करना होगा। भारत जैसे विकासशील देश में लगभग 80 प्रतिशत लोग विभिन्न गाँवों में अपनी सामाजिक, सांस्कृतिक तथा आर्थिक परिस्थितियों के बीच जीवन यापन कर रहे हैं।

प्राचीन काल से ही भोजन तथा उसका शरीर पर प्रभाव जानने के प्रयास किए जा रहे हैं। ये प्रयास अनुसंधान के रूप में निरंतर प्रगति पर हैं। प्राचीन मिस्रवासियों द्वारा पत्थर की शिलाओं पर विभिन्न बीमारियों के उपचार के लिए आहार के महत्त्व पर लिखे लेख उनके ज्ञान के सूचक हैं।

दक्षिण पूर्ण एशिया के भागों में कुपोषण की दर बढ़ गई है तथा यह अनुमान लगाया गया है, कि इस क्षेत्र के लगभग 100 लाख (5 वर्ष तक के) बच्चे कुपोषण की विभिन्न दशाओं से प्रभावित हैं जो कि आगे चलकर उनके लिए गंभीर स्वास्थ्य समस्या खड़ी करेगा।

भारत वर्ष में लगभग 426 प्रकार की विभिन्न जनजातियाँ, विभिन्न निर्गम-दुर्गम, पर्वतीय स्थानों पर विभिन्न प्रकार की समस्याओं के बीच जीवन यापन कर रही हैं। (भारतीय मानव सर्वेक्षण विभाग, 1990)। जिनमें सर्वाधिक जनजातियों से आवासित राज्य, मध्यप्रदेश अग्रणी है, जहाँ पर लगभग 23.22 प्रतिशत जनजातियाँ निवासित हैं। (जनगणना 1981) यहाँ पर आदिवासी बाहुल्य जिला झाबुआ, बस्तर, सरगुजा, छिंदवाड़ा, मंडला, प्रमुख स्थान हैं। सरगुजा में समस्त जनसंख्या का लगभग 56% भाग जनजाति युक्त है। इसमें खैरवार जनजाति मुख्य रूप से उल्लेखनीय है। 1981 प्रतापपुर, बाड्फनगर, रामानुजगंज, सूरजपुर, मनेन्द्रगढ़ विकास खंडों में विभिन्न निर्गम-दुर्गम

पर्वतीय स्थान पर निम्न आर्थिक स्तर के बीच जीवन यापन कर रही हैं। प्रमुख रूप से यह जनजाति पितृसत्तात्मक तथा कृषि पर निर्भर है, जिनमें ज्यादातर केंद्रीय परिवार हैं तथा औसतन सदस्य संख्या 5.56 प्रति परिवार है। (दुबे, 1992) यहाँ की प्रमुख समस्याओं में सिंचाई साधनों का अभाव, पर्याप्त भूमि की कमी, शासकीय विकास कार्यक्रम का कारगर न होना, पेयजल का अभाव इत्यादि है। इन्हें स्वास्थ्य सेवाएँ भी दुर्लभ हैं, जिनका प्रभाव इनके स्वास्थ्य स्तर पर देखने को मिलता है, जिनमें शिशु मृत्युदर प्रमुख है।

आदिवासियों के स्वास्थ्य तथा पोषणीय स्थिति के बारे में अभी भी हमारे पास सही स्थिति स्पष्ट नहीं हो पाई है। आदिवासी समूह में पोषणात्मक कार्यक्रमों के क्रियान्वयन हेतु इस प्रकार का अध्ययन अति आवश्यक है। 1978 में 'अलमा एक्टा' उद्घोषणा के बाद भारत में सन् 2000 तक सभी के लिए स्वास्थ्य का नारा दिया। जिसमें राष्ट्रीय स्वास्थ्य नीति के अंतर्गत अनुसूचित जाति, अनुसूचित जनजाति को प्रमुख स्थान दिया गया है।

किसी भी देश की अर्थपूर्ण पोषण की नीति हेतु पोषणीय समस्या के स्वभाव तथा विस्तार से भली-भाँति परिचित होना पड़ेगा। तथा इस प्रकार के कार्यक्रमों के तहत (1) कुपोषण का वितरण तथा स्वभाव, (2) उच्च रूप से प्रभावित समूह (3) विभिन्न परिस्थितियों में आहारीय कार्यक्रग (4) कुपोषण में योगदान से संबंधित अध्ययन, अति आवश्यक है। प्रस्तुत अध्ययन सरगुजा की खैरवार जाति पर पोषणीय स्थिति के संदर्भ में किया गया है, जिसके निम्नलिखित उद्देश्य हैं।

(1) पोषणात्मक मापन एवं आहारीय स्थिति द्वारा इनमें पोषण की स्थिति स्पष्ट करना।

(2) पोषण से संबंधित वातावरण, सामाजिक, सांस्कृतिक तथा आर्थिक व्यवहारों का अध्ययन करना।

अध्ययन क्षेत्र तथा पद्धति

इस अध्ययन हेतु सरगुजा जिले के प्रतापपुर विकास खंड में बहुतायत से खैरवार जनजाति आवासित गाँव डाँडकरवाँ, पहाड़करवाँ एवं घुँमादाड़ में आवासित 1 से 10 वर्ष के 35 बच्चे तथा वयस्क 67 व्यक्तियों का चयन किया गया है जिसमें प्रामाणित उपकरण एन्थ्रोपोमीटर, भार मशीन तथा स्टील टेप द्वारा वजन, लंबाई, अग्रबाहु गोलाई, सिर की गोलाई, छाती की चौड़ाई तथा सिटिंग हाइट माप लिया गया, इन क्षेत्रों में अशिक्षा तथा अन्य कठिनाइयों के कारण उम्र आकलन में अप्रमाणिकता को ध्यान में रखते हुए। 1 वर्ष के बच्चों की पोषणात्मक स्थिति के आकलन में उम्र निर्भर विधि, अग्रबाहु गोलाई (कानावती तथा सहयोगी, 1972) वजन/लंबाई 2 (राव एवं सिंह 1970) एवं अग्रबाहु गोलाई/सिर की गोलाई (सेन एवं सहयोगी, 1980) की सहायता ली गई है।

जिसकी विश्वसनीयता विभिन्न अध्ययनों से सिद्ध हो चुकी है। (कानावती 1970, चोधी 1973, गुप्ता एवं भंडारी 1974, दत्ता 1977, मिश्रा एवं गुप्ता 1978, राव एवं सहयोगी 1986, एवं बासु एवं सहयोगी, 1989) जिसमें अग्रबाहु गोलाई/सिर की गोलाई द्वारा 0.310 एवं इससे अधिक को सामान्य तथा इससे नीचे को सामान्य तथा इससे नीचे को कुपोषण से प्रभावित परिभाषित किया गया।

इसी प्रकार से 10 वर्ष से ऊपर के व्यक्तियों की पोषणात्मक स्थिति हेतु पोषणात्मक मापन में पीगनेट सूचनांक (1901) पेलीडेसी सूचनांक (1921) तथा कारपरफला सूचनांक (साइटेड फॉम हक 1986) की गणना की गई है, जो निम्नलिखित है–

पीगनेट सूचनांक लम्बाई (छाती की चौड़ाई–वजन) जिसमें 10 तक उत्तम पोषण 10-15 तक मध्यम पोषण, 16-20 तक अच्छा पोषण, 21-25 में औसत दर्जायुक्त पोषण, 26-30 में कमजोर पोषण, 31-35 में बहुत कमजोर पोषण तथा 36 से ऊपर के चिंतनीय पोषण स्थिति से परिभाषित किया गया है। इस प्रकार से पेलीडेसी सूचनांक = ... के अंतर्गत 92 तक में पोषण का निम्नस्तर, 92.1-95 में माइल्ड स्तर के कुपोषण, 95.1 से 100 में सामान्य स्तर का पोषण, 100.1-105 तक में वजन के अनुपात में कुपोषण तथा 105.1 से ऊपर की मोटापा के अंतर्गत रखा गया है तथा पोषणात्मक स्थिति के मापन में कारपरफला सूचनांक = (100×वजन/लंबाई 3) के अनुसार 1.2 तक को कुपोषण की कम विकसित अवस्था 1.21-1.5 में सामान्य तथा 1.51-1.6 गंभीर रूप से कुपोषित श्रेणियों में रखा गया है।

शोध परिणाम एवं विवेचन

प्रस्तुत शोध विश्लेषण में पोषणात्मक स्थिति के संदर्भ में 1 से 10 वर्ष के बच्चों में उम्र अनिर्भर पोषणात्मक मापन, अग्रबाहु गोलाई द्वारा 85.71% बच्चे सामान्य तथा 14.28% बच्चे कुपोषण से प्रभावित तथा वजन/लंबाई 2 द्वारा 45.71% बच्चे सामान्य तथा 54. 28% कुपोषित एवं अग्रबाहु गोलाई/सिर की गोलाई द्वारा 42.86% सामान्य तथा 57.14% बच्चे कुपोषण के दायरे में हैं।

इसी प्रकार से 10 वर्ष से ऊपर व्यक्तियों के कारपरफला सूचनांक द्वारा कुल 67 व्यक्तियों में 35 (82.24%) में कुपोषण

की कम विकसित अवस्था, जिनमें 20 (29.85%) पुरुष तथा 15 (22.38%) स्त्रियाँ भी शामिल हैं। इनमें लगभग 35.92% (24) में सामान्य पोषणात्मक स्थिति में हैं, जिनमें (19.94%) 8 पुरुष, 23.88% (16) स्त्रियाँ शामिल हैं। इनमें गंभीर रूप से कुपोषित 8 व्यक्ति (11.94%) में 7 स्त्रियाँ (10.45%) तथा 1.94 (1) पुरुष शामिल हैं।

पेलीडेसी सूचनांक के अनुसार सभी 67 व्यक्तियों में पोषण का निम्न स्तर प्रदर्शित होता है। जिसमें 68.66% स्त्री तथा 31.34% पुरुष शामिल हैं।

पीगनेट सूचनांक के आधार पर कुल 67 व्यक्तियों 2 महिला (2.98%) उत्तम पोषण, 4 (5.97%) मध्यम पोषण, तथा 2 पुरुष (2.98%) एवं 8 महिला (11.94%) में अच्छा पोषण एवं 2 पुरुष (2.98%) एवं 9 महिला (13.43%) में औसत दर्जायुक्त पोषण, 5 पुरुष (7.46%) तथा 6 महिला (8.95%) में कमजोर पोषण, 2 पुरुष (2.98%) तथा 4 महिला (5.97%) में बहुत कमजोर पोषण एवं 13 पुरुष (19.40%) तथा 10 महिला (14.92%) चिंतनीय पोषण स्थिति के अंतर्गत है। संक्षेप में इसके अनुसार कुल 67 व्यक्तियों में, 40 कुपोषण (59.70%) की विभिन्न दशाओं से प्रभावित हैं जिनमें 20 पुरुष (29.85%) तथा 20 स्त्रियाँ (29.85%) शामिल हैं।

इस प्रकार से हम देखते हैं कि 1 से 10 वर्ष के बच्चों से उम्र अनिर्भर विधि अग्रबाहु गोलाई द्वारा 14.28% , वजन/लंबाई 2 द्वारा 54.28% एवं अग्रबाहु गोलाई/सिर की गोलाई द्वारा 57.14% बच्चे कुपोषण के अंतर्गत हैं तथा 10 वर्ष से ऊपर व्यक्तियों में कारपरफला सूचनांक के आधार पर 64.18% कुपोषण (जिसमें 31.34% पुरुष तथा 32.83% महिला शामिल हैं) तथा पेलीडेसी सूचनांक युक्त है इसी प्रकार से पीगनेट सूचनांक के अनुसार 83.58% कुपोषण से प्रभावित हैं। जिनमें 32.83% पुरुष तथा 50.75% महिलाएँ शामिल है। अतः इस जनजाति में पोषणात्मक स्थिति संतोषजनक नहीं कही जा सकती है।

खैरवार जनजाति में उक्त पोषणात्मक स्थिति का प्रत्यक्ष संबंध उनके पोषणीय वातावरण से है। उन गाँवों में पोषणीय जागरूकता का अभाव, फलदार वृक्षों की कमी, निम्न आर्थिक स्तर तथा पौष्टिकता के बारे में पर्याप्त जानकारी न होना है। इनके द्वारा ग्रहण किए जा रहे प्रमुख आहार पेज (गोला भात) तथा अल्प मात्रा में कुरथी, उड़द दाल है जिससे उन्हें पर्याप्त पोषक तत्त्व नहीं मिल पाने से उक्त स्थिति सामने आई है। जिससे उच्च शिशु मृत्युदर देखने को मिलती है। जिसके संदर्भ में इस क्षेत्र में (शर्मा, 1990) अध्ययन की पुष्टि भी होती है।

इस जनजाति में इस स्थिति का सामना करने के लिए संबंधित स्वास्थ्य कार्यकर्ता को पोषणीय वातावरणीय जागरूकता तथा सामाजिक वानिकी योजना के तहत फलदार वृक्ष तथा पौष्टिकता बढ़ाने के संदर्भ में समुचित विधियों से ग्रामवासियों को परिचित कराया जाना चाहिए। जिनमें सामाजिक कार्यकर्ता, मानवशास्त्री तथा स्वास्थ्य कार्यकर्ता अपनी महत्त्वपूर्ण भूमिका निभा सकते हैं।

आभार

प्रस्तुत पुस्तक माला के 'आदिवासी स्वर : सामाजिक-आर्थिक जीवन' नामक इस खंड में रचनात्मक सहयोग देने के लिए हम निम्नलिखित विद्वान लेखकों के प्रति आभार प्रकट करते हैं :

सर्वश्री जेवियर डायस, रामदयाल मुंडा, वासवी, संजय बसु मल्लिक, प्रो. पीटर एंडरसन, डॉरु डेनियल, जे. राइक्रॉफ्ट, डॉ. अशोक कुमार सेन, नंदिता सिंह, डॉ. पद्मजा सेन, घनश्याम गुप्ता, डॉ. एम.एल. वर्मा, श्रीमती अंजुबाला, तेजसिंह किराड़, सुनील वाजपेयी, श्रीमती डॉ. पारुल जोशी, कु. आशा डोरले, डॉ. काशी कैलाशनाथ शर्मा, प्रो. बी.एम. मुखर्जी, अमरकांत पांडेय, राधा पांडेय, नीलम गुप्ता, श्रीमती अनुपमा सक्सेना और कु. ज्योत्स्ना मिश्रा इत्यादि।

इन सबके अतिरिक्त अन्य ऐसे ज्ञात-अज्ञात संदर्भ, जो इस पुस्तक में लिए गए हैं, उनके प्रति भी हम आभारी हैं।

'प्रभात खबर' राँची तथा इसके संपादक श्री हरिवंश जी का विशेष आभार।